Tous Continents

## Œuvres de Marie Laberge

### Romans

*Le saphir et autres nouvelles inédites*, Québec Amérique, coll. qa, 2020.

*Traverser la nuit*, Québec Amérique, coll. Tous Continents, 2019.

*Affaires privées*, Québec Amérique, coll. Tous Continents, 2017.

*Ceux qui restent*, Québec Amérique, coll. Tous Continents, 2015 ; Paris, Pocket, 2017.

*Mauvaise foi*, Québec Amérique, coll. Tous Continents, 2013.

*Revenir de loin*, Les Éditions du Boréal, 2010 ; nouvelle édition, Québec Amérique, coll. Nomades, 2016.

*Sans rien ni personne*, Les Éditions du Boréal, 2007 ; nouvelle édition, Québec Amérique, coll. Nomades, 2016.

*Florent. Le goût du bonheur 3*, Les Éditions du Boréal, 2001 ; Paris, Pocket, 2007 ; nouvelle édition, Québec Amérique, coll. Nomades, 2016.

*Adélaïde. Le goût du bonheur 2*, Les Éditions du Boréal, 2001 ; Paris, Pocket, 2007 ; nouvelle édition, Québec Amérique, coll. Nomades, 2016.

*Gabrielle. Le goût du bonheur 1*, Les Éditions du Boréal, 2000 ; Paris, Pocket, 2007 ; nouvelle édition, Québec Amérique, coll. Nomades, 2016.

*La cérémonie des anges*, Les Éditions du Boréal, 1998 ; nouvelle édition, Québec Amérique, coll. Nomades, 2016.

*Annabelle*, Les Éditions du Boréal, 1996 ; nouvelle édition, Québec Amérique, coll. Nomades, 2016.

*Le poids des ombres*, Les Éditions du Boréal, 1994 ; Québec Amérique, coll. Nomades, 2016 ; nouvelle édition, Paris, Pocket, 2018.

*Quelques adieux*, Les Éditions du Boréal, 1992 ; Paris, Éditions Anne Carrière, 2006 ; nouvelle édition, Québec Amérique, coll. Nomades, 2016.

*Juillet*, Les Éditions du Boréal, 1989 ; Paris, Éditions Anne Carrière, 2005 ; nouvelle édition, Québec Amérique, coll. Nomades, 2016.

### Essai

*Treize verbes pour vivre*, Québec Amérique, Hors collection, 2015.

### Théâtre

*Charlotte, ma sœur*, Les Éditions du Boréal, 2005.

*Pierre ou la Consolation*, Les Éditions du Boréal, 1992.

*Le Faucon*, Les Éditions du Boréal, 1991.

*Le Banc*, VLB éditeur, 1989 ; nouvelle édition, Les Éditions du Boréal, 1994.

*Aurélie, ma sœur*, VLB éditeur, 1988 ; nouvelle édition, Les Éditions du Boréal, 1992.

*Oublier*, VLB éditeur, 1987 ; nouvelle édition, Les Éditions du Boréal, 1993.

*Le Night Cap Bar*, VLB éditeur, 1987 ; nouvelle édition, Les Éditions du Boréal, 1997.

*L'Homme gris* suivi de *Éva et Évelyne*, VLB éditeur, 1986 ; nouvelle édition, Les Éditions du Boréal, 1995.

*Deux tangos pour toute une vie*, VLB éditeur, 1985 ; nouvelle édition, Les Éditions du Boréal, 1993.

*Jocelyne Trudelle trouvée morte dans ses larmes*, VLB éditeur, 1983 ; nouvelle édition, Les Éditions du Boréal, 1992.

*Avec l'hiver qui s'en vient*, VLB éditeur, 1982.

*Ils étaient venus pour…*, VLB éditeur, 1981 ; nouvelle édition, Les Éditions du Boréal, 1997.

*C'était avant la guerre à l'Anse-à-Gilles*, VLB éditeur, 1981 ; nouvelle édition, Les Éditions du Boréal, 1995.

# CONTRECOUP

Projet dirigé par Éric St-Pierre, éditeur

Conception graphique : Louise Laberge
Photographie en couverture : Louise Laberge

Toute ressemblance avec des personnes ou des faits réels ne peut être que fortuite.

Québec Amérique
7240, rue Saint-Hubert
Montréal (Québec) Canada  H2R 2N1
Téléphone : 514 499-3000, télécopieur : 514 499-3010

Nous reconnaissons l'aide financière du gouvernement du Canada.

Nous remercions le Conseil des arts du Canada de son soutien.
*We acknowledge the support of the Canada Council for the Arts.*

Nous tenons également à remercier la SODEC pour son appui financier. Gouvernement du Québec – Programme de crédit d'impôt pour l'édition de livres – Gestion SODEC.

  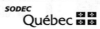

**Catalogage avant publication de Bibliothèque et Archives nationales du Québec et Bibliothèque et Archives Canada**

Titre : Contrecoup / Marie Laberge.
Noms : Laberge, Marie, auteur.
Collections : Tous continents.
Description : Mention de collection : Tous continents
Identifiants : Canadiana 20210061049 | ISBN 9782764445228
Classification : LCC PS8573.A1688 C66 2021 | CDD C843/.54—dc23

Dépôt légal, Bibliothèque et Archives nationales du Québec, 2021
Dépôt légal, Bibliothèque et Archives du Canada, 2021

Imprimé au Canada

# Marie Laberge

# CONTRECOUP

QuébecAmérique

# Note

L'action de ce roman se passe entre 2018 et 2020. Or, même si une pandémie mondiale a fermé plusieurs endroits publics, empêché des rencontres et paralysé de nombreuses activités en 2020, j'ai choisi de ne pas en tenir compte.

Alors, quand un personnage prend un café confortablement assis dans un endroit qui ne devrait pas être accessible, dites-vous qu'il est permis de rêver et que je ne m'en suis pas privée.

Je mets donc sur le compte de la licence romanesque ces libertés prises au détriment de la réalité.

ML

*Pour Catherine Laberge*

*L'homme n'est rien de lui-même.*
*Il n'est qu'une chance infinie.*
*Mais il est le responsable infini*
*de cette chance.*

Albert Camus, *Carnets 2*

## 1

*« Il est arrivé le premier. Et il l'est resté. Toute sa vie, jusqu'à aujourd'hui. Par la rage, le chantage, la force, par tous les moyens. Je ne suis pas la bonne personne pour en parler. Mes sentiments sont trop mitigés. Je ne suis pas lui. Je ne sais pas ce qui lui a pris. Je n'ai aucun indice. Je voudrais disparaître, ne plus être, ne plus exister. C'est sa spécialité, ça, me donner envie de ne… de… est-ce que c'est moi qu'il voulait tuer ? »*

Rendu là dans son récit, Éloi appuie sur la touche « recul » et regarde le curseur avaler ses mots. Il lâche la touche à « aujourd'hui » et considère ce qui reste de ses efforts. Est-ce vraiment ce qu'il pense ? Que le premier, le plus gros, le plus fort, le plus doué pour la vie vient d'essuyer un échec et qu'il sera dorénavant le dernier des derniers ?

Mais, même le dernier, même déconsidéré, défait, il monopolise encore l'attention et rend tout le monde dépendant de ses décisions unilatérales.

Éloi referme son ordinateur en faisant claquer le couvert. Il a toujours aimé cette manière d'éteindre d'un coup sec. Sans rien perdre, tout disparaît. Tout a l'air de s'effacer.

Mais, comme dans sa vie, tout reste là. Il suffit d'appuyer sur quelques touches pour récupérer le fil de ce qu'il avait entrepris.

Le contenu de l'ordinateur de son frère avait contribué à renforcer l'accusation. Ce qui y était caché. Ce qu'il avait cherché, étudié. Ce qu'il avait écrit et qu'il croyait disparu. Les gens avec lesquels il avait pris contact. Parce qu'il n'avait effacé qu'en apparence.

Éloi sait très bien que les quelques phrases qu'il vient de gommer, quelqu'un pourrait les ressusciter. Les faire réexister et les lui mettre en pleine face pour le confronter à ses propres pensées. Mais il sait exactement ce qu'il pense. Et ce n'est pas joli.

Que ce soit normal ou humain ne le réconforte pas. Rien ne peut le consoler, il est au-delà des larmes ou des regrets. Au-delà de ces sentiments humains si faciles à partager. À donner en pâture à ces dévoreurs que sont les bien-pensants. Ceux qui savent ce qui est normal et qui tranchent du haut de leur connaissance approfondie des comportements. Éloi ne veut plus jamais avoir à s'expliquer à ces gens sous prétexte que son frère se tait.

Il n'est pas lui. Il ne l'a jamais été. Il ne le sera jamais.

Et pourtant, chaque geste, chaque décision de son frère, c'est lui qui les porte. On l'a regardé comme s'il avait agi à sa place à lui, on l'a scruté, fixé comme s'il était l'autre. Comme si c'était lui, le coupable.

Et il se sent aussi seul et rejeté que s'il s'était comporté de façon aussi abominable que lui.

Dans son minuscule appartement, dans ce qui est généreusement appelé un « trois pièces » et qui se résume à un large séjour assorti d'une étroite cuisine et d'un mince corridor que le propriétaire désigne comme un hall d'entrée, Éloi ne peut même pas passer sa rage en marchant. C'est sa victoire, cet appartement. C'était sa fuite et la récupération de sa vie. Son affirmation, même ténue, même enfantine en apparence. Sa place à lui.

Il appelle sa mère qui, sans surprise, le supplie de persister, d'écrire ce qu'il faut dire pour que le juge comprenne enfin, qu'il sache que ce n'est pas un mauvais garçon, qu'il est malade, que sa place n'est pas en prison, mais dans un endroit où il sera soigné…

Entre deux sanglots étouffés, sa mère répète inlassablement ce qu'elle attend de lui, l'enfant instruit qui saura parler pour l'autre.

Un goût de fiel lui monte à la bouche. Il voudrait hurler son refus. Il voudrait réclamer son dû : un peu de respect pour qui il est puisque, elle, elle le sait. Mais la mélopée continue, les mots de sa mère, il pourrait les prononcer à sa place tellement ils sont rituels.

« Pleure pas, maman. Je vais essayer. Promis. »
Défait. Vaincu.
Ce n'est pas vrai.

Le « sauve-le ! » de sa mère, elle est seule à pouvoir ou vouloir y croire.
Il ne veut pas le sauver. Il veut se sauver, lui. Loin.

Il veut fuir. De la même manière qu'il s'est installé trop tard dans son minuscule domaine privé, il pressent que sa fuite sera inutile.

Mécaniquement, il range ses maigres effets. Il prend grand soin de tout laisser dans un ordre maniaque en se demandant s'il le fait pour se démarquer ou pour se persuader qu'il est différent de son frère qui n'a jamais été capable de remettre quelque chose à sa place.

Il a vingt-trois ans et toute sa vie ou presque a été un effort pour être lui-même. Pour ne pas être cet autre. Il contemple son image dans le miroir de la salle de bains : identique. Pareil à l'autre. Même peau. Même dentition, mêmes yeux, même corps, même voix. Toute son apparence est strictement similaire.

Et si son frère n'avait pas été assez fou pour acheter son arme sous l'œil attentif des caméras de surveillance, s'il n'avait pas stocké son discours de haine et révélé ses projets de vengeance sur le *darkweb* depuis le sous-sol de ses parents, c'est lui, sa copie conforme, qui serait aujourd'hui soupçonné de partager les mêmes délires et les mêmes actes meurtriers.

Depuis ce soir d'hiver finissant où son frère a décidé de punir le monde entier de son impuissance, depuis vingt mois exactement, Éloi vit en essayant de se reconstruire loin de ses origines.

Il a vingt-trois ans et il ne veut plus être le reflet trompeur de cet autre. Son frère jumeau. Et il est persuadé qu'il ne pourra jamais se défaire de cette prison.

Par le passé, il a toujours tenté d'effacer les traces compromettantes des mauvais coups de son pareil pour éviter d'en subir les conséquences, Éloi a été toute sa vie cette ombre bienfaisante qui édulcorait l'acidité et la violence de son frère. Pour se protéger, il le protégeait. En masquant ses dégoûts et en taisant ses désaccords.

Jusqu'à l'impensable. Jusqu'à la cassure irrémédiable.

Il ne sait même pas si son frère a agi par vengeance, par haine pure, ou pour l'obliger à confirmer la séparation. Quelle que soit la raison, le résultat a été le même : il ne l'a plus revu. Ne lui a plus parlé. A refusé de lui écrire ou de le visiter.

Rompues, les relations. Terminées, les deuxièmes chances qui s'appuyaient sur ces fameuses promesses de s'amender et de revenir à de meilleurs sentiments et à des comportements acceptables.

Son frère est ce qu'il est et lui, Éloi, n'a rien à y voir.

Même enveloppe, mêmes gènes, mais certainement pas la même personne.

Après avoir passé sa vie à essayer de se dissocier, Éloi est, depuis vingt mois, face à un tel échec qu'il ignore s'il s'en sortira jamais et si la condamnation de son frère n'est pas aussi la sienne.

Comme tout le reste, comme tout ce qu'il a partagé sans jamais l'endosser. Par association involontaire, par condamnation gémellaire, quoi !

Depuis vingt mois, il tient bon et ne bronche pas, quelles que soient les pressions. Il se terre et se tait. Seule sa mère insiste encore et toujours, tente de briser son vigoureux refus. Il ne sait même pas pourquoi elle l'atteint encore. C'est sa mère. C'est tout.

Ses jugements, ses reproches, il les remet à plus tard, quand il pourra enfin cesser de fuir.

Pour l'instant, comme un fugitif innocent, il n'essaie plus de persuader personne, il essaie de rester en vie et de n'être que lui-même.

## 2

Ginette Marcoux essuie ses larmes et retourne à la table où son travail d'archiviste la tient pratiquement en vie depuis le mois d'avril 2018. Elle ignore pourquoi elle achète ces publications, les découpe et colle tout ce qui y concerne son fils, mais elle y voit une sorte d'amour. Un jour, quand Éloi sera remis du choc, elle lui montrera pourquoi il doit pardonner et aider son frère. Elle lui fera lire tous les mensonges que les journalistes ont proférés contre cet enfant démuni et blessé, son frère. Un enfant qu'elle n'a pas su aider adéquatement, elle se l'avoue franchement, même si cela lui brise le cœur.

Elle contemple une des photos qui rend si peu justice à son fils : il a l'air hébété, dépassé. Il a l'air vulnérable, mais comment en convaincre les gens si persuadés de sa violence ? Ginette le sait bien, elle. Cet enfant est une victime, cet enfant ne comprend même pas ce qu'il a fait, encore moins pourquoi. C'est comme un blocage, une « bulle au cerveau ». C'était écrit quelque part, ça l'avait frappée cette justesse de l'expression — un égarement. Ça lui arrivait enfant, ça a continué à l'âge adulte. Que pouvait-elle faire contre ses fureurs, ses entêtements ? Les raisonner ? Expliquer qu'il ne faut pas taper ou briser ce qui nous résiste ? Elle aurait bien voulu les y voir, ceux qui jugent. Après mille fois, comment faire comprendre cela à son fils aîné ?

Elle sourit en pensant à cette incongruité qu'elle a toujours cultivée : Rock est né le premier, Éloi a suivi. Et toute leur vie a été dans cet ordre. Ginette ne se l'avoue pas facilement, mais Rock avec sa détermination, ses excès, mais aussi ses éclats, lui paraissait si fort, si brillant, si bien armé pour traverser l'existence avec brio. Comment, pourquoi un enfant si doué a-t-il dérapé ? Il a pourtant dû se passer quelque chose ! Elle n'arrive pas à comprendre. Ni d'ailleurs à reconnaître son adorable fils dans cet assassin devenu fou. Tout ce qu'ils ont dit sur lui ! Tous les mensonges, toutes ces inventions pour lui donner l'air démoniaque et criminel.

Un sanglot sec interrompt le cours de ses pensées. Ginette essaie de se calmer, de ne pas imiter les comportements excessifs de Rock. Voilà en partie ce qui la trouble le plus : aurait-elle au fond de son esprit et de son cœur le germe de violence qui a conduit Rock au meurtre ? Aurait-elle, en toute ignorance, amorcé une sorte de chaîne qui aurait trouvé son éclatante conclusion chez son fils ?

D'où Rock tient cette impulsivité, elle l'ignore. Pas de son père, Ginette est catégorique. Pas de son frère, c'est une évidence. Il ne reste qu'elle. Mais, malgré tout le désir de réparation et même de culpabilité qu'elle ressent, il lui est impossible de reconnaître en elle une telle déviance d'agressivité. Et nulle part dans son arbre généalogique elle n'a constaté ne serait-ce que le quart de ce qu'il faut de sentiments haineux pour agir comme Rock l'a fait.

Les causes demeurent un mystère. Mais les conséquences, elles, seront publiques. Ginette connaît déjà sa sentence : tant que Rock sera en prison, elle y sera aussi. Le mépris des gens à l'égard de Rock lui échoit aussi. Le jugement dépassera celui de la justice et lui sera toujours remis en pleine figure comme une preuve de son incompétence, elle en est parfaitement consciente. Elle ne peut même pas en vouloir aux gens, elle ferait pareil si elle avait lu la tonne de mensonges que les journaux et les réseaux sociaux — qu'elle ne connaissait pas avant ces évènements — ont inventés. Un déferlement de faussetés haineuses. De jugements arbitraires. Et c'est pour protester, pour rétablir la vérité qu'elle avait accepté l'offre de cet homme, Justin Levasseur, qui voulait écrire sur Rock et sa famille. Sur les « vrais » évènements de sa vie.

Ginette ne comprend toujours pas la réponse de son mari qui l'a ni plus ni moins mise devant un choix déchirant : ou elle renonce à ce projet stupide ou il part.

Peut-être a-t-elle soupçonné dans cette extravagante réaction la source des gestes de Rock. Si son père réagit avec autant d'impulsivité à une proposition somme toute avantageuse, peut-être y a-t-il une faille de son côté à lui ?

Évidemment, pour envenimer les choses, son mari avait menacé d'alerter Éloi pour renforcer son obstruction. Elle a donc refusé poliment l'offre en ayant la terrible sensation d'abandonner Rock. Au moins, monsieur Levasseur s'était montré indulgent et il avait réussi à la mettre à l'aise : il comprenait parfaitement les réactions des membres éprouvés de cette famille. Il lui avait laissé sa carte en soulignant que le temps pourrait calmer les choses et que ce n'était pas urgent. Si, un jour, elle voulait faire connaître la vérité, il l'aiderait. Il était de son côté.

Cette carte, bien rangée en lieu sûr, c'était ce qui l'aidait à tenir. Et cet homme qu'elle connaissait si peu, c'était celui avec qui elle contestait les erreurs et les exagérations qu'elle lisait sur Rock. À force de lui parler dans sa tête depuis tout ce temps, elle en avait fait un allié, un ami sûr, et même un homme à qui elle pourrait et voudrait tout dire.

# 3

Jean-Daniel Marcoux referme ses dossiers et jette ses lunettes sur son bureau en se frottant les yeux : il est 19 heures 30, l'heure de rentrer dans ce foyer détesté où Ginette lui refera les mêmes discours éculés. Le bureau est tranquille, plus personne n'y travaille et s'il s'écoutait, il y resterait jusqu'à l'arrivée des employés le lendemain matin.

Par jeu, il allume son ordinateur et cherche dans les appartements à louer ce qu'il visiterait volontiers s'il donnait vie à son rêve : partir, s'installer seul, tout quitter.

Évidemment, il se reconnaît lâche et peu aimant. Évidemment, il a des obligations et les fuir tiendrait de la bassesse la plus méprisable. Et pour se mépriser, il ne laisse pas sa place. Le regard qu'il porte sur lui-même est pire que critique. Mou, veule, inconsistant et malhonnête, il a passé en examen tous les défauts et s'est accordé les pires notes. Depuis plus longtemps qu'il ne saurait le calculer, il éprouve une répugnance extrême à rentrer chez lui, considérant au final que le terme « chez lui » englobe l'ensemble de ce qu'il juge intolérable. Tout quitter pour son propre bien-être lui a toujours semblé disproportionné. Si au moins il avait éprouvé une tentation extra-conjugale, un désir puissant pour quelqu'un d'autre qui aurait exigé de lui un chouïa de courage ! Mais non. Rien de tel ne lui était advenu. Rien. Et maintenant qu'un de leurs enfants avait fait exploser leur vie en s'emparant de celles des autres, c'était trop tard. Ajouter l'opprobre à la lâcheté représentait un effort dont il se sentait incapable. Surtout s'il en était l'unique bénéficiaire. Sa tranquillité d'esprit ne pouvait exiger un tel prix. Sa petite personne ne méritait certainement pas le dérangement — si ce n'est le bouleversement — provoqué.

Un loft… avec vue sur le fleuve. Hors de prix, bien sûr. Hors d'atteinte, point. Même pas encore fini de construire, un de ces condos dont, il n'y a pas si longtemps, il remettait en question l'utilité ou l'usage. Ce soir-là, il connaît la réponse : avant que Rock ne les précipite tous en enfer, un condo-loft représentait un rêve de liberté. Maintenant, la perpétuité de son statut d'homme mal marié, père d'un meurtrier de masse, anéantissait tout fantasme de liberté. La sentence de son fils sera la sienne, peu importe son absence d'implication dans les actes criminels de celui-ci. Peu importe ce qu'il a tenté ou non, ce qu'il a essayé de freiner ou enduré de la part de cette famille, il ne peut plus partir. Il est peut-être faible, sûrement incompétent comme père et époux, mais la limite de ses trahisons et manquements est tracée et il n'en démordra pas : il doit rester et soutenir ceux qui ont été vaincus par le crime de Rock. Les victimes collatérales dont il fait partie.

Il éteint la « vue sur le fleuve » et enfile son manteau.
Avec détermination et sans gloire, il rentre chez lui.

# 4

Hélène Foisy résiste bravement à l'envie d'ouvrir une bouteille. Ce n'est pas l'heureuse perspective de la fin de semaine qui se profile à l'horizon de ce vendredi qui mériterait la moindre célébration. Les vendredis représentent l'exact opposé de ce qu'ils étaient il y a vingt mois. Un tunnel. Une sorte d'entonnoir où toutes les échappatoires se précipitent.

Quand arrive ce jour maudit, son cœur pompe péniblement, ses pieds se traînent et elle retrouve l'éprouvante et constante conscience de son vide.

Quand elle travaille, elle réussit à faire diversion. Comme un volcan qui crache des poussières de feu, elle contrôle la lave bouillante et n'émet que des fumées inoffensives. En rentrant chez elle le vendredi, la fusion éclate. Tout le pénible travail de cohésion de la semaine s'effondre. Et elle entre en crucifixion.

Il y a deux pièces qu'elle ne visite pratiquement jamais dans cette coquette maison de Belœil, en banlieue de Montréal : le cellier et la chambre de sa fille, Juliette.

À trois reprises, depuis la mort de celle-ci, elle a tenté de vider sa chambre, d'actualiser le départ — impossible.

« Donne-moi le temps », c'était sa formule quand Juliette trépignait, que ce soit pour une permission, une décision ou la confection d'un dessert. Hélène ne sait même plus quand elle a commencé à répondre cette phrase passe-partout pour freiner les ardeurs de sa fille. C'était il y a long-temps… au divorce, sans doute, quand le départ de Guillaume paraissait un drame épouvantable, alors que ce n'était au final qu'une humiliation monumentale. Quand l'orgueil sert de cœur… quand elle assimilait l'échec d'une relation à celui de sa vie. La vie s'était chargée de rétablir la précision du glossaire : l'échec, le drame, c'était la perte de Juliette. Le trou béant qui l'engloutissait, c'était de savoir que quelqu'un en était responsable. Qu'elle pouvait — et devait — le faire condamner à davantage qu'une punition : ça ne ramènerait pas sa lumineuse fille, mais le monstre ne toucherait plus jamais à personne.

Camper sur ses positions vengeresses n'allégeait pas son deuil, ne réparait rien de sa vie brisée, mais cela canalisait le désespoir âpre qui s'emparait d'elle à chaque fois qu'elle jetait ses clés sur la console en rentrant et que ce seul son réverbérait l'implacable silence.

« Donne-moi le temps », elle le dit encore, même si personne ne la presse ou ne la houspille. Vingt mois pour effacer vingt ans, c'est trop court.

Vingt mois… elle commençait à courir, elle vidait les armoires basses de la cuisine, Guillaume n'arrivait pas à libérer les tiroirs de leurs attaches « anti-bébé-fouilleur » alors que Juliette y parvenait en un clin d'œil. Le bonheur. Sa fille sentait bon, son homme l'aimait encore, et elle avait trouvé cette maison en vue d'un agrandissement probable, prévu et consenti de la famille. Cette maison trop grande depuis si longtemps. Depuis la fausse couche, depuis le départ de Guillaume, depuis…

C'était comme si rester dans cette maison forcerait le rêve qu'elle représentait à devenir réalité.

« Va ben falloir que je parte un jour ! Tu vas pas rester toute seule ici, tu vas pas continuer à te taper le trafic du pont pour le restant de tes jours ! T'as pas d'allure, maman. »

Non, elle a raison, elle n'a aucune espèce de bon sens. Mais partir, ce serait admettre l'échec, la perte, la fin. Partir où, d'ailleurs… Partir veut dire vider la chambre de Juliette à jamais, prendre un appartement qui ne contiendrait pas d'espace pour elle alors que tout son être ne vit que grâce à elle, que par et pour elle.

Hélène répète son « donne-moi le temps » même si personne dans cette maison ne la brusque plus. Le silence est si lourd qu'elle se dépêche de se changer et elle sort marcher dans le froid de janvier. Au bout d'une heure, elle rentre, les joues brûlantes et glacées, le corps enfin fatigué par autre chose que ses inutiles obsessions.

Une fois au lit, satisfaite de ses efforts, elle cède à son envie et prend le cahier de sa fille dans le tiroir de sa table de nuit. La transgression n'est plus qu'un vague souvenir tant elle en connaît le contenu. C'est débridé, souvent non daté, rempli de dessins et de commentaires intempestifs à la manière d'une bédé déjantée, c'est quelquefois difficile à lire tellement les liens sont absents, c'est même truffé de citations non attribuées la plupart du temps, mais c'est Juliette dans tout son désordre et son ardeur. Juliette dans l'exubérance de sa vie.

« *Maman m'adore. C'est aussi une control freak. (Icône de face pas contente). Cherchez l'erreur ! (Fuck ! J'avais l'intention de rien écrire en anglais. Mais contrôlante, c'est tellement nul à côté de control freak. Elle me fait freaker pour vrai. Si elle s'écoutait, elle traverserait encore la rue avec moi !!) Faudrait la mettre sur Tinder (smack ! smack !) Ça l'occuperait. Je vais lui monter un profil. Cool !* »

Pour son cinquantième anniversaire, sa fille lui avait offert trois versions absolument délirantes de profil pour d'éventuels sites de rencontres. Elle avait même dessiné les « préférences » recherchées pour les partenaires. Sa fille la connaissait bien. Hélène est la première à déplorer sa forte tendance à tout contrôler, à prévenir les écueils et à entourer ceux qu'elle aime. Juliette lui avait caché bien des choses, elle l'a compris en lisant son cahier et en écoutant les récits de ses amis après sa mort. Comme toutes les jeunes femmes, elle avait sa vie privée, ses secrets, ses aventures, ses élans — tout ce qu'elle tenait à l'abri du regard trop avide de sa mère.

Hélène n'en est ni surprise — elle a fait la même chose avec sa propre mère — ni choquée. Elle a seulement cet appétit quasi malsain de tout savoir, maintenant qu'il est trop tard et qu'elle ne peut plus protéger sa merveilleuse fille.

Après la mort de Juliette, ses amis avaient accepté ses invitations, lui avaient révélé ce qu'ils jugeaient bon ou admissible, mais Hélène n'est pas dupe : une partie de la vie de Juliette lui échappe. Et cette partie est peut-être celle qui expliquerait sa mort. Rien ne lui permet de conclure une telle chose, ce qu'elle a su de l'assassin n'a jamais pointé dans cette direction. Et puis, elle n'a pas eu à assister à tout le procès puisqu'il était coupable et qu'il l'a finalement admis. Ne reste que cette sentence. Elle peine encore à écrire cette lettre au juge avant le prononcé de la sentence. Elle ne sait pas si elle arrivera à la lire devant lui, le meurtrier. Parce qu'elle hurlerait. Parce qu'elle se décomposerait de haine en étant dans la même pièce que cet individu. Parce qu'elle n'a qu'une envie et c'est de crier : « Tuez-le ! Qu'il disparaisse à jamais ! Tuez-le sauvagement, comme il a tué ma fille. Comme il m'a tuée ! »

Et dire qu'elle est contre la peine de mort. Dire qu'elle est opposée à cette vaine et primaire vengeance qui applique le méfait au malfaiteur. Peu importe la contradiction, elle le pense encore et ne désire pas humaniser l'assassin de sa fille. Elle sait pourtant du plus profond de son cœur que Juliette ne serait pas d'accord. Elle sait comment elle insisterait pour comprendre, décortiquer les mobiles sous-jacents qui ont mené cet enfant de vingt-deux ans à ce carnage.

Pas elle. Pas maintenant. « Donne-moi le temps. »

~ ~ ~ ~

Au matin, une petite neige folle tombe sur le jardin déjà tout blanc. Seules quelques tiges raidies se dressent ici et là. Hélène prend son temps, c'est samedi et elle a beaucoup à faire tout en sachant qu'elle ne fera rien.

Un texto entre sur son téléphone posé sur le comptoir. Elle sourit. Elle sait déjà ce qu'il contient.

Guillaume :

*À neuf heures ? J'y serai.*

Depuis la mort de leur fille, ce message arrive tous les samedis matins. Qu'est-ce qu'elle ferait s'il ne venait pas ? Comment, lui qui a si peu ce genre d'intuitions, comment peut-il persister et l'extraire comme ça de la détresse ? Maintenant qu'elle sait que rien n'est jamais acquis, elle chérit ces moments offerts par la vie. Ce n'est plus l'homme dont elle a été follement amoureuse, le mari qui l'a quittée en cessant de l'aimer et en l'avouant, c'est un homme avec qui elle a partagé les pires pensées, les plus cruels instants de sa vie. Qu'il soit encore là, qu'il ne recule ni devant sa dévastation ni devant ses violences lui paraît un miracle.

Alors qu'il se faisait rare du temps de Juliette, ne se préoccupant que des besoins, des rencontres et de la vie de leur fille, il s'est montré secourable et infiniment présent depuis sa mort. Sans rien promettre, sans organisation apparente, il occupait le créneau difficile du samedi matin. Hélène sait qu'il le fait pour lui comme pour elle. Elle n'a jamais demandé ce que sa nouvelle compagne (la troisième depuis leur rupture à sa connaissance. « Y aime fort, mais pas longtemps, ça a l'air. D'après moi, t'es son record absolu, maman. ») pensait de cette constance à son agenda. Elle n'est pas une flamme ou une menace extra-conjugale, elle est celle qui a perdu sa fille comme il est celui qui l'a perdue. À eux deux, ils incarnent tous les aspects de l'arrachement. Ils l'avaient conçue vingt ans auparavant dans les délices d'une sexualité débridée et il ne leur restait que la lumière de cette enfant disparue à partager pour contrer les ténèbres. Que les échos de ses rires moqueurs à réveiller. Que cet amour infini qui refuse de s'éteindre avec elle.

Ces samedis matins sont des bouées dans l'enfer de la vie sans Juliette. Elle n'est plus accro à son ex depuis longtemps, mais le père de sa fille, l'aspect le plus admirable de cet homme, selon Hélène, elle ne veut pas qu'il disparaisse aussi de sa vie. Maintenant moins que jamais.

« T'as pas toujours dit ça, maman ! »

Hélène va prendre sa douche et s'empêche de répondre à voix haute. Il y a des limites de solitude à ne pas franchir : entendre Juliette, d'accord ; lui répondre mentalement, passe encore, mais parler fort toute seule ? Sûrement pas !

# 5

Guillaume ne sait pas pourquoi il le fait encore. Il le fait, c'est tout. Et quand il ne peut pas y être, il avertit avant le samedi matin pour aplanir la difficulté qu'Hélène aura à meubler le trou de cet horaire. Ça n'est arrivé que trois fois en vingt mois.

Le premier samedi, c'était le jour de l'annonce du drame. Il était 16 heures 30. Il venait de s'engueuler avec Magalie pour une vétille et, la tête dans l'ordinateur, il faisait semblant de travailler quand un texto était entré.

*« Appelle-moi. »*

Hélène ne le dérangeait jamais. Elle avait une certaine autonomie, un entêtement qui d'ailleurs le tannait : comment une femme aussi contrôlante aurait-elle eu besoin de lui ? C'était la première question qui avait amorcé leur divorce. Il n'avait pas eu à composer le numéro que ça sonnait déjà.

Sans qu'il puisse placer un seul mot, elle parlait, non, elle hurlait.

« Faut que tu viennes ! La police est là. Je comprends pas. Je comprends rien. Viens, parce qu'y faut que quelqu'un comprenne. »

Il était sorti en trombe, le téléphone vissé à l'oreille. Il avait conduit imprudemment, le cœur tordu d'appréhension. Il répétait sans arrêt : « J'arrive ! J'arrive, Hélène. Arrête de crier. Respire. J'arrive ! »

« Oh mon dieu, il faut que tu leur parles, que tu les arrêtes ! »

Elle avait raccroché. Il conduisait en fou, à la limite de l'épouvante. Le silence subit l'angoissait. C'était pire que les cris d'Hélène. Il avait allumé la radio. Une tuerie avait eu lieu dans une boutique de vêtements féminins. Trois femmes étaient mortes. Une autre blessée. Il avait éteint la radio d'un geste rageur : il n'avait pas besoin des tragédies des autres. Pas en ce moment.

C'était sa tragédie.

Juliette était employée dans cette boutique.
C'était la première que le tueur avait visée.
Il ne se réclamait ni d'Allah ni de Dieu.
Il se disait victime d'injustice. Celle des femmes, ces créatures mises au monde pour le rabaisser.
L'humilier et l'écraser.
Ces salopes qui empoisonnaient sa vie n'auraient pas raison de lui.
Elles tomberaient avant lui.

Il était armé pour beaucoup plus de victimes qu'il n'y avait de personnes dans la boutique. Après avoir éliminé les trois femmes présentes — la quatrième était terrée dans la salle d'essayage — il avait déchargé son arme sur les mannequins en vitrine, ratant de peu un passant.

La femme cachée l'avait entendu donner un coup sur le comptoir avant de hurler : « As-tu compris, crisse de salope ? As-tu compris, là ? Tu m'auras pas ! »

Après, il était sorti, toujours armé. Les policiers n'étaient même pas encore sur les lieux.

Quand Guillaume était enfin arrivé à Belœil, les voisins étaient agglutinés sur le trottoir devant la maison où deux voitures de police se faisaient face, lumières d'urgence tournoyantes.

Hélène l'avait apostrophé, éperdue : « Il faut absolument leur faire comprendre que c'est impossible. »

Les policiers, accablés, l'avaient regardé, l'air coupable, en prononçant des formules toutes faites où seul le prénom de Juliette faisait fausse note.

« Morte sur le coup » « Plusieurs projectiles » « Arme puissante » « Désolés » « Identification » « S'il voulait bien venir… »

Sonné, hébété, il était rendu sur le perron quand, brusquement, il avait fait volte-face pour retourner dans le salon. Il s'était agenouillé devant Hélène qui s'était tue et ne pleurait pas.

« Tu ne peux pas rester toute seule. Je vais revenir. Tu comprends ? Tu m'entends, Hélène ?

— Non. »

Toute Hélène dans ce refus prononcé sans colère. Il avait appelé son beau-frère, Benoit, le frère qu'elle avait toujours aimé. Et il était allé identifier leur fille en laissant Hélène en sécurité. C'était la première fois de sa vie qu'il protégeait cette femme. Comme avait dit la policière : « Prenez votre temps. Y a rien qui presse. »

La formule prononcée de façon laconique lui paraissait bien mal choisie, presque obscène.

Une fois assis dans la voiture de police, quelqu'un avait sorti son téléphone pour lui permettre d'identifier sa fille sur une photo. Il avait posé sa main sur l'écran et dit que ce ne serait pas possible, qu'il voulait, qu'il devait la voir pour vrai. Il avait essayé de ne pas imaginer les détails cruels que faisaient surgir les mots « morgue » et « autopsie » que prononçait le policier. Pourquoi s'infliger une telle vision ? Fermement, Guillaume avait insisté. Il le fallait, c'est tout. Personne n'avait plus essayé d'argumenter.

En effet, une fois sous le drap, étendue dans le froid glacial de la morgue, entourée d'odeurs fortes tenant du chimique plus que de l'humain, sa « coquine et coquette Juliette » n'était plus pressée.

Sans le rire, sans le frémissement intérieur, la curiosité allumée de l'œil, la vivacité intelligente, Juliette n'était plus Juliette. Même la fossette à droite de la bouche charnue, cette fossette qu'il remplissait de sa « réserve de bisous pour les jours de pluie » avait disparu.

Elle avait l'air sérieux de quelqu'un qui fait semblant d'être morte. Tellement pas elle. Déjà plus elle.

Sa fille. Son amour.

Il avait eu envie de réclamer la vraie, de s'obstiner, de débattre de qui était vraiment Juliette. S'opposer, refuser ce simulacre, remettre la vie dans ce corps afin qu'il lui ressemble, que ce soit elle.

Les dents serrées, il avait hoché la tête : peu lui importait. Cette personne n'était pas Juliette.

Revenir à Belœil, voir son beau-frère ouvrir des bras impuissants avec dépit, entendre le téléphone sonner sans arrêt, c'est tout ce dont il se souvient de ce samedi.

Il s'était assis avec Hélène sur le canapé, il avait pris sa main inerte et avait soufflé dessus pour la réchauffer. À croire qu'elle était morte, elle aussi. Il avait posé la paume glacée contre sa joue. Il ne savait pas qu'il pleurait. Les doigts légers, délicats avaient repoussé ses larmes.

« Fais pas ça… » C'est ce qu'elle avait chuchoté avant de s'écrouler contre lui en le suppliant de ramener leur fille.

À cet instant précis, il avait cru entendre Juliette l'implorer de prendre le relais, de s'occuper de sa mère.

## 6

À l'arrivée des jumeaux, ils avaient beau avoir été préve-
nus, presque entraînés à la double tâche, la vie quotidienne
était devenue une course contre la montre. Les parents en
avaient plein les bras. Jean-Daniel n'éprouvait qu'un sentiment, celui d'être dépassé. Il ne s'était pas attendu à ce que
Ginette s'écroule lamentablement, incapable de surmonter
la dépression, rendue presque idiote à force de confusion et
d'émotions débordantes. Tant qu'il prenait les décisions
et s'occupait de tout, elle parvenait à contenir ses humeurs.
S'il revenait à la maison avec un léger retard, il la trouvait
effondrée, les bébés hurlant dans leur berceau et la cuisine
en pagaille. Dès qu'il parvenait à rétablir l'ordre, elle se calmait en répétant qu'elle ne savait pas ce qui s'était passé,
que tout ça la rendait folle et lui faisait perdre ses moyens.

Il s'était battu pour que les prénoms ne soient pas semblables ni de forme composée — son Jean-Daniel lui pesait
encore et toujours — et elle avait insisté pour que l'aîné, le
premier, hérite du prénom de son père décédé : Rock.

Tout naturellement, le prénom de son père à lui, Éloi,
avait été attribué au second.

Rien, à part leur poids de naissance, rien ne les distinguait l'un de l'autre. Au lieu d'utiliser leur prénom, c'était «les jumeaux» ou «ils» qui régnait. Jamais au singulier, ce «ils». Jamais dissociés, les bébés avaient presque fini par s'appeler Rock-Éloi, le prénom du second ne pouvant jamais précéder celui du premier. L'euphonie d'Éloi-Rock semblant discordante à l'oreille de Ginette. Les jumeaux étaient une entité indissociable.

Jean-Daniel n'avait pas anticipé la somme de travail que deux bébés exigeaient. Avec une efficacité remarquable, il avait engagé une aide-ménagère qui grevait le budget domestique et l'obligeait à faire des heures supplémentaires, ce qui ne le dérangeait pas du tout. La paix du bureau l'attirait de plus en plus. Ce qui semblait un généreux arrangement octroyé à la sueur de son front représentait en fait un puissant désir, celui d'échapper à cette famille bruyante, harassante et à l'insolite séparation des tâches. Pour Ginette, deux enfants, c'était une exigence excessive. Tout naturellement, les prénoms choisis avaient orienté le partage des responsabilités. Rock venait à Ginette instinctivement, Éloi restait dans son coin quand son frère ne l'accaparait pas. Rock bénéficiait de toute l'attention de sa mère qui laissait à l'aide-ménagère le soin de prendre Éloi s'il réclamait quelque chose. Mais Éloi était sage, secret. Beaucoup plus que son frère qui tempêtait même en mangeant, les bouchées ne se succédant jamais assez vite à son goût.

À presque deux ans, aucun ne parlait. Ni «maman» ni «papa». La base même du langage manquait dramatiquement à leurs échanges. Rock hurlait sans prononcer un mot. Et l'autre se taisait. Seul un dialecte étrange, absolument incompréhensible aux oreilles de Ginette, s'échangeait entre les jumeaux. Eux se comprenaient. Eux se suffisaient. Bêtement, Ginette en éprouvait du dépit et un sentiment d'exclusion, comme si les jumeaux se liguaient contre elle. Elle n'aurait jamais avoué que, de toute façon, cette gémellité la dépassait depuis le début. Non seulement en avait-elle été ralentie et alourdie le temps de la gestation, mais leur arrivée avait bousculé toute sa vie, la confrontant à un puissant sentiment d'incompétence. Le seul plaisir provenant de ces enfants, c'est Rock qui le lui offrait en tempêtant pour obtenir ce qu'il désirait et en ayant des « furies d'affection » qui le faisaient se jeter sur elle avec possessivité. En dehors de ce rythme d'effréné qui habitait Rock, Ginette confondait les deux petits, les assimilant la plupart du temps à une seule entité, celle des jumeaux. Comme elle veillait scrupuleusement à les habiller pareil, il devenait impossible de les différencier.

Jean-Daniel et Ginette avaient vécu cette période d'adaptation avec un sentiment commun qu'ils n'avaient jamais partagé : le chaos. Une désorganisation continuelle qui les poussait l'un et l'autre à s'isoler, chacun accablé, convaincu de son inaptitude profonde à élever des enfants qui, apparemment, faisaient front à leur endroit. La tour de Babel à eux quatre. Chacun son dépit, sa déconfiture, son silence. Chacun son lot de récriminations envers l'autre. Le tout recouvert d'un épais silence quand « les jumeaux » se calmaient et dormaient.

Bien évidemment, survivre comme couple à de telles exigences aurait tenu du miracle... qui n'est pas survenu. Cahin-caha, « la famille » avait soudé ces quatre personnes tout comme « les jumeaux » avaient formé un tout qui gommait l'individualité et les différences de chacun, les refrénait même. Personne n'avait explosé, mais personne n'avait trouvé son compte dans cet arrangement forcé. Et maintenant, après le geste d'éclat de leur fils, chacun chancelait sur des bases trop fragiles pour assurer le pas.

Après avoir écouté Ginette récriminer contre Éloi qui lambinait à aider son frère, après avoir répété que c'était légitime et compréhensible, Jean-Daniel a terminé son assiette en faisant semblant de partager la déception de sa femme. Cette complainte revenait régulièrement et il ne souhaitait pas expliquer qu'il partageait l'hésitation d'Éloi. C'était d'ailleurs la première fois qu'il se sentait en harmonie avec un des enfants. Éloi avait le choix, lui. Qu'il se sauve, qu'il s'enfuie, qu'il les renie tous autant qu'ils sont, ce n'est pas lui qui émettra le moindre reproche.

En se couchant ce soir-là, en faisant semblant de ne pas entendre les pleurs étouffés de Ginette, Jean-Daniel se demande depuis combien d'années il n'a plus de relations sexuelles. Pas que l'envie soit survenue, non, mais il s'interroge sur l'absence de désir sexuel qui a rendu l'abstinence possible et souhaitable. Par quel étrange chemin d'abnégation a-t-il pu éteindre ce moteur de vie au point qu'il lui semble totalement étranger ? Ni recherché ni espéré, le désir a été évacué de son existence au même titre que le bien-être.

Il n'est pas heureux, mais il n'est pas malheureux. L'eau tiède qui ne provoque aucun choc, aucun frisson est son habitat naturel. L'ennui, son corollaire tout aussi naturel.

Comment a-t-il pu engendrer avec cette pleureuse un enfant d'une telle violence ? Comment ont-ils pu ne jamais soupçonner qu'ils nourrissaient un monstre vengeur et délirant ? Un tyran. L'avait-elle vu, elle ? L'avait-elle protégé comme elle cherche encore à le faire ?

Trop facile, se répète Jean-Daniel, de tout repousser dans le champ du voisin. Il ne sait pas quoi faire de la bombe qui ne cesse d'éclater et de détruire leur vie, mais il sait que la bombe s'est forgée chez lui, dans l'ombre de cette famille tenue ensemble par la force de l'inertie.

# 7

En avril 2018, ce samedi précis où sa vie a basculé, Éloi a reçu un premier message de Jules Langlois, son ami le plus proche.

« *Tchèque les news, man !* »

La poursuite policière venait de se terminer et trois agents encadraient son sosie menotté qui ne se cachait même pas le visage en baissant la tête. Fier, il fixait les caméras, l'air provocateur, les yeux fous, mais l'assurance apparente d'un homme qui sait ce qu'il fait. Ou ce qu'il a fait.

Ce moment bref, saisi par les photographes et cameramen, revenait en boucle sur tous les réseaux et avait fait le tour du monde.

Éloi avait bloqué tous les appels, messages, courriels. Il s'était barricadé, en proie à la panique et à un dégoût si puissants qu'il ne cessait de vomir. Frissonnant, horrifié, il ne voulait pas en apprendre davantage sur ce qui était arrivé, le nombre et le nom des victimes ou les prétentions vengeresses de son frère censées expliquer l'horreur. Il ne désirait qu'une chose : que le monde se taise, que l'univers l'engloutisse dans le trou noir abyssal de la stratosphère, il voulait que plus rien n'existe.

Surtout pas son frère. Surtout pas lui-même, la copie du malade mental armé qui jouait au redresseur de torts.

Une fois les sonneries enfin éteintes, on avait frappé à sa porte avec force. Les coups frénétiques et sourds étaient accompagnés d'une sommation : « Police ! Ouvrez ! »

Tétanisé, il s'était laissé emmener au poste « pour sa sécurité autant que pour un supplément d'informations », et la courte marche entre la voiture de police et le poste l'avait effectivement renseigné sur ce qui l'attendait dorénavant. Les agents avaient eu du mal à le protéger contre la colère des curieux revanchards qui guettaient la suite des évènements, haineux, exigeant la peine de mort à grands cris, sans s'apercevoir qu'il n'était pas « l'autre ».

L'empressement des enquêteurs s'était mué en sympathie, puis en insistance : son frère désirait lui parler. À lui et rien qu'à lui. Ils ne pouvaient l'y contraindre, mais cela les aiderait énormément à comprendre les causes de cette violence. Acceptait-il de le rencontrer ?

Éloi s'était levé et avait poliment refusé. C'était au-dessus de ses forces. Comment, par quel éclair de génie avait-il pensé à ajouter qu'il le ferait dans quelques heures, qu'il devait absolument se calmer, ne pas risquer de dire des choses qui envenimeraient la situation en coupant les ponts. Il paraissait si calme, si accablé que les inspecteurs ont accepté.

« Vos parents vous attendent en bas. On va vous conduire. »

Ses parents ? En bas ? Comment avaient-ils su qu'il était là ? Le temps de descendre, il avait saisi que ses parents campaient là depuis l'attaque, affolés, défaits et espérant de façon dérisoire que Rock soit innocent, qu'il s'agisse d'une erreur.

Leur visage quand ils l'avaient aperçu ! Le cri de sa mère, ce « Rock ! » à la fois émerveillé et réprobateur, l'immobilité de son père, statufié, incrédule... qui cherchait fiévreusement quelque indice en le dévisageant. Un vague « Éloi ?... T'étais là ? Avec lui ? » de sa part avait stoppé l'élan de sa mère.

« Ça va, Éloi ? »

Sans cette question formulée par son père, sans la réelle inquiétude de son ton, Éloi aurait fui sans dire un mot.

Sa mère répétait constamment que c'était une erreur, qu'il devait y avoir de la confusion, que c'était impossible... Et son père le regardait avec une désolation muette, un désarroi pitoyable qu'Éloi trouvait insupportable.

Il se souvient encore d'avoir pivoté à la recherche de la porte de sortie. Il se souvient de l'agente qui lui a pris le bras, de ses yeux verts emplis de compassion : « Par ici. Sinon, vous risquez gros... »

Elle s'appelait Isabelle et elle avait attendu avec lui que le taxi arrive, cachés de l'autre côté de la rue. En refermant la porte de la voiture, elle avait murmuré un « bon courage » des plus compatissants en lui donnant sa carte « au cas où... ».

Dans le taxi, il avait envoyé un message à son père pour s'excuser.

Et il avait appelé Jules Langlois : « Tu peux aller à la pharmacie acheter de la teinture à cheveux rousse ? Je vais t'attendre chez toi. »

Il ne serait plus jamais blond. S'il avait pu, il se serait fait casser les dents pour ne plus lui ressembler.

De toute façon, il ne serait plus jamais le même.

Son double l'avait tué au lieu de se tuer.

Le choc commençait à devenir réalité à mesure que la teinture était appliquée. Jules était un piètre coiffeur, mais il n'était pas question de mêler une fille à l'entreprise.

La discrétion et même le mutisme gêné de Jules se sont relâchés quand, devenu d'un roux auburn, Éloi avait enfin souri.

« T'as compris quoi, toi, là-dedans ? »

Le sourire effacé, Éloi avait haussé les épaules, incapable de se situer dans l'amalgame d'émotions qui l'habitaient.

« Y a rien dit, ton frère ? Y a pas averti… je sais pas, moi, te donner une raison…

— À moi ? Une raison parce que l'envie lui a pris d'aller descendre du monde un samedi en fin d'après-midi au lieu d'aller prendre une bière ? »

L'air ébahi de Jules, le léger recul suivi du ramassage intempestif du désordre de la table à café avait alerté Éloi : « Quoi ? Qu'est-ce qu'y a ? »

Piteux, désarmé, Jules avait murmuré : « Tu sais pas trop ce qui s'est passé, han ?

— Y a tué du monde. Trois. La police a dit trois personnes… trois filles. Ben quoi ? Qu'est-ce que t'as ? Pourquoi tu fais c'face-là ? C'est quand même pas toi qui l'as aidé ! »

Jules lui tend son téléphone ouvert sur la page d'info qui exhibe les photos des trois femmes abattues par le tueur fou. D'un pouce agile, Éloi fait défiler les photos. Une Sophia exotique probablement sud-américaine. Il sursaute devant le portrait pas mal flou de Carolane et… Juliette.

Juliette Hébert.

Sa Juliette.

## 8

Le café est bruyant. Hélène et Guillaume parlent de tout et de rien, sans s'aventurer dans les domaines qu'ils ont eus en commun, c'est-à-dire leur passé. C'est léger, badin, anodin. Guillaume a toujours su gérer les conversations qui ne risquent rien, c'est un séduisant qui manie l'anecdote avec un art consommé. Ils rient de bon cœur ensemble. Souvent. Au début, au premier rire qui avait éclaté, Hélène avait éprouvé un vertige : était-ce possible de rire encore, de vivre encore ? Sans rien demander, il avait posé sa main dans la sienne en murmurant que s'il était mort, Juliette aurait continué à rire. Qu'il l'aurait souhaité, que ce serait même son plus cher désir. Qu'il était certain qu'elle aussi le souhaitait de leur part à eux. Étonnée de cette soudaine perspicacité, elle avait demandé s'il avait envie de rire, lui.

« Rarement. Mais quand ça passe, j'en profite. »

Le temps avait coulé, comme les larmes. Certains samedis les avaient trouvés tendus, irrités, et même dépassés. Mais le rire persistait entre eux, plus fréquent, plus léger, de samedi en samedi.

Ce samedi, Hélène enchaîne sur un sujet qu'elle juge inoffensif: « Magalie va bien ? »

Le regard moqueur de son ex la fait reculer: « Excuse-moi, tu réponds si tu veux. J'ai dit ça comme ça… »

Il sourit, apparemment détendu, mais toujours silencieux.

« Je vis seul depuis un an. Magalie n'a pas survécu au drame. »

Estomaquée, elle secoue la tête: pourquoi n'avoir rien dit ? Était-ce si douloureux ? Ou, au contraire, ça ne pesait pas lourd dans tout ce qu'il avait à gérer comme émotions ?

« Ah bon… Finalement, je vivrais avec quelqu'un depuis un an et tu ne le saurais pas plus, je suppose…

— C'est ce que notre fille appelait nos "mondes à part".

— Elle aussi en avait un, tu penses ?

— Sûrement.

— Tu le connaissais, toi ? Son monde à part ?

— Pas plus que toi.

— Oh… je pense que si elle en avait parlé à quelqu'un, ç'aurait été à toi.

— Et je pense le contraire… C'est important ?

— Non… C'est comme pour tout connaître, tout savoir. Attraper les miettes de sa vie. Je suis devenue possessive avec sa mort.

— Hélène Foisy ! Juliette avait onze mois quand elle a fait ses premiers pas avec moi et, insulte suprême, c'était en ton absence. D'abord, tu m'as pas cru et après, tu m'as accusé de mentir parce que je l'avais pas photographiée ! Même si je connaissais son "monde à part", tu me croirais pas ! »

Elle rit, parce que c'est tellement vrai. Pour Guillaume, c'est une jolie victoire.

Il se demande ce qu'elle dirait de la jalousie débridée de Magalie qui avait fixé le prix de sa présence dans sa vie au relâchement de ces samedis de complicité. Peu importait pour elle que ces rencontres lui permettent de se retrouver, de s'admettre aussi fragile, aussi vulnérable qu'il l'était, sans honte et sans lutte. Elle voulait que ce soit avec elle que l'interminable deuil se fasse.

Sur le coup, il s'était senti libéré : qu'elle parte s'il lui pesait tant ! Oui, il avait un passé. Il n'était pas plus vierge qu'elle quand il l'avait rencontrée et il ne possédait aucun moyen de précipiter les choses. Entendre Magalie parler de Juliette le révulsait. L'entendre soupçonner qu'Hélène cherchait à le reprendre, lui remettre la main dessus comme s'il était une vulgaire pâtisserie le dégoûtait. Depuis la mort de sa fille, son « monde à part » avec Magalie, il l'avait déserté.

Par égard pour elle, il avait prétendu vouloir réfléchir. Mais c'était tout réfléchi. Celle que Juliette appelait en riant « la belle pitoune » avait fait son temps. Ou alors, le sien était devenu bien différent depuis la mort de sa fille.

Les samedis matins avaient gagné en importance, parce que tout ce qui l'intéressait, c'était de retrouver un fragment du passé de la vie éclatée de Juliette.

Elle était devenue son monde à part.

## 9

Jules Langlois ne connaissait rien dans les commotions. Une fois, en jouant au hockey, il avait été sérieusement sonné, mais voir son ami suffoquer sans un mot, blanc comme la mort, le voir haleter en s'agrippant aux bords du sofa le paralysait. Il l'observait, prêt à bondir pour l'empêcher de tomber, mais rien n'arrivait. Éloi vacillait comme s'il avait reçu un coup de poing au plexus, mais il restait statique. Jules n'attendait que le moment où il s'écroulerait.

Et rien ne venait.

Ni les cris ni les pleurs. Rien.

Finalement Éloi se tourne vers lui, hagard. Jules s'avance, mais un geste d'Éloi le stoppe net.

« Elle est où ? »

La voix d'Éloi est sèche, cassante. Jules ne comprend même pas de quoi il parle.

Son ami précise : « Juliette. Elle est où ?

— Comment veux-tu que je le sache, man ? À l'hôpital… à… la morgue. Je le sais pas, moi. Qu'est-ce que ça peut faire ?

— En tout cas, merci. »

En le voyant se diriger vers la porte, chancelant mais étrangement calme, Jules se précipite : « Aye ! Tu peux pas y aller ! Oublie pas à qui tu ressembles. Y vont te tuer ! »

Un instant, la phrase l'atteint. Il s'immobilise, un étrange rictus à la bouche : « Ben, qu'y me tuent. Ça me dérange pas. »

Sans laisser à Jules le temps de l'arrêter, il sort et ferme la porte avec douceur.

Langlois se précipite sur son téléphone et essaie d'alerter quelqu'un qui pourrait l'aider.

Il fulmine en envoyant ses inutiles messages : la seule personne qui pourrait l'aider, c'est cette fille, justement. Juliette Hébert.

## 10

« Tu cries pas ? »

Jamais il n'avait vu des yeux aussi rieurs. Pétillants de moquerie. Une bouche pleine, bien dessinée, qui prononçait des mots, mais lui, il admirait la forme des dents, le sourire magnétique, la fossette invitante. Avec une bonne humeur inébranlable, elle l'avait provoqué : « Envoye ! C'est une manif, pas des funérailles ! »

Il avait exhibé sa pancarte, croyant tout expliquer par ce seul geste. C'était mal la connaître. Elle avait pouffé de rire : « On peut pas t'accuser de rêver en tout cas ! Tout un optimiste ! »

Éloi trouvait pourtant son « *Sauvez ce qui reste !* » d'une éloquence réaliste :

« D'après moi, y est pas moins cinq, mais passé minuit. »

Elle avait glissé son bras sous le sien avec un naturel désarmant : « Au moins, t'es là. Y a de l'espoir. »

Elle était plus petite que lui qui la dépassait de plusieurs centimètres. Ce qui la forçait à lever la tête vers lui pour lui parler. Son visage l'éblouissait. Un mélange de franchise, de joie de vivre et d'aplomb. Une assurance heureuse, jamais vindicative. Un concentré explosif de charnel et d'intelligence.

Ils étaient des milliers à marcher pour sauvegarder la planète, et soudain, le bras de cette fille passé sous le sien avec nonchalance lui donnait l'impression d'avoir été choisi pour la prochaine mission spatiale. D'être l'élu. L'impression fulgurante de naître enfin. Libre. Entendu, reçu dix sur dix, attirant et attiré. Il ne l'attendait pas, celle-là. Il n'avait jamais imaginé qu'un bouleversement pareil et aussi subit existait ailleurs que dans la fiction.

Il allait avoir vingt ans. Il avait fait des rencontres, baisé à gauche et à droite, il avait entretenu des liaisons plus ou moins longues, plus ou moins réussies, mais jamais rien qui s'approchait de la fascination que cette Juliette provoquait. Un envoûtement qui exorcisait toutes ses craintes, toutes ses hésitations.

Le plus étrange aux yeux d'Éloi, c'était la réciprocité immédiate des élans et celle des sentiments.

« Ta tête dépassait, sinon, je t'aurais pas parlé. J'aime ce qui dépasse. »

Elle avait juré que prendre son bras à ce moment-là ne signifiait rien de plus que « passons donc cette manif ensemble ! », et il l'avait crue. Il la croyait tout le temps.

Elle l'avait secoué, dérangé, déstabilisé. Leur premier baiser, c'est elle qui l'avait volé, presque de façon péremptoire. Surpris, alors qu'il supputait ses chances de parvenir à la retenir dans sa vie, elle avait torpillé tous ses doutes,

toutes ses peurs. Et il s'était découvert une vitalité insoup-
çonnée, comme si celle de Juliette faisait exploser tout ce
qu'il tenait en bride depuis le début de sa vie. Dans cette
fulgurance, dans cet élan et cet abandon, ils devenaient soudain à égalité et sa réserve fondait. Le rire qu'il s'entendait
émettre, il en était le premier surpris. L'appétit qu'il ressentait, il ne l'avait jamais pressenti. À tel point qu'il croyait
que c'était Juliette qui lui refilait une fraction du sien.

« Je suis pas un remorqueur, Éloi. T'es plus gêné que moi,
alors j'ai attaqué. Mais là, à partir de maintenant, ou tu
bouges, ou tu restes en arrière ! »

Elle ne le lui avait pas dit deux fois.

Au bout de six semaines, fatigué de quémander l'appartement de ses amis pour voir Juliette seul à seule, il avait
loué ce minuscule deux pièces où Juliette passait de plus en
plus de temps.

Il devait travailler fort pour arriver à payer le loyer, mais
rien n'était trop cher à ses yeux. Juliette habitait avec sa mère
sur la Rive-Sud et, souvent, elle restait avec lui.

Étrangement, malgré leur féroce complémentarité, ils ne
s'étaient ni l'un ni l'autre coupé de leurs relations précé-
dentes, de leurs intérêts particuliers, de leur vie passée, quoi.
Cette liberté leur venait de l'assurance de s'être trouvés.
Aucun des deux n'était pressé d'intégrer l'autre dans ses
relations amicales. Cette exclusivité leur convenait et leur
couple n'était pas une entité de béton : ils étaient deux et
n'envisageaient absolument pas de faire un. Parce que plus
ils étaient deux, plus leur union devenait exaltante.

Ils étaient libres et voulaient le demeurer. Se choisir à répétition n'était même pas une théorie ou un principe, c'était leur manière de s'aimer.

Éloi s'estimait suffisamment possédé de désir et de joie pour ne pas s'encombrer des inquiétudes de la possession de l'autre. Il haïssait cette triste disposition qui racornissait les relations humaines. Sa confiance en Juliette était totale, inébranlable. Et il la savait réciproque. Pourquoi le démon de la jalousie lui échappait totalement, il n'aurait su le dire, mais c'était un délice d'aimer de cette façon, sans crainte, dans un abandon qui ouvrait toutes les possibilités, exaltait toutes les découvertes.

Pas seulement sexuelles, mais sûrement sexuelles. La légèreté l'habitait, il ne craignait aucun jugement, aucun refus. Il se jetait à l'assaut du plaisir avec cette simplicité permissive d'où la vanité est totalement exclue. Juliette ne laissait pas sa place, leur duo était fringant, enlevant. Le rire régnait et le sexe sentait bon.

Instinctivement, Éloi avait gardé Juliette à l'écart de sa famille. Elle représentait l'agent libérateur, il ne souhaitait pas lui présenter des personnes qui, même sans le vouloir, l'emprisonnaient dans un rôle muet désespérant. De toute façon, sa décision de partir seul en appartement avait provoqué un drame et il refusait de voir Rock réduire Juliette à la cause de son abandon.

Parce que Rock refusait de le voir partir. De se séparer de lui. D'être laissé derrière « comme s'il ne comptait pas ». Éloi avait beau expliquer que, justement, il comptait trop, pesait trop sur sa vie, Rock n'en démordait pas : cette fuite et cette défection étaient inqualifiables, injustifiables et dégueulasses. Il devait lui laisser le temps de se faire à l'idée, prétendant que cette violence lui était intolérable, qu'il était prêt à changer son comportement pour que son frère reste. Qu'il pose ses conditions, qu'il s'explique, mais qu'il ne parte pas.

Éberlué, Éloi avait gardé le silence. Rock, changer de comportement pour lui? C'était aussi surprenant que s'il s'était mis à étudier à l'école ou à travailler sérieusement. Rock n'en faisait qu'à sa tête tout en jouant avec les mots pour faire croire ce qu'il voulait à l'autre.

Sans colère, sans émoi, rivé à l'idée délivrante de retrouver des murs anonymes et silencieux, Éloi avait ramassé ses maigres possessions et ébouriffé les cheveux de son semblable en refusant d'entrer dans la tragédie qu'il se jouait.

« Tu devrais partir, toi aussi. Ça te ferait du bien. »

Tout le visage de Rock s'était éclairé: « Avec toi? »

« Jamais! » avait pensé Éloi avec une violence qui le laissait pantois. Il ne se savait pas à ce point exaspéré. Il avait marmonné: « Avec toi, Rock. Y est temps qu'on se lâche un peu. »

Sa mère pleurait, bien sûr. Éloi s'était demandé si l'idée d'avoir à discipliner son beau grand garçon sans le soutien du jumeau ne la désespérait pas un peu. C'est sûr que son départ créerait un vide et obligerait une nouvelle répartition des énergies. Éloi se sentait blindé contre tout attendrissement: cette maison, il ne la regretterait pas et n'en aurait aucune nostalgie. Maintenant que Juliette lui avait révélé qui il était avec ses yeux complices, maintenant que la parole, le rire et la douceur entraient dans sa vie, quitter ce triste sous-sol devenait aussi libérateur que sortir de prison. Il ne les tenait pas responsables de la situation, il avait probablement laissé faire de façon complaisante… qui s'était muée en façon paralysante.

Il n'y avait qu'un futon dans la pièce principale et des boîtes de livres. Rien sur les murs. Une table bancale, une seule chaise pour travailler à l'ordinateur. La cuisinette se réduisait à un comptoir vide, tout comme le mini-frigo l'était, mais toute la richesse du monde se trouvait entre les draps dépareillés où Juliette endormie tenait encore sa main contre sa joue. Éloi refusait de s'endormir, heureux — profondément, totalement heureux. À un point presque indécent.

Grâce à Juliette, il était même certain qu'il n'était pas un sans-cœur de l'être autant.

## 11

Ginette pouvait mettre une date sur le moment où tout avait basculé pour se déglinguer lamentablement. Et c'était quand les jumeaux avaient été séparés. Rock prétendait que la raison du départ de son frère, c'était une histoire de cul avec une femme mariée qu'il ne pouvait leur présenter, tellement c'était choquant. Rock se désolait, s'en faisait horriblement pour son jumeau. S'il avait pleuré, Ginette aurait même appelé cette dure période une dépression. Mais ce n'était pas le style de Rock de s'effondrer. Il se battait quand il rencontrait l'adversité. Il l'avait toujours fait. Un caractère fort qui ne se laissait pas marcher sur les pieds. Sauf par son frère qui, l'air de ne pas y toucher, presque muet, avait quand même un sérieux ascendant sur Rock.

Ginette voyait bien que le sous-sol devenait une sorte de repaire où son fils fumait — et pas seulement du tabac — et passait des heures devant l'ordinateur. Démobilisé par le départ d'Éloi, il avait vite perdu son emploi qu'il détestait de toute façon. Ginette ne pouvait pas comprendre comment le talent de l'un était à ce point reconnu et bien payé, alors que l'autre n'arrivait pas à garder un emploi. Dans le même domaine, en plus ! Celui des ordinateurs et de la programmation de sites et de jeux, enfin, ces choses qui s'appuient sur des machines auxquelles elle ne comprenait rien de toute façon. Il est vrai qu'Éloi avait fait des études et obtenu des diplômes, mais si Rock se débrouillait aussi bien que lui sans avoir passé tous ces examens, c'est qu'il était plus que doué, elle en était certaine.

L'école répugnait à Rock. Depuis la maternelle. Depuis qu'on avait essayé de le séparer de son frère et qu'elle avait dû les changer d'établissement pour leur éviter un tel traumatisme. Comment le système scolaire arrivait à interférer à ce point avec l'autorité parentale, elle ne sait pas, mais comme son fils aîné, elle sait se battre quand il le faut. Elle n'était pas aussi instruite que Jean-Daniel, mais son instinct maternel ne mentait pas. Elle savait que cette alliance des jumeaux ne devait pas être brisée. Ni contestée. Oui, ça ralentissait leur développement social, peut-être même qu'ils se suffisaient l'un l'autre, mais elle ne voyait rien de condamnable là-dedans, au contraire. Avoir un allié à vie, c'est quand même mieux qu'être tout seul ! Et, en voyant l'âpre solitude de Rock après le départ de son frère, elle se félicitait de ne pas avoir permis que ça survienne avant, quand ils étaient encore enfants.

Elle n'était pas certaine de croire les élucubrations sexuelles de Rock qui donnait des détails déplacés sur les amours supposées de son jumeau. Comment aurait-il pu savoir ces choses ? C'était quand même surprenant…

Quand Éloi l'appelait — et il était très fidèle là-dessus — jamais rien ne semblait lui arriver de spécial. Il avait un ton uni, parlait peu, s'inquiétait de sa santé et de celle de son père. Quand elle demandait : « Tes amours ? Comment ça va ? », il disait que tout allait bien. « Quand j'aurai quelqu'un à te présenter, je le ferai, maman. »

Comment Rock pouvait-il prétendre qu'il mentait, qu'il y avait quelqu'un et que c'était juste pas présentable ?

Jean-Daniel s'était fait rassurant à ce sujet : Rock avait peut-être envie d'avoir une compagne et il prêtait à son frère ce que lui ne possédait pas. « Ça serait pas la première fois qu'il est jaloux, tu le sais. »

Elle n'appréciait pas du tout ce genre de remarque : comment Rock pourrait-il envier une femme aussi scandaleuse et peu distinguée que celle dont il parlait ?

Sans surprise pour elle, son mari prenait le parti de dénigrer Rock et de lui rappeler qu'il faudrait qu'il se grouille et trouve un emploi.

Aux yeux de Ginette, c'était la tentation de mettre son fils dehors qui justifiait les critiques de Jean-Daniel et non pas un regard objectif sur les problèmes d'adaptation d'un jumeau à une séparation non désirée.

Plutôt que de commencer une discussion vouée à l'impasse, elle a toujours préféré se taire et rester sur ses positions.

## 12

Éloi relève la capuche de son coton ouaté. Il fait froid pour avril et il est transi. Il a marché, marché, et rien ne se calme dans son esprit. Il croyait avoir touché le fond du déses-poir trois mois plus tôt, quand Juliette avait rompu. Le désespoir n'avait pas abattu toutes ses cartes, la détresse qu'il ressentait le rendait fou alors, et maintenant, elle le vide, l'annihile. Il avance en aveugle, désespéré, au-delà de la rage, de la colère.

Il ne voit qu'une chose: le regard amoureux de Juliette qui n'existe plus, son rire qui n'éclatera plus, sa voix qui plus jamais ne murmurera les mots doux, les mots délirants, les mots éperdus de la connivence amoureuse.

Le monde sans elle, le monde privé d'elle, la vie privée de son humour... il le répète, rythme ses pas sur le « fi-ni », le « plus-ja-mais » qui tournent dans sa tête. Que lui la perde, c'était déjà atroce. Mais que la vie la perde? Comment la vie pourrait-elle s'en tirer? Comment le monde peut-il continuer de tourner? L'inconscience peut-elle atteindre un tel degré de turpitude? Il va hurler, il va crier qu'il faut sauver Juliette, qu'il faut sauver l'humanité qui n'a plus qu'un seul prénom, une seule incarnation, Juliette.

Sa surdouée de vie. Sa Juliette.

Au fond d'une ruelle sans issue, appuyé contre le mur gris sale barbouillé de graffitis dont pas un seul n'est beau, il lâche un feulement d'agonie qui s'éteint avec son souffle de bête écorchée. Le front brutalement appuyé sur le grain du béton, il se cogne la tête pour que la douleur intérieure qui le brûle soit enfin anéantie, vaincue par celle du dehors.

Le son est sourd, il halète sous les coups, et quand il croit essuyer une larme, c'est le sang qui coule de son front qui macule ses doigts.

Comme une loque, il s'effondre dans la neige. L'esprit en feu, le cœur écrabouillé, il n'a pas encore réussi à unir les deux informations pourtant enregistrées par son cerveau : la mort de Juliette et son frère armé qui la vise et la tue.

## 13

Le journal de sa fille, Hélène le sait par cœur. Il n'y a pas de secrets ou d'aveux bien croustillants dedans, mais des images, de petits dessins ou des phrases jetées là pour y repenser ou des citations pour s'inspirer ou discuter. Beaucoup de références lui manquent pour décoder ce que sa fille cherchait ou voulait exprimer. Même les dates sont erratiques et cela, quand elles sont indiquées. Parfois, elle a inscrit un jour d'octobre, alors que la veille, elle parle de janvier. C'est aussi touffu et surprenant qu'elle. Et c'est ce qu'Hélène cherche en tournant les pages : retrouver l'énergie et la fantaisie de sa fille et non pas débusquer ses secrets.

Elle adore cette page où la même bouche est dessinée dix, vingt fois. Une bouche magnifique, d'ailleurs. Dans un coin, elle avait inscrit à la mine de plomb : *dévorer et être dévorée… perfection.*

L'autre page qu'elle aime par-dessus tout comporte une maxime sans identification d'auteur : *La loi des lois : VIVRE !* qui est suivie de deux dessins, sortes de pancartes où est inscrit *Sauvez ce qui reste!* sur l'un et sur l'autre qui suit : *Ça urge!* et dessous, écrits avec des émojis dessinés par elle, un gros *Ouf!* et *Tout un match!*

Hélène ne croit pas aux prémonitions, mais comment une fille aussi jeune pouvait-elle avoir tant à cœur de vivre ? Comment savait-elle que c'était urgent à ce point ? « La loi des lois », c'est quand même stupéfiant que Juliette ait écrit ça alors qu'elle venait d'avoir dix-huit ans.

Hélène referme le cahier usé. Elle joue à la reconstruction du passé à la lumière du présent et c'est à la fois malsain et vain. Si elle n'a rien trouvé dans ce journal fantaisiste pour consoler sa perte, c'est que sa fille ne peut lui offrir davantage.

Si elle obéissait à la loi suprême de Juliette, elle se contraindrait à vivre.

Vivre sa peine, sa perte qui constitue sa vie d'aujourd'hui et aller vers l'abîme sans jouer au devin.

Le temps dont tout le monde parle sans arrêt, le temps, cet allié supposé, elle le déteste.

Guillaume avait eu la même réaction qu'elle quand les bienveillants lui sortaient la phrase lénifiante sur l'apaisement qu'apporte le temps. « M'en crisse du temps ! »

Là-dessus, ils sont au diapason. Comme ils ont réussi à l'être pour leur séparation. Elle ne sait par quel miracle puisqu'ils n'avaient qu'un seul mot d'ordre — une seule loi des lois — protéger Juliette de ce drame intime du désamour qui ne la concernait pas. S'arranger pour qu'elle n'endosse jamais la responsabilité de cette rupture.

Ils avaient réussi cet exploit. Et la clé de leur entente post-divorce réside probablement dans cette prouesse. Depuis la mort de Juliette, la conviction d'avoir épargné à sa courte vie le poids de la séparation lui fait un bien fou. Ce qui lui a tant coûté à l'époque valait cent fois la peine. Juliette a eu ses chagrins, ses difficultés, mais elle n'a pas assumé autre chose que sa vie à elle, ses choix à elle. Ceux de son père et de sa mère ne lui sont pas tombés dessus comme un mur qui empêche de vivre.

«Alors pourquoi ma mort serait-elle ton mur, maman?»

Quelquefois, savoir ce que sa fille lui dirait est une bénédiction. Mais c'est aussi pas mal énervant, Hélène en convient.

Elle éteint en se promettant que demain, sans faute, elle se forcera à sortir de son isolement, à appeler des amis. En espérant que personne ne va parler du temps qui aide tant.

## 14

À partir du moment où la nouvelle de la fusillade a été connue et que Jean-Daniel a su que Rock en était l'auteur, il a accouru au poste de police et tenté d'en apprendre davantage. Voir son fils était sa grande préoccupation, tout comme celle de sa mère. Pas un instant il n'a cru qu'Éloi avait quelque chose à faire avec cet acte incompréhensible. Il était même convaincu qu'il aurait à lui apprendre la nouvelle. Son départ de la maison pouvait le mettre à l'abri de ce drame, c'était le seul côté positif de l'histoire. Il n'était pas idiot, il savait parfaitement que le jour où Éloi avait décidé de casser le lien, Rock ne s'en était pas remis. Un peu comme si on lui avait retiré les poumons, il n'arrivait plus à respirer, à vivre.

Rock, qui était bavard, qui rouspétait et s'emportait pour des riens, avait changé du tout au tout. Il s'était comme recroquevillé, rabougri, et il était rentré dans sa coquille au sous-sol. Ce qu'il y faisait, les choses qu'il y amassait, eux l'ignoraient. C'était tout de même un homme majeur ! Quelqu'un qui avait ses problèmes, certes, mais quelqu'un qui n'avait jamais été physiquement agressif ou enfin, pas de façon outrancière ou très dommageable.

À partir de ce soir d'avril 2018, la responsabilité des gestes de son fils lui était tombée dessus. Trouver un avocat qui le défendrait bien, trouver l'argent pour le payer, trouver les explications, les raisons d'un comportement aussi horrible, toute cette frénésie d'activités faisait presque du bien. Mais au fond, Jean-Daniel aurait voulu qu'on fasse son procès à lui, qu'on le condamne, lui, puisque le monstre qu'était devenu cet enfant venait de lui et avait été élevé par lui. Tout le temps où il trépignait au poste de police, attendant de pouvoir rencontrer Rock et tenter d'y comprendre quelque chose, il n'avait eu aucune autre inquiétude que celle de prévenir Éloi et de l'assurer qu'il le tiendrait au courant. Toute son attention était rivée sur la porte d'où un inspecteur ou un policier sortirait pour leur expliquer la suite des évènements.

Jean-Daniel aurait été devant la porte d'une salle de la morgue — comme les pauvres parents des filles touchées par Rock — que ça n'aurait pas été moins stressant.

Les pensées se bousculaient dans sa tête, il peinait à réfléchir, à organiser la moindre logique, trier les priorités. Du moins, Rock n'avait pas été blessé. Surpris par l'ironie de cette pensée, il avait repris sa marche dans l'espace étroit du poste de police : Rock avait tué trois personnes, il était armé jusqu'aux dents, comment pourrait-il être blessé ? C'est lui qui blessait, lui qui tirait.

Jean-Daniel avait beau se répéter ces mots, Rock demeurait pour lui un enfant effaré, perdu et meurtri. Intérieurement mortifié, déficient… oui, voilà ce qu'il désirait entendre : une déficience, un manque, une provocation étaient responsables. Il fallait que cette violence soit une réponse à une cause dont il ignorait encore la nature.

Pourquoi un acte aussi insensé serait-il l'aboutissement normal d'une vie normale ?

Il lui fallait un déclic, une raison, une cassure ou un fondement, quelque chose pour percer le mystère d'une telle abomination.

Épuisé par toutes les pensées contradictoires qui l'habitaient, il avait sursauté quand la porte s'était ouverte sur Éloi, accompagné d'une policière. Ginette, en criant le prénom de Rock, avait ajouté à la confusion. Mais lui ne s'y était pas trompé. C'était Éloi et il semblait aussi estomaqué que lui. La première pensée qui avait traversé l'esprit de Jean-Daniel était qu'il ne l'avait pas vu entrer au poste. Ensuite, les raisons probables de sa présence à cet endroit ont commencé à le brûler comme de l'acide. Est-ce que les jumeaux avaient agi de concert ? Ensemble encore, malgré le départ d'Éloi ? Malgré sa répugnance évidente à fréquenter la famille ?

Quand son « ça va ? » n'avait obtenu aucune réponse, quand la policière avait tiré Éloi vers une autre porte, Jean-Daniel en était devenu fou d'angoisse : pas les deux ! Pas ensemble !

Peu après, la policière était repassée dans la salle d'attente, il avait littéralement foncé dessus : « Mademoiselle ! Madame ! Excusez-moi. Vous l'avez arrêté aussi ? Mon fils, Éloi… il a quelque chose à y voir ? S'il vous plaît, ne partez pas, j'ai besoin de savoir… »

Le gémissement que Ginette avait poussé ne l'avait pas fait quitter des yeux une seconde ceux de la jeune femme. Désolée, elle était désolée. Pour lui. Pour eux.

« Non, pas du tout. Il est parti chez lui. Ne vous inquiétez pas. »

Le soulagement, trop brutal, l'avait étourdi. Il vacillait, il tremblait, à deux doigts de s'effondrer.

« Assoyez-vous, monsieur. Ça va être très long… Ménagez-vous. »

C'est sans doute la compassion de cette femme qui l'avait poussé à demander pourquoi Éloi était là. Ce qu'il avait fait.

« Rien. Ne vous inquiétez pas.

— Mais Rock ? Rock est encore là ?

— Oui, monsieur. Il ne sortira pas d'ici. Vous devriez aller attendre chez vous.

— On voudrait le voir. Juste… le voir, vous comprenez ?

— Oui, mais ça ne sera pas possible. Pas maintenant. Pas avant un bon bout de temps.

— Éloi… est-ce qu'Éloi l'a vu, lui ? »

Il s'accroche aux yeux indulgents, espère un soulagement, une réponse qu'elle ne lui offre pas.

Elle tapote son bras avec sympathie : « Rentrez chez vous. Ça sert à rien de vous épuiser. »

Elle s'était sauvée avant qu'il ne pose encore la même question.

Comment aurait-elle pu lui dire que Rock, l'égaré bégayant, l'homme confus qu'ils avaient arrêté ne cessait de demander s'il avait tué son frère. Qu'il se berçait sans arrêt en réclamant Éloi en personne comme preuve. Il répétait les mêmes mots sans suite, incompréhensibles. Tout ce que les policiers arrivaient à décoder était qu'il y avait des limites. Puis, dans un sursaut, il demandait : « Tout le monde est correct, han ? » suivi encore de borborygmes indéchiffrables.

La policière Isabelle Faguy avait à peu près le même âge que les victimes. Mais ça lui était difficile de ne pas avoir d'empathie pour les proches du tireur. Elle les voyait se décomposer, s'effondrer devant elle. Le choc de la fusillade, ils le recevaient avec la même violence que les familles des victimes. Sauf qu'ils auraient à vivre avec la faute d'un des leurs. Eux aussi se retrouvaient du côté des coupables.

Étrange comme ce jumeau qu'elle avait poussé dans un taxi ressemblait à l'assassin sans pour autant être habité de la même véhémence. Il avait beau être assommé, il ne dégageait pas la confusion et la violence de son sosie.

Comme ce sera difficile pour lui de présenter un visage haï de tout le monde et de n'y être pour rien. Elle avait peur qu'il se fasse carrément lyncher.

Déjà, ça se déchaînait sur les réseaux sociaux, et les médias n'arrangeaient rien en ramenant tous les autres actes de violence faite aux femmes dans un passé pas si lointain. C'était leur travail, elle en était consciente, c'était important de ne pas se voiler la face et d'exposer l'ampleur du problème dans toute sa cruauté. Pour l'analyser. Pour le régler. Pour en finir.

Mais Isabelle savait que la haine des femmes remontait à plus loin que les livres d'histoire pouvaient en témoigner — à la nuit des temps, probablement. C'était profond. La haine des femmes, elle l'avait affrontée si souvent qu'elle ne voyait pas comment elle pourrait jamais s'atténuer ou disparaître. Combien de fois avait-elle entendu le « grosse crisse de conne », lancé dans son dos ? Combien de femmes sous terreur, anéanties par la perspective d'être tuées, blessées, écrasées sous les poings vengeurs avait-elle sorties de leur milieu mortifère... pour les voir y retourner par manque de solutions de rechange ?

Elle a fini son quart de travail et elle doit remettre son rapport. En attrapant de justesse son supérieur — débordé par les évènements — elle suggère une sorte de protection policière pour le frère jumeau du tueur.

« Pourquoi ? Y a reçu des menaces ? »

Elle répond par l'évidence : la position de cet homme est quand même particulière.

« Regarde Isabelle, si y a besoin de protection, y appellera la police, comme tout le monde. On n'est pas des baby-sitters ! »

Une fois dans sa voiture, elle allume son téléphone. Les messages abondent : sa mère, son frère, ses amis, tout le monde veut des détails sur la tuerie, chacun expliquant que ce n'est pas par curiosité morbide, mais elle est bien affectée au poste où le meurtrier est enfermé ? De quoi il a l'air, est-ce qu'il est vraiment fou, qu'est-ce qu'il dit ?

Isabelle ne rappelle que sa mère pour la rassurer. Sa mère qui a en horreur ce métier dangereux que sa fille aime tant. Elle répète constamment : « Sois prudente ; protège-toi ! »

Au milieu de la conversation, un autre appel entre. Pour couper court, Isabelle prétend que c'est le poste, alors que c'est un appel masqué.

« Vous m'avez laissé votre carte de visite, tantôt... Je... pouvez-vous m'aider ? »

Elle ne reconnaît pas la voix, mais elle n'a aucun doute : « Éloi ? Où êtes-vous ?

— Près de chez moi. Caché… y a des caméras, des gens devant la porte du building.

— Oui, mais l'adresse ? C'est où, chez vous ? »

Elle est à cinq minutes et elle a si peur de le perdre qu'elle refuse qu'il raccroche.

Elle le guide vers la rue suivante, lui demande de décrire les commerces, de lire les adresses.

Quand elle s'arrête enfin près de lui, elle a du mal à le reconnaître : le visage tuméfié, les cheveux roux, le front durement écorché et gonflé en forme de poire.

« Seigneur ! Y vous ont pas manqué ! Montez, vite ! »

Il s'effondre dans le siège passager, la tête renversée, les yeux fermés en murmurant un « merci » soulagé.

Il refuse d'aller à l'hôpital, il n'a aucun endroit sûr où il pourrait soigner ses blessures et chaque question qu'elle pose est suivie d'un long silence hébété. Il se contente de hocher la tête de gauche à droite, comme s'il n'arrivait pas à reprendre ses esprits.

Il répète « merci » et elle se tait, incapable de prendre une décision pour lui. Dans le silence subit, il semble se rendre compte de l'insolite de la situation.

« Laissez-moi dix minutes, le temps de réfléchir. Après, je vais partir. Mais merci. »

Elle embraye doucement : « Parfait. On est à dix minutes de chez moi. Faut mettre de la glace sur votre front. Y a quand même des limites ! D'après moi, ça va régler votre problème d'anonymat pas mal mieux que votre essai de teinture. »

De toute évidence, il ne saisit pas de quoi elle parle. Elle descend le pare-soleil pour qu'il constate par lui-même. Soufflé, il murmure : « Calvaire… »

L'état de choc dans lequel il est le rend conciliant. Il n'ajoute rien et la suit docilement.

Elle pose les glaçons sur le front tuméfié et elle est soulagée de le voir fermer les yeux et cesser de protester qu'il va partir, qu'elle en a assez fait pour lui.

« Les victimes… »

Il plonge son regard dans le sien, comme si ces mots suffisaient pour qu'elle comprenne de quoi il parle.

Elle attend et il précise : « Elles sont où ?

— À la morgue. Je suppose… En tout cas, c'est là qu'elles iront. Pour l'autopsie. »

Il grimace et elle appuie à nouveau le sac froid qu'il a laissé tomber. Elle retient le « pourquoi » ou toute forme de précision. Les enquêteurs ont sûrement formulé toutes les questions ; elle ne travaille plus, elle aide quelqu'un en mauvaise posture.

« Je voudrais la voir. »

Isabelle reste immobile, sur le qui-vive. Elle maintient la glace sur le front d'Éloi qui ne semble pas en mesure de le faire lui-même. Elle attend fébrilement la suite.

Rien ne vient. Il a l'air d'avoir dit tout ce qu'il désirait. La voir.

Isabelle demande avec le plus de naturel possible : « Laquelle ? »

Quand il prononce «Juliette», sa voix se brise. Il repousse la main d'Isabelle avec douceur, se lève en répétant son merci.

Elle ne comprend plus rien. Il la connaissait! Ce n'était pas un crime dément, c'était ciblé. Comment les enquêteurs ont-ils pu le laisser partir s'il sait quelque chose des victimes? Son frère savait? Son frère connaissait cette fille, lui aussi?

Elle est debout, énervée, elle le suit vers la porte, il faut qu'elle l'arrête, qu'elle en sache davantage.

«Attendez! Vous pourrez jamais la voir tout seul. Ils vous laisseront pas entrer. C'est hypersécurisé, la morgue.»

Il s'arrête, dépité: «M'aider comment?»

Elle cherche quoi dire, elle ne sait vraiment pas, mais elle est persuadée de tenir un fil conducteur, une piste qui permettrait de comprendre.

«Faut que je réfléchisse. On peut-tu s'asseoir? Debout sur le bord de la porte, de même, j'ai pas d'idée.»

Son sourire est intact. La différence entre son front, ses yeux rougis et la beauté de sa bouche est saisissante.

Il ne s'assoit pas, mais il ne part plus. Il attend. Et elle décide de jouer franc-jeu: «Vous l'avez dit aux enquêteurs que vous la connaissiez?»

Il hoche la tête.

«Votre frère la connaissait?

— Non! Sûrement pas.

— Vous êtes sûr?»

Il hésite, elle le voit chercher, réfléchir à ce qui aurait pu arriver, ce qui serait une sorte d'explication. «Non... ou je sais plus. Je suis sûr de rien, maintenant. C'est fini ce temps-là.»

Elle entend le clic de la bouilloire dans la cuisine. Elle a peur qu'il parte. Elle veut seulement recueillir les indices qu'il détient.

« Venez. On va s'asseoir et essayer de réfléchir un peu mieux. »

## 15

Au premier anniversaire de la mort de sa fille, Guillaume Hébert donnait le change, mais il savait que son état frisait la catastrophe. Il dormait de moins en moins, mangeait mal et sa concentration lui faisait défaut. Non seulement il n'était pas maniaque de conversations, mais il fuyait systématiquement les réunions où il aurait à affronter la sympathie ou l'intérêt des gens. La seule constante qu'il n'avait pas balayée de sa vie, c'était ses samedis matins avec Hélène. Parce qu'il l'avait secrètement promis à la dépouille de Juliette et que ce qu'il promettait à sa fille, il n'y manquait pas. Jamais. Morte ou vive.

Toute sa vie était sur « pause » et il commençait à avoir les bras fatigués à force de tenter de survivre. Il buvait peu de peur de trop boire, il se forçait à cuisiner pour se convaincre que tout restait pareil… sans prendre plus qu'une bouchée de ce qu'il préparait. Il avait déménagé et donné ce qui appartenait à sa fille à des œuvres qui auraient eu son approbation. Mais entrer dans son nouveau condo trop neuf, trop propre, lui donnait l'impression de vivre à l'hôtel. Il n'était plus chez lui nulle part. Étranger à lui-même, aux autres, étranger sans intérêt pour quiconque. Il ne se sentait ni triste ni déprimé, il ne se sentait plus. Tous les voyants lumineux fonctionnaient, mais il avançait le pied sur le frein, ce qui exigeait une énergie décuplée. Énergie qu'il n'avait plus.

Le premier anniversaire avait réanimé certains débats, les journaux avaient reparlé de « l'affaire », et la violence faite aux femmes — pour l'unique raison qu'elles étaient des femmes — avait occupé tous les talk-shows.

Hélène avait tenu à un office privé à l'église, suivi d'une visite au cimetière et il l'avait accompagnée, les dents serrées, glacé par l'effort qu'on lui demandait encore.

Contrairement à Hélène, il ne cultivait pas le souvenir de leur fille. Trop douloureux, limite maso à ses yeux. Presque malgré lui, il pensait à autre chose dès que quelqu'un lui parlait des suites de l'enquête policière ou du meurtrier. Les longues tractations à savoir si le procès aurait lieu, si l'accusé était dans un état mental acceptable, si des aveux surviendraient qui leur épargneraient des détails sordides, ces aveux venus sur le tard, de tout cela il se tenait loin ainsi que des photographes et des caméras avides de savoir à quel point le tireur avait massacré leur vie.

Hélène ne comprenait pas vraiment cette position, mais elle la respectait.

« Si c'est ce qui est bon pour toi, c'est toi qui le sais. »

Ce qu'il savait pertinemment, c'est que plus rien n'était bon pour lui. Il avait seulement réussi à éviter le pire.

« Pas bon ! »… la face dégoûtée de Juliette qui reprenait la bouchée déplaisante et la lui tendait avec une répugnance insultée. Elle avait quoi ? Dix-huit mois, deux ans ? Il se retenait de rire, parce qu'elle aurait été vexée. Plus tard, elle adorait qu'il lui raconte ces moments de sa petite enfance et ils riaient tout leur soûl de la « gripette-Juliette ».

« Monsieur Hébert ? »

Il lève la tête du document qu'il faisait semblant de lire. Sa secrétaire lui tend une feuille : « J'ai réimprimé la dernière page pour votre signature. »

Elle lui tend un stylo et il saisit plutôt son feutre.

« Monsieur, je préférerais celui avec lequel j'ai déjà inscrit la date… pour l'harmonie visuelle. »

Il ne comprend pas cette nouveauté et attend une explication.

« La date… vous vous êtes juste trompé de date. J'ai rectifié.

— Ah bon… »

En signant, il se rend compte que c'est la troisième fois que cet incident de signature se produit et il s'en excuse sans pour autant s'en inquiéter.

Mlle Duhaime sourit gentiment, l'air de tout comprendre. Guillaume se sent aussi vexé que sa fille l'était quand la nourriture lui déplaisait : « C'était quoi, l'erreur ?

— Vous écrivez le 21 avril 2018… souvent. »

Le choc est désagréable. La chape de plomb sur ses épaules devient trop écrasante. Il a envie de se lever, de mettre son manteau et de partir sans but. Partir pour nulle part et pour toujours.

Sans un mot, Claudine Duhaime quitte la pièce, le document en main.

Le 21 avril 2018. Et on est en 2019. Et il est resté en arrière, traînant ses pieds jusqu'à ce jour, sans mémoire de ce qu'il a pu faire, dire, écrire et signer pendant ces mois.

Rivé au 21 avril 2018. Un samedi.

Celui où cet homme armé est débarqué dans sa vie et en a fait disparaître le rire à jamais. D'une seule rafale. Comme au cinéma.

Sauf qu'au cinéma, le rythme est soutenu, on ne voit pas tous les blessés se traîner dans la vie comme des épaves oubliées. Guillaume se surprend à se demander quand on viendra finalement l'achever.

## 16

Dans un sous-sol d'église trop éclairé, des chaises sont placées en cercle. Ça sent le café resté trop longtemps sur le réchaud et c'est un peu plus glauque que ce qu'il anticipait. L'animatrice s'approche de lui. Il se prépare à recevoir un accueil trop souriant, du genre qui lui permettra de fuir, trop content d'avoir essayé et d'avoir échoué.

« Pour votre première fois, si vous avez envie d'être en retrait et d'observer, vous pouvez le faire. Je vais seulement avertir le groupe que vous ne parlerez pas. Bienvenue. Je m'appelle Jacinthe et j'ai perdu ma sœur, Carole. »

Il balbutie un « Guillaume » à peine audible et n'ajoute pas le prénom de Juliette.

Mal à l'aise, il se sert un café et s'empresse de s'asseoir à l'écart.

Il a choisi un groupe de l'est de la ville, dans la partie la plus pauvre pour ne pas avoir la surprise de croiser une relation.

Étonné, il écoute ces gens simples, sans jugement, parler de leur peine, de leur perte, de leurs succès et de leurs échecs. Tous essaient de reprendre pied après un choc de mort.

Tous ont l'humilité d'admettre que la tâche les dépasse souvent et que ce lieu est celui où ils sont eux-mêmes, dans toute la nudité de leur détresse et de leur courage. Guillaume ne se sent pas différent, seulement un peu en retard sur ce qui l'habite depuis le 21 avril 2018.

Ce soir-là, il rentre à pied. Plus d'une heure de marche. Chez lui, il observe son environnement d'un œil neuf : il n'a pas l'impression d'être à l'hôtel, il est à l'hôtel. En transit.

Ce soir-là, il sait qu'il aura un jour un endroit qui sera chez lui. Quand il se sera retrouvé. Parce que, en perdant Juliette, il s'est drôlement perdu.

## 17

« Crisse, man ! T'étais où ? Pourquoi tu fermes ton cell ? J'ai failli mettre la police après toi ! T'es où ? »

Si Jules Langlois se taisait, Éloi pourrait lui apprendre qu'il était justement avec la police.

« Je peux venir chez toi ? »

Langlois a bien des défauts, mais c'est un ami sûr. Et sincèrement inquiet.

Inquiétude qui ne se calme pas en voyant son ami : « Cibole ! T'es-tu vu la face ? Y t'ont pris pour ton frère, c'est ça ? »

La vérité est tellement brutale que cela met fin à la volubilité nerveuse de Langlois. Il se tait, dérouté.

Au bout d'un long moment, il se lève : « On réglera rien si t'as pas dormi. Prends mon lit. Je te réveille dans trois heures pis on organise une stratégie.

— Pourquoi ? Pour faire quoi ?

— T'as pas envie de savoir c'qui y a pris, à ton hostie de frère ? Penses-tu vraiment que c'est un hasard si y a débarqué là avec son semi-automatique en se prenant pour Terminator ? Réveille ! »

Muet, Éloi se rend compte que perdre Juliette est tout ce qui importe. La manière, la personne responsable, il avait réussi à évacuer tous ces aspects. Il revoit son frère derrière la vitre au poste. Sanglé dans cette combinaison blanche, éberlué, déboussolé et se berçant sans arrêt. Pitoyable et perdu. Un enfant qui ne comprend pas pourquoi le jouet qu'il vient de piétiner ne fonctionne plus.

S'il y a une chose dont il n'a pas envie de se soucier présentement, c'est de Rock Marcoux.

Mais le poison du doute commence à le ronger : le hasard serait absolument invraisemblable.

« Va te coucher, man. Les problèmes vont nous attendre. Ils disparaîtront pas.

— C'est supposé me faire du bien, ça ? »

Rien ne rassure Langlois comme ce trait d'humour.

En vraie mère poule effarée, il ne fait aucun bruit après avoir fermé la porte de la chambre où son ami s'est effondré sur le lit.

Caché dans la salle de bains, il rappelle le père d'Éloi qui, quelques heures plus tôt, à bout de ressources et à bout d'inquiétude pour son fils, l'a supplié de le tenir informé.

Du temps où il venait chercher Éloi dans le sous-sol de la maison, il se souvient d'un homme terne et silencieux, sans intérêt particulier. Comme pratiquement tous les parents de ses amis à cette époque où se ficher des conseils de prudence était leur principale préoccupation.

# 18

Isabelle Faguy en était à ses débuts dans la police et elle ne voulait certainement pas nuire à une enquête d'une telle envergure. D'un autre côté, les informations qu'elle détenait lui avaient été données à titre privé. Et cela, même si ça avait été fait en toute connaissance qu'elle faisait partie du corps policier. Sans en creuser les raisons, elle éprouvait une loyauté envers ce jeune homme blessé. Elle le voyait tellement troublé, déstabilisé qu'elle voulait l'aider. Elle savait les enquêteurs déterminés à tirer au clair les meurtres de ces femmes innocentes ; objectif qu'elle partageait, bien sûr.

Après avoir passé une nuit à peine réparatrice, partagée entre ses convictions personnelles et professionnelles, elle est allée rencontrer sa seule connaissance au bureau des enquêtes majeures, Stéphane Grenier.

Cet homme plus vieux que son père avait été un de ses profs à l'École nationale de police. Posé, brillant, il était l'image même de la profession : d'une probité exemplaire et sans concession envers les manipulateurs qui retardent sa quête.

Sans s'empêtrer dans les circonstances qui avaient abouti à ce nouvel élément, Grenier réfléchit en silence et Isabelle attend que le stylo avec lequel il tapote ses papiers s'immobilise. Enfin, le stylo est rejeté et Grenier pose ses deux mains à plat sur son bureau.

« O. K., Isabelle. Supposons que c'est un cas d'étude pour t'aider à explorer le travail d'enquêteur. Voici le contenu préliminaire de la perquisition qu'on a exécutée chez le tueur — ou le présumé tueur — dans le sous-sol de ses parents où il habitait. Cent vingt-cinq pages de propos décadents, violents, haineux envers les femmes, pas loin de deux cents vidéos aux allures assez dégradantes, merci. Je ne te révèle aucun secret, les journalistes ont tout su dans l'heure qui a suivi notre fouille, va savoir comment. Mais ça, c'est un autre problème. Le gars est aussi un *incel* très militant. Eh oui ! Ce beau grand garçon ne trouvait jamais de fille disposée à l'admirer et à l'aimer. Ses propos sont très édifiants : toutes des salopes qu'il ne payerait même pas pour leurs services. Toutes des menteuses qui se promènent sur des sites de rencontres dans le seul but d'humilier les hommes. Des filles baveuses, agressives qui n'ont qu'une idée : rejeter, répudier et détruire. Les *incels*, pour résumer, ont l'art de se sentir exclus et d'en blâmer celles qui les écartent ou les refusent. Plus ils sont rejetés ou se considèrent tels, plus violents ils deviennent et… moins attirants aussi, je présume.

« Donc, ce gars a un frère jumeau identique. Même belle gueule mais profil plus agréable, à ce que tu dis. Son envers de la médaille, quoi. Et le frère sort avec une fille… dont nulle part on ne retrouve la trace ou le prénom dans les écrits pourtant nombreux et assez instructifs du frère *incel*.

On n'a pas tout fouillé encore, mais quand même… On peut dire que ce gars-là ne cache rien de ses sentiments et il aurait gardé secret un élément… comment dire, un détonateur qui aurait causé le massacre d'hier ? Et le frère jure que jamais il n'a parlé de cette fille à sa famille ? Pourquoi, d'ailleurs ?

— Euh… je sais pas pourquoi. Il m'a juste dit qu'il la gardait pour lui. Qu'elle était son Nouveau Monde.

— Mmm… joli ! Quand on a lu les délires du frère en question, on le comprend de prendre ses distances. Alors quoi ? Le colérique *incel* a découvert le pot aux roses et, connaissant sa haine des femmes, il décide d'agir pour disons "sauver" son jumeau de l'humiliation qui ne manquera pas de survenir ? Une sorte d'acte généreux, en somme ?

— Ben là ! J'irais pas jusque-là…

— Il t'est sympathique, cet Éloi. Tu le crois honnête ? Franc ?

— Absolument. Il est complètement démoli.

— Remarque qu'on le serait à moins… et qu'on peut être démoli et mentir. L'un n'exclut pas l'autre.

— Vous pensez qu'il est fou ? L'autre, je veux dire… le tueur ?

— Difficile à déterminer. Il en manque des bouts, il délire solide, il apparaît encore confus, comme s'il avait perdu la mémoire des évènements. On va trouver 50 % des psys pour le déclarer fou et 50 % pour affirmer le contraire. Et le pire, c'est que tout le monde a raison. Disons que si j'étais le père de la petite amie que ce gars-là avait, j'aurais insisté pour qu'elle ne le fréquente plus.

— Alors, je fais quoi avec mon info ? Un rapport ? »

Le regard de monsieur Grenier est bienveillant et perçant : « Je me trompe en pensant que tu veux garder une bonne relation avec cet Éloi ? Pour toutes sortes de raisons, d'ailleurs, incluant un apport potentiel à l'enquête en cours ? — Elle n'a même pas besoin de répondre. Il sourit. — Bon, alors tu peux considérer que l'information sera transmise à qui de droit et de façon correcte sans pour autant compromettre une source qui pourrait s'avérer utile. Si tu comprends quelque chose à ce qui est arrivé, viens me voir. Si tu en apprends davantage, viens me voir. Et si tout ça t'empêche d'être une bonne policière, viens me voir. »

## 19

Jean-Daniel savait qu'il lui incombait dorénavant de prendre soin de Ginette. Sans autre avantage que celui d'avoir la conscience apaisée, de faire son devoir.

Parfaitement lucide sur ses lacunes, il assume la perspective avec le désenchantement des coupables. Il ne sait ni où ni en quoi, mais ils sont coupables. Autant que cet enfant qui est le leur peut l'être. Davantage, même, puisqu'ils abritaient la mise en place du drame, parce que dans leur bungalow miteux, Rock entreposait son arme et pas seulement ce maudit cannabis qu'il fumait pour calmer d'imaginaires maux de dos.

Autant Jean-Daniel était conscient que ce lumbago était une pure invention, autant Rock était libre de s'abîmer dans son ressentiment et sa révolte contre «la société». Ce n'était pas son frère qui risquait de le confronter ou de l'affronter. Et Ginette encore moins qui gobait toutes ses histoires comme parole d'évangile.

Coupables. Le soir même de la tuerie, le verdict était tombé pour eux, ces parents dépassés et incapables de détecter les dangers de cette violence verbale. Aux yeux de

Jean-Daniel, quelqu'un qui parle autant que Rock ne risquait pas d'agir puisqu'il n'avait jamais rien fait de sa vie. Comment devait-il comprendre qu'une explosion menaçait, que cet éternel ado sauterait à la gorge de ces pauvres filles qui n'avaient que le tort de se trouver dans cette boutique?

Que s'était-il passé, ce samedi matin là, pour que Rock sorte son arme, déterminé à tuer? Jean-Daniel ne se souvient de rien d'autre que du plaisir qu'il avait eu à commencer son mots croisés spécial du samedi, sa «grille des mordus». Comment la vie pouvait-elle basculer de cette façon entre le début paisible d'un mots croisés et la fusillade qui paralysait leur vie à jamais? Les condamnait à jamais sans qu'ils puissent se défendre ou empêcher quoi que ce soit? Pouvaient-ils l'empêcher? Stopper Rock en plein élan vengeur d'il ne sait quelle infamie? Alors qu'il n'arrivait même pas à lui apprendre à fermer la porte du sous-sol pour que sa fumée ne les incommode pas.

Ça fait si longtemps qu'il a jeté l'éponge, renoncé à comprendre ou à élever ces deux enfants qui semblaient soudés pour faire front contre le duo parental. Étrangement, quand Éloi avait choisi de s'affranchir de son frère et de sa famille — alors que lui-même caressait ce fantasme sans jamais s'autoriser à le rendre réel — c'est là que l'équilibre précaire avait basculé. Et si Jean-Daniel s'en fait autant pour Éloi depuis que son frère a pété les plombs, c'est qu'il est persuadé qu'il endossera sa part de responsabilité dans cette tragédie. Alors, si lui peut faire une chose, une seule chose pour que cette horreur s'arrête au 21 avril 2018, il agira en prenant soin de libérer Éloi du poids de la faute. Quitte à l'endosser lui-même.

Quand ils quittent le poste de police comme deux vieillards vaincus s'appuyant l'un sur l'autre, la nuit est presque finie. Une pâle lueur vibre au loin, annonçant le jour nouveau. Jean-Daniel ne peut s'empêcher de penser à ceux qui ne dorment pas à cause des gestes de Rock. Ceux qui, comme lui, ne dormiront plus jamais à poings fermés.

Ils laissent derrière eux ce fils emprisonné. Et ils partent, accablés du fardeau de la responsabilité morale qui, elle, n'est pas sanctionnée par la justice. Enfin, pas dans leur cas. Et elle pèse d'autant plus lourd qu'elle est insaisissable.

Mais comment savoir qu'on nourrit et abrite un monstre?

## 20

Organiser les funérailles de Juliette, fuir les journalistes qui voulaient savoir la couleur de ses premières chaussettes et tous les talents dont le meurtrier avait privé le monde, refuser de devenir la figure emblématique de la mère éplorée et courageuse, tout cela avait occupé fébrilement Hélène dans les jours qui avaient suivi le carnage. Guillaume avait été d'un soutien constant, irréprochable. Il avait géré les journalistes et les curieux qui voulaient admirer la douleur dans son expression la plus crue, ces « ouèreux », comme il les appelait, ceux pour qui le sang est aussi réconfortant que le lait maternel.

Où avait-il trouvé le doigté pour refuser des funérailles communes avec les autres victimes sans insulter personne, ni les parents ni les politiciens partisans d'une cérémonie d'éclat pour bien rassurer la population sur leur engagement à les protéger ? Juliette ne pourrait jamais devenir dans sa mort ce qu'elle refusait de son vivant, devenir une caution pour ceux qui ne font rien en prétendant agir. Elle ne serait le jouet de personne, d'aucune théorie, qu'elle soit politique, féministe ou sociologique. Son père et elle y verraient. Personne ne récupérerait cette perte.

Il avait fallu beaucoup de courage à Hélène pour attendre qu'on leur rende la dépouille de Juliette, pour ne pas visualiser cette autopsie obligatoire, pour ne pas hurler à l'idée qu'on la touche encore, qu'on l'ouvre encore, qu'on la massacre encore.

Elle avait tenu à la voir une dernière fois avant la crémation (« Moi, maman, ce serait dans une boîte de carton. Qui a besoin de brûler dans un cercueil ? Au moins de même on est sûr d'avoir les cendres de la personne. Pas celles du cercueil. Faut faire sa part, surtout une fois mort. »)

Elle avait été presque étonnée de la trouver si belle, si calme, sans aucune trace sur son visage figé. Sa fille joueuse et joyeuse ne pouvait pas être devenue si absente ! Ça devenait plus simple de laisser partir ce fantôme auquel il manquait l'essence même de ce qu'elle était — vivante, volubile, frondeuse.

Les deux semaines qui ont suivi le 21 avril, elle n'avait lu aucun journal, regardé aucune info, ne voulant pas ajouter de détails macabres à ce qu'elle savait déjà. Que le meurtrier ait abattu Juliette lui suffisait, elle ne désirait pas savoir ce qui l'avait décidé, s'il était fou, soûl ou drogué, s'il avait des raisons ou si c'était un affreux hasard. Il était entré dans la boutique et avait vidé ses chargeurs à la volée. Et cette arme contenait assez de balles pour tuer beaucoup plus de gens. Les dégâts avaient somme toute été circonscrits au peu de clients présents. Juliette y travaillait avec Carolane, ce samedi-là. L'autre victime était une cliente. Et la dernière, celle qui était restée cachée au fond de la salle d'essayage, était aussi une cliente.

La famille de Carolane était venue aux funérailles de Juliette, et Hélène avait tenu le bras secourable de Guillaume aux obsèques de Carolane. Là s'étaient terminés les échanges. Leur chagrin, leurs difficultés, les mères ne les avaient pas partagés. Contempler sa propre détresse dans les yeux d'une autre ne paraissait pas une consolation à Hélène. Voilà pourquoi, finalement, après vingt mois, Hélène ne désire pas parler encore à cette mère qu'elle connaît pourtant. La douleur des autres ne diminuera jamais la sienne, elle en est persuadée.

## 21

Les alertes Twitter et autres bips ne cessent de tinter. Rivé à son minuscule écran, Jules Langlois énerve sérieusement Éloi.

« Cibole ! Comment y font pour trouver ça ? La police devrait engager des journalistes ! Ça a l'air que le tueur a été vu devant la boutique ou en tout cas pas loin, la veille. Le 20. Ouain, le 20. C'est un témoin qu'y ont trouvé. Y est affirmatif, pas de doute, rien ! Les enquêteurs l'interrogent. Tu sais ce que ça voudrait dire, ça : préméditation. Si y s'est rendu là, c'est qu'y préparait son coup. »

Il relève la tête et s'aperçoit que son ami ne partage ni sa surprise ni son enthousiasme : « S'cuse, j'oublie tout le temps que c'est ton frère.

— C'tait pas lui.

— Han ?

— Le 20. C'tait moi. »

C'était son anniversaire. Le jour de ses vingt-deux ans. Un jour tellement triste qu'il s'était offert un « grattage de bobo », comme elle aurait dit. Il s'était rendu là où elle travaillait à temps partiel les jeudis, vendredis soirs, les samedis et les dimanches. À travers la vitrine, il la regardait s'activer, plier des vêtements, répondre au téléphone, sourire à une cliente, rire avec Carolane. Il la regardait vivre.

Un an auparavant, pour célébrer ses vingt et un ans, alors qu'elle n'avait pas un sou, elle s'était enveloppée dans du papier d'emballage 100 % recyclé et il avait voluptueusement ouvert son cadeau pour le déguster.

Son plus bel anniversaire à vie.

« Quand tu vas être très vieux, quand je serai plus regardable, promets que tu vas me faire encore l'amour. Promets que même si on n'est plus ensemble, tu vas bander en pensant à moi. »

Il aurait promis mille fois davantage. Il était prêt à jurer que rien, jamais, ne l'empêcherait de bander pour elle. Ou de l'aimer, ou les deux. Rien… sauf qu'il lui restait un an et un jour à vivre. Sauf qu'elle le quitterait avant, sans raison, sans explication. Et que la veille de sa mort, il serait debout sous la brume froide d'avril dans sa triste nuit d'anniversaire à fixer le soleil lointain de son amour.

Il croit à peine que ça s'est passé il y a deux, non trois jours de cela. Ce soir-là, il avait annulé sa présence pourtant sollicitée et promise aux festivités familiales. Il ne pouvait pas se taper le simulacre du « tout va bien » alors qu'il touchait solidement le fond du désespoir. Ou ce qu'il croyait être le fond.

Si Juliette lui avait appris quelque chose, c'était cette liberté de parler quand il le voulait, de révéler ce dont il avait envie et de ne plus se contraindre à satisfaire tout le monde sauf lui-même.

Sa défection au repas d'anniversaire contrariait sa famille, mais ça lui aurait coûté trop cher d'y aller. Il se rend compte que cet anniversaire qu'il vient de passer est le dernier d'un temps de paix. Son frère avait ouvert les hostilités en lui envoyant un message si haineux, si disproportionné par rapport à « l'offense » qu'il ne l'avait pas tout lu. Jugeant Rock probablement soûl, il avait jeté l'envoi sans état d'âme. De toute façon, il radotait avec ses reproches, son délaissement, sa trahison… à quoi bon tenter de lui faire comprendre qu'il n'y avait pas que ses désirs qui existaient ?

« Tu l'as vue ? Tu y as parlé ? Éloi, pourquoi t'es allé ?

— Pour la voir… pour… c'était le seul cadeau de fête que je voulais. »

Il ouvre les mains en signe d'impuissance et soupire : « C'est de même, c'est tout…

— Mais imagine que ton frère se soit décidé ce soir-là ! Imagine le clash, toi !

— Quoi ? Y m'aurait tué à sa place. Pis ça aurait été parfait.

— Y aurait jamais fait ça ! Pas Rock. Je pense qu'y voulait t'atteindre, mais pas te tuer.

— Ben, y a manqué son coup. »

Désolé, Jules le considère. Mille pensées traversent son esprit en autant de questions. Éloi ne réagit absolument pas comme lui. À rien d'ailleurs, ni au succès ou à l'échec, ni aux filles qui lui courent après ou qui le quittent, ni à sa famille. Ils viennent de deux planètes opposées. Et pourtant, l'amitié qu'il ressent pour son chum en peine est un des liens les plus forts et les plus solides qu'il ait éprouvés.

«Euh… sans vouloir te brusquer, penses-tu que tu devrais le dire à la police ? Que c'était pas lui ? À moins que t'aimes mieux qu'y paye d'aplomb. »

Ce qu'il lit dans les yeux étonnés de son ami, c'est une absence totale d'hostilité. Aucune vengeance. Alors que Jules sait à quel point il aimait cette fille. À quel point elle représentait tout pour lui.

C'est Jules qui suggère d'appeler la policière cool, celle qui l'a ramené la nuit passée. Éloi préfère attendre.

## 22

« Je m'appelle Guillaume… et… Juliette. »

Sa voix a cassé sur le prénom, elle est montée dans les aigus tout en baissant de volume. Ça a produit un petit couac désolé, comme si ses cordes vocales refusaient d'émettre le son. Comme s'il allait éclater en sanglots, alors qu'il a la gorge et les yeux secs.

Depuis deux mois, il s'assoit en retrait du cercle des participants sans dire un mot. Le plus extraordinaire est la tolérance de ces gens qui le saluent sans rien exiger, qui parlent sans retenue devant lui, sans craindre son jugement, en faisant confiance qu'il recevra avec générosité ces aveux d'impuissance tous modulés par la perte d'une personne qui les hante, même et parce qu'elle est disparue. Des récits quelquefois drôles, souvent déchirants et toujours honnêtes. Il y en a qui racontent des faits anecdotiques, d'autres qui fouillent inlassablement, à la recherche d'une cause, d'une alerte ignorée avant un suicide.

Reconstruire l'histoire de la défaite, retricoter le récit pour essayer de s'y faire, recadrer sa vie à la lumière de l'arrachement, mais aussi de l'enseignement des limites humaines.

Il n'est pas là pour ressusciter sa fille ou pour se guérir de sa mort. Il est là pour apprendre quelque chose, s'extraire de lui-même, et admettre, seulement admettre que c'est terminé, que Juliette ne reviendra jamais, mais qu'elle l'habitera toujours.

La personne qui prend la parole après son maigre témoignage écourté est là pour la deuxième fois à sa connaissance. Mais les autres semblent la connaître. Une belle femme, petite quarantaine énergique avec quelque chose de suave dans des yeux de velours et dans un léger accent espagnol.

« Je m'appelle Teresa et j'ai perdu Sophia. »

Elle prononce So-phi-a en détachant les deux voyelles finales. Après le murmure de bienvenue du groupe, elle s'adresse à Guillaume : « La première fois que j'ai dit le nom de ma fille, je me suis écroulée et j'ai pleuré toutes les larmes de mon corps. Et moi qui pensais que je n'en contenais plus ! Mon discours s'est arrêté là. Je veux juste vous dire que c'est la pire fois, qu'après, c'est plus simple... même si c'est toujours tellement vidant. J'arrive d'un séjour de cinq semaines chez mon amie Brigitte, celle dont je parle souvent parce que j'essaie de l'aider à surmonter son choc. Son deuil, en fait. Je pense que je viens ici pour prendre des forces, pour repartir un peu plus solide et aider les plus amochées que moi. Travailleuse sociale un jour, travailleuse sociale toujours ! »

Teresa parle encore et Guillaume l'écoute avec attention.

Alors qu'il se croyait mort avec sa fille, alors que le seul fait de prononcer son nom le précipite dans un chagrin innommable, l'authenticité de cette femme si fragile, si digne, l'émeut. Il se demande comment on fait pour se tenir debout dans l'horreur de l'abandon, face à l'abîme dévoreur. Il l'écoute, et cette seule action lui permet au moins d'échapper à son gouffre personnel, le temps de contempler celui de quelqu'un d'autre.

À l'issue de la réunion, il s'approche d'elle pour le lui dire. Il ajoute que ses paroles ont enfin réussi à l'extraire de son drame pour un instant.

Teresa sourit : « On est tous tellement semblables dans le fond… Surtout vous et moi. »

Devant l'air étonné de Guillaume, elle hésite, recule un peu.

Guillaume insiste : « Comment ça, vous et moi ? On se connaît ? »

Teresa, mal à l'aise, se tourne vers une autre personne qui l'accoste pour commenter son témoignage. Guillaume attend patiemment en l'observant. S'il avait connu cette femme, il s'en souviendrait.

Enfin, Teresa est libérée et, avec douceur, elle lui répond : « On ne se connaît pas vraiment, mais ma fille Sophia est morte le même jour que la vôtre, des balles du même fusil. Je suis désolée, mais les photos qui ont circulé dans les journaux… je vous avais reconnu. Ça ne change rien à rien. J'espère seulement que ma présence ici ne vous empêchera pas de trouver le soutien que vous êtes venu chercher. Celui qui me fait tant de bien à moi. »

À part pour Carolane, Guillaume n'avait jamais eu la curiosité d'en apprendre sur les autres proches des victimes de la tuerie. De les voir ou de partager sa perte avec eux.

Sonné, il n'ajoute rien. Il voit cette femme poser une main amicale sur son avant-bras : « Bon, on le sait et ça ne change rien. Ce 21 avril, il y a eu plus de cent décès dans la province. Oui, j'ai vérifié. Plus de cent personnes ont donc perdu quelqu'un. J'en fais partie. Vous en faites partie. C'est tout. Ça ne nous rapproche pas, et je ne voudrais pas que ça vous éloigne du groupe. Je vous laisse y réfléchir, mais promettez-moi de revenir au moins une fois me dire que vous préférez changer de groupe. Ça me ferait du bien de ne pas avoir cette responsabilité-là sur le cœur. »

Il promet. La longue marche jusqu'à chez lui ne suffit pas à mettre de l'ordre dans ses pensées. Alors qu'il venait d'ouvrir la bouche, de faire un pas vers ce groupe qui l'avait en somme apprivoisé… cette femme tranquille, posée, était donc « l'autre ».

L'autre… Guillaume ne s'est jamais soucié de l'autre. La troisième victime. Sa détresse intime ne supportait aucun accompagnement, aucune comparaison. Sa détresse était souveraine et l'isolait du reste du monde souffrant. Sa détresse était une amie toxique qui obscurcissait son jugement, soumettait tous ses actes à la tyrannie de sa suprématie.

(« Je, me, moi ! *Me, myself and I!* Le monde entier se regarde le nombril, papa ! Le monde entier se fiche du reste du monde ! Moi, c'est pas pareil, j'ai besoin de mon pétrole, de ma marge de profit, de mon 4 par 4, de mon *whatever* ! Comment veux-tu qu'on cohabite en paix ? On s'en fait pour personne pis la planète peut crever. »)

L'autre avec ses envies, ses peines et ses échecs, l'autre existait. Il savait pourtant combien de personnes avaient été atteintes en même temps que Juliette. Mais à part cette grande amie de sa fille, Carolane, il n'avait pas pensé aux autres. Que la joie et l'extase nous coupent d'autrui, il le savait, mais la souffrance? Il l'avait laissée l'envahir jusqu'à oblitérer le reste du monde, le reste de ces autres dont Juliette se souciait tant, pour qui elle militait avec tant d'ardeur.

Il a envie de lui demander pardon d'être aussi égocentrique, aussi enfermé dans son malheur. Même grand, son malheur ne justifie pas qu'il se coupe des autres, ses pareils souffrant et ahanant sous le fouet du manque. Sa Juliette lui a pourtant tenu la main pendant vingt ans pour lui indiquer le chemin. Comment a-t-il pu adopter si vite des façons qui la choquaient autant?

En ouvrant le dossier de la mort de sa fille, il voit sur une coupure de presse les photos de chaque victime. Celle de Sophia est convenue. C'est une jeune fille sérieuse qui pose avec son diplôme roulé dans les mains, le jour de la cérémonie. Une fille brune qui a hérité des yeux de sa mère. Et qui avait eu la malchance de se trouver dans cette boutique ce samedi-là, alors qu'un homme à peine plus âgé qu'elle cherchait à venger les affronts de sa vie en les mettant sur le dos des femmes.

Ces femmes-là, ce soir d'avril là.

Ça aurait pu être la veille, le lendemain, dans un cinéma, un bar... les photos auraient été plus nombreuses, c'est tout. La hargne publique plus véhémente. Les discours plus récriminants. Mais chacun dans sa perte, dans son malheur, aurait connu la prison de la peine.

(« Est-ce qu'on est obligé de souffrir, quand on aime, papa? »)

Oui, ma chérie, quand on aime, on pense qu'on va seulement rire et jouir enfin de la vie dans toutes ses grandeurs. Mais aimer, ça veut aussi dire pleurer, s'inquiéter, se forcer à comprendre l'autre, à se mettre à sa place, à l'écouter. Aimer, c'est tout un voyage qui coûte beaucoup et apporte encore plus. Et c'est le genre de voyage qu'on ne regrette jamais. Même si on pleure. Même si on souffre.

# 23

« Tu peux pas aller là, man ! Tu peux pas ! Imagine la face de ses parents si jamais ils l'apprennent. Ils te laisseront jamais entrer.

— Les églises, c'est pour tout le monde. Je peux me cacher.

— Tu capotes ! Même quand y disent "intime", les caméras sont là, les journalistes pis la police vont être là. Je comprends même pas que tu y penses. C'est sûr qu'y vont te tomber dessus. Excuse-moi, mais je te laisserai pas te faire tuer parce que ton frère a pété sa *fuse*. Veux-tu ben me dire pourquoi c'est si important d'aller regarder son portrait accoté sur l'urne pis entendre tout le monde dire ce que tu sais déjà ? Qu'elle était belle, pis fine, pis jeune, pis que c'est donc de valeur… »

À la seule pensée que Juliette soit réduite au contenu d'une urne, Éloi se lève et se met à arpenter le salon encombré.

Le son d'un message entrant empêche Jules de continuer.

« Bon, j'sais pas si tu veux le savoir, mais ton frère est placé à l'asile en attendant son évaluation psychiatrique. Y aura pas de libération conditionnelle. Tout le monde a l'air de s'entendre pour dire que si y est pas complètement fou, il l'est pas mal… tu veux l'article ? »

Éloi continue de marcher sans répondre.

Jules tapote sur son clavier et de nombreux bips se succèdent dans le silence de la pièce.

Tendu, Éloi regarde son ami s'absorber dans son téléphone. Langlois lève la tête et, surpris, il pose l'appareil sur la table : « O. K., j'ai compris… c'est cool. Je sais pas comment tu fais, mais si t'aimes mieux pas le savoir…

— M'en fous.

— Ben content de voir que tu y pardonneras pas ça.

— M'en fous j'te dis.

— Oui, oui, j'ai compris. On fait quoi, d'abord ? Tu veux que j'y aille, moi, aux funérailles ? À ta place, genre… »

Éloi sourit de l'offre qui doit quand même coûter pas mal à son ami.

Il revient s'asseoir à la table : « Fâche-toi pas, O. K. ?

— O. K…

— C'que j'veux vraiment, ce que j'ai besoin… c'est de la voir…

— Tu veux dire… morte ? Ben là… c'est encore plus dur que d'aller aux funérailles ! Pourquoi tu veux ça ? Ça te donne quoi ? Elle sera pas moins morte. J'veux dire, elle pourra pas te parler… »

Même s'il le voulait, Éloi ne peut pas expliquer ce besoin. Comme un irrémédiable adieu, lui qui n'a jamais voulu accepter son départ, jamais cru que c'était définitif, lui qui n'a jamais cessé de penser qu'elle reviendrait vers lui, qu'elle balayerait ces mauvais moments d'un éclat de rire et d'un baiser qui servirait d'explication, il doit la voir pour le croire, pour tuer l'espoir.

Langlois n'attend même pas qu'il balbutie un quelconque raisonnement, il prend son téléphone et tape en grommelant : « Je sais même pas c'est où, la morgue de Montréal. »

~~~~

Rue Parthenais, ils attendent Isabelle Faguy, la policière grâce à qui Éloi pourra voir Juliette. Nerveux, Langlois piétine en répétant qu'il restera dans l'entrée à l'attendre, qu'il n'est pas question qu'il assiste « à ça » et qu'il ne comprend toujours pas cette mauvaise idée.

Isabelle arrive enfin, ce qui déclenche la répétition fébrile des propos de Jules Langlois. Elle pose une main réconfortante sur son bras : « On le fait pour lui, c'est tout… De toute façon, mon amie nous laisserait pas entrer en gang. On va l'attendre ensemble, à l'accueil. » Ce qui clôt le débat.

Appeler la policière, lui demander ce service, c'était l'idée de Jules.

Dès qu'Éloi suit l'employée de la morgue, Jules répète ses remerciements pour la compréhension dont a fait preuve la jeune femme. Elle l'assure qu'elle n'a enfreint aucune loi, que c'est cette amie avec qui elle a étudié qui prend tous les risques et qui pourrait se faire renvoyer si la chose se savait. Évidemment, elle s'est assurée qu'aucun membre de la famille ne risque de voir le portrait craché du tueur approcher de la dépouille de Juliette Hébert.

« Vous êtes sur l'enquête, vous ?

— Non… je ne suis pas enquêtrice. J'ai juste raccompagné ton ami après sa rencontre au poste.

— Y va être mis en prison ou enfermé chez les fous, vous pensez ? Son frère…

— Aucune idée. Mais un ou l'autre, il sera enfermé, c'est sûr.

— Si j'étais Éloi, je voudrais la prison à vie… C'est un peu soft, l'hôpital, non ?

— Non. Qu'est-ce qu'il dit, Éloi ?

— Rien. Pas un mot, là-dessus. À part Juliette, y a rien qui l'intéresse. Comme toujours, quoi !

— Elle était comment ?

— Pas facile à dire… Je l'ai rencontrée, mais jamais longtemps. Pas assez pour la connaître, quoi. Éloi et elle se partageaient pas. Top secret, ces deux-là.

— Ah bon ?… Un peu bizarre, non ? T'es quand même son meilleur ami.

— Oui, mais vous connaissez pas Éloi. C'est le roi des compartiments. Ça m'a pris deux ans à savoir comment y gagnait sa vie pendant nos études. — Il y pense soudain — Pas parce que c'est illégal, là ! Y a juste que y a des affaires… y en parle pas, c'est tout.

— Et son frère ?

— Lui, il l'a jamais gagnée, sa vie. Y restait dans le sous-sol des parents pis y s'occupait d'haïr tout le monde, ça a l'air. Ben, les femmes pis le reste du monde de ce que j'ai compris.

— Un "roi des compartiments", lui aussi ?

— Non, non : plutôt jusse un compartiment, genre idée fixe. Y voulait aller rester avec Éloi. Y comprenait pas pourquoi y était parti. Laissez-moi vous dire que vivre dans le sous-sol de ses parents, pogné avec un flanc-mou qui fait rien d'autre que chialer pis taponner sur son ordi à journée longue, c'est pas loin d'être suicidaire. Jamais vu un gars heureux comme Éloi dans son petit appart mal chauffé. C'était un autre gars. Boum! Comme sur les photos avant/après... toute a changé. Pis son appart, y a personne qui rentrait là sans être invité, garanti. Même pas son frère. Surtout pas lui.

— Sauf Juliette.

— Oui. Mais je le savais pas, moi. Pas encore. Je l'ai su pas mal plus tard. C'était presque fini. Le compartiment Juliette, y était fermé *tight*, laissez-moi vous le dire.

— Tu sais pourquoi ça s'est fini?

— 'cune idée.»

Le silence s'installe entre eux. Dès qu'Isabelle sort son téléphone pour consulter sa messagerie, c'est comme si une autorisation venait d'être accordée à Jules qui s'empresse de l'imiter.

## 24

« Je voudrais te demander quelque chose… sans dire pourquoi. »

Il la tenait serrée contre son torse et, quand elle levait la tête pour le regarder, une mèche de cheveux lui tombait dans les yeux. Il la prenait et la plaçait derrière son oreille avec douceur. Il avait envie de la contempler, de s'abîmer encore en elle, pas de parler.

« O. K. »

Elle riait. Dieu, qu'elle riait ! Avec le même abandon sauvage qu'elle jouissait.

« T'es hyper craquant, super intelligent et t'es même pas contrariant ! Y est où, ton gros défaut ?

— Dans ma logique : alors, tu veux me demander quoi que je comprendrai pas et que je saurai pas pourquoi tu le veux ? »

Dans le silence soudain, elle avait murmuré un « je t'aime » à peine audible, mais net comme l'aveu de ses yeux. C'était la première fois, mais ils le savaient tous les deux.

Il l'avait regardée en silence, avait replacé encore une fois cette mèche rebelle : « C'est tout ? C'est ça ? On s'aime et on sait pas pourquoi ? T'avais raison de me prévenir, c'est dur à accepter.

— Je veux pas qu'on le dise. Je veux pas te présenter mes amis, mes parents. Je veux pas sortir en gang, je veux pas devenir ta blonde officielle avec des *posts* pis des photos partout.

— O. K. »

Les yeux étonnés qu'elle avait eus ! Il s'était quand même donné la peine de lui dire que c'était exactement ce qu'il souhaitait. Ne pas la partager. Ne pas être identifié à elle non plus. Ne pas aller de soi, ne pas former un tout aux yeux du monde, ne pas perdre son individualité chèrement acquise dans le magma du couple.

« Le quoi ? Le magma ? Le magma nous menace, c'est ça ? »

Elle en avait fait une formule magique qu'elle lui sortait aux moments les plus saugrenus : « Le magma ne me menace pas ! »

Il appuie son front blessé contre la vitre qui le sépare de cette étrange Juliette qui n'est pas du tout sa Juliette endormie. Sa Juliette endormie avait des frémissements d'animal sauvage qui rêve d'évasion. Sa Juliette avait une peau que le moindre frisson chiffonnait, sa Juliette vibrait dès qu'il s'approchait d'elle, le corps en attente, le souffle hachuré, le plaisir déjà inscrit dans sa belle bouche, les yeux piquants de désir.

Elle n'est plus là. L'enveloppe rigide couchée sur cette civière métallique est un simulacre, une sorte de représentation fictive et fautive — une jumelle désincarnée, même apparence, mais vidée de sa substance, de son sens, de ses sens. Vidée de vie.

Pour la première fois depuis qu'il sait qu'elle est morte, il en prend l'exacte mesure et en comprend la déchirante signification. Il ne pleure pas, n'implore rien ni personne. Il grave en lui cette image insensée du corps déserté de vie et il l'absorbe dans toute son horreur. Comment ont-ils pu faillir à leur promesse ? Comment son frère a-t-il pu cibler la seule personne au monde qui lui importait ?

« Le magma ne me menace pas. »

Non, plus maintenant. Le magma a gagné. La bassesse, cette bouillie informe qui obsède le cerveau des meurtriers qui se croient justifiés dans leur haine, ne menace plus personne. Le magma les a atteints et il ne sait ni comment ni pourquoi.

Il le sait, c'est tout.

Une petite buée s'est formée sur la vitre où il s'appuie. Il fait sûrement froid là où le corps de Juliette fait semblant d'exister.

Il se détourne, pétrifié, les yeux et le cœur secs.

Le magma a gagné.

## 25

Il faut qu'il voie son fils, Éloi. Il faut lui porter assistance si ce que disent les journaux et les infos est vrai. Ou seulement partiellement vrai.

Depuis qu'il a ramené Ginette à la maison, depuis ce petit matin où leur vie a basculé et où Rock a été emmené loin d'eux, Jean-Daniel s'inquiète. Et ce n'est pas la courte conversation qu'il a eue avec Jules Langlois qui le rassure.

Si ce qu'on prétend est vrai, avoir la même tête qu'un tireur fou n'est pas le pire malheur qui s'abat sur son fils. Si jamais ces meurtres sont des actes de vengeance de Rock contre une seule femme qu'Éloi aurait fréquentée, alors c'est pire qu'une tragédie. C'est l'effondrement total d'un monde, et Éloi ne pourra pas faire face à un tel désastre tout seul.

Jean-Daniel a besoin de savoir. Il n'a accès qu'aux médias officiels, il n'a aucun contact avec les médias sociaux, il ignore même comment aller sur Facebook où Rock a laissé un message vidéo tourné dans le sous-sol, message repris inlassablement par la télé et supprimé brusquement vingt-quatre heures après le drame. « Pour éviter une publicité qui pourrait inciter des répliques », avaient-ils dit aux infos. Par respect pour les victimes.

Comment le gros plan des yeux haineux de Rock pourrait-il donner envie à quelqu'un de l'imiter ? Comment le paquet de propos orduriers sur les *« bitchs qui font de la provocation leur arme fatale »* pourrait-il encourager un esprit sain à entrer dans ce délire meurtrier ? Ça voudrait dire que le monde et les jeunes sont vraiment déboussolés. Vraiment fous.

Est-ce que Rock est fou ? Vraiment fou ? Est-ce qu'il joue au fou pour justifier ses actes *a posteriori* ? Même à ces questions pourtant simples, Jean-Daniel ne peut répondre.

Tout ce qu'il sait, c'est qu'en rentrant chez lui après ces heures d'attente au poste de police, il est descendu au sous-sol pour chercher d'éventuelles armes cachées par Rock. Les enquêteurs avaient écumé l'endroit et pris tout le matériel électronique, les écrits et les munitions restantes. Mais il avait besoin de vérifier, de fouiller les coins les plus exigus, de vider toutes les cachettes potentielles. Rien. Apparemment, les agents avaient bien fait leur travail.

Assis au milieu du capharnaüm de Rock, il reste immobile à chercher au fond de lui l'indice qui prouverait que Rock visait précisément une seule des victimes. Troublé par les informations les plus délirantes qui circulent — « une rupture amoureuse serait le déclencheur du massacre » « ce tireur ne visait apparemment qu'une seule femme » — Jean-Daniel essaie de se souvenir de quelque élément qui lui permettrait de croire ces présomptions.

Rien. Il ne sait rien de la vie privée de ses fils. Il connaissait le caractère ombrageux de Rock concernant son frère ; il ignorait qu'il avait mal digéré une rupture ou même qu'il avait eu une relation prolongée avec quelqu'un. Rock sortait, mais il n'avait jamais ramené une femme à la maison. Il découchait, mais sans jamais évoquer les raisons.

Pour ce qui est d'Éloi, c'était la discrétion incarnée. Ils ignoraient tout de ses amours. À la limite, il aurait été homosexuel que ça n'aurait surpris personne. Il aurait eu deux enfants ou une relation avec une femme mariée, ça aurait été pareil : rien ne filtrait jamais de ses sentiments ou de ses activités en dehors de la maison.

Rock prétendait tout savoir de son jumeau et il ne se gênait pas pour juger les soi-disant échecs de sa vie amoureuse, mais depuis qu'il avait séduit la petite amie d'Éloi quand ils avaient quinze ou seize ans, l'impasse totale avait régné sur les fréquentations de son frère. Personne n'avait plus franchi le seuil de la maison ou n'avait été présenté à quiconque.

Ce qui ne voulait pas dire qu'Éloi n'avait aucune vie sentimentale, évidemment.

Mais Jean-Daniel devait admettre qu'ils avaient tous accepté son silence à ce sujet pour préserver la paix familiale, Rock ayant une fâcheuse tendance à la surenchère quand il s'agissait de son jumeau.

Quand son frère réussissait quelque chose, il fallait prendre garde à ne pas le féliciter trop chaleureusement. La réplique de Rock devenait alors spectaculaire : une crise de jalousie ou de possession maladive suivait et occupait tout l'espace familial. Éloi haussait philosophiquement les épaules et laissait passer la crise sans trop s'émouvoir, en se réfugiant dans ses livres ou son écran d'ordinateur.

Aux yeux de Jean-Daniel, c'est Éloi qui aurait dû péter sa coche et exploser dans un comportement outrancier, pas Rock dont tout le passé n'était qu'une sombre répétition de gestes d'éclat qui viennent de culminer dans cet assaut. Jamais il n'aurait pu prévoir que l'escalade de violence aboutirait dans cette tuerie. Parce que supporter ces excès signifiait pour lui de permettre à la tension de s'exprimer, d'offrir justement une soupape de sécurité destinée à prévenir l'explosion.

Force lui est de constater l'échec irrémédiable de ses théories éducatives. Endurer l'inacceptable avait seulement permis à Rock de croire que ses colères étaient justifiées et valables. Et qu'il pouvait endosser le rôle de justicier.

Son langage grossier, ses sorties contre tout ce qui ne lui plaisait pas, ce n'est que maintenant que Jean-Daniel s'aperçoit qu'il s'y est accoutumé. Peu à peu, c'était devenu normal que Rock « se peuve plus et explose », comme il disait ensuite pour s'excuser de ses excès. Ce n'était même plus surprenant de l'entendre proférer des horreurs pour calmer ses frustrations. C'était normal chez lui et accepté par eux. La perte de son dernier emploi pourtant bien humble de surveillant de nuit avait donné lieu à une orgie de reproches fortement sexistes, la gérante étant « une de ces *bitchs* dégueux pis malades dans tête qui fessent sur les gars capables d'y en montrer. Besoin d'être pinée, la vache ! »

Rock n'avait jamais quitté un emploi sans prétendre que c'était son choix et qu'il avait de bonnes raisons de partir. Jean-Daniel a toujours cru que ménager cette vanité constituait une bonne façon de l'aider à surmonter les aléas de la vie. Maintenant, il sait que ces aléas, c'était surtout le caractère violent de Rock et ses limites intellectuelles.

Il faut qu'il parle à Éloi. Il faut qu'il tire au clair cette histoire de cible connue, de petite amie fréquentée par le frère de l'assassin. Il faut qu'il aide son fils, si une fraction de ces racontars s'avère.

Et quand il pense « son fils », c'est à Éloi qu'il pense.

## 26

Vingt mois après la mort de Juliette, après vingt longs mois d'absence et d'insupportables douleurs, écrire au juge ce que ce trou signifie dans sa vie est un autre calvaire pour Hélène Foisy. Guillaume a beau lui répéter qu'elle n'est pas obligée de le faire et que si ça provoque plus d'angoisses que de soulagement dans sa vie, c'est une mauvaise idée, elle persiste. Elle tient à ce que le juge et lui, ce tueur impassible qui n'a même pas l'air d'un monstre, que la société et les journalistes sachent ce qu'on lui a fait en tuant sa fille.

Mais elle n'y arrive pas. Elle fixe la palpitation du curseur sur la page vide de l'écran et elle ne trouve aucun mot pour exprimer l'ampleur de ce désastre.

Juliette saurait, elle. Juliette dont le journal est rempli de formules percutantes, drôles et brillantes. Les préoccupations écologiques et le désir de justice sociale n'avaient pas mué son discours en formules toutes faites, loin de là. C'était une fille fantaisiste, bien dans sa peau, avec le cœur à la bonne place.

Pourquoi ne parvient-elle pas à en parler ? Elle se dit que cet assassin haineux, ce responsable de sa détresse risque d'éprouver une quasi-jouissance à comprendre l'étendue de son pouvoir, en constatant qu'il a atteint et blessé davantage que ses premières victimes. Et elle ne veut certainement pas lui offrir cette satisfaction. Elle veut qu'il sache et qu'il se sente horriblement coupable et qu'il regrette ses meurtres comme elle regrette sa fille unique. Amèrement.

C'est un but inatteignable, elle le craint. Elle a observé les pauvres parents de cet homme, sa mère effondrée, un mouchoir pressé contre son nez, secouée de sanglots, et son père immobile, les yeux secs, le corps raidi et le regard fixe. Ces gens ont-ils élevé cet enfant en soupçonnant qu'il déraillerait et se ruerait sur des femmes en les accusant d'être d'horribles créatures nuisibles ? Elle en doute.

Hélène n'a pas pu assister à tout le procès qui, de toute façon, a tourné court quand l'accusé a changé son plaidoyer. Mais les témoignages des experts en balistique, des morpho-analystes et des techniciens en scène de crime ont ressuscité avec trop d'exactitude le déroulement des évènements pour qu'elle puisse rester dans la salle d'audience. Ses cauchemars en auraient été nourris pendant des années. Aidée de Guillaume, elle avait fui ces étapes du procès.

Finalement, avec le revirement de l'accusé, le procès n'avait apporté aucune explication supplémentaire quant au mobile profond de ce carnage puisque l'accusé n'avait pas dit un mot.

Toutes les histoires qui avaient circulé sur une prétendue vengeance causée par une déception amoureuse n'avaient jamais abouti à une quelconque confirmation. Mais ce frère jumeau qu'on disait impliqué, Hélène ne l'a ni vu ni entendu parler sur aucune plate-forme. Et encore moins au procès. À croire que c'était une invention pour attribuer un semblant de cœur ou de sentiment au tueur.

En l'observant, Hélène s'était demandé sous quelle médication il était pour avoir l'air aussi absent, presque flegmatique. «Ses pilules sont fortes!», c'était ce que Juliette disait au sujet des engourdis qui n'avançaient pas à son rythme. Le détachement et la froideur ne faisaient pas partie des capacités de sa fille, Hélène pouvait en témoigner. Sa grande peine d'amour à dix-sept ans, quand Émile et elle s'étaient laissés, elle n'est pas près de l'oublier. Cela avait même failli miner leurs rapports pour de bon. Juliette refusait d'entendre raison. («Tu sais pas de quoi tu parles! Lâche-moi avec tes conseils de vieille sage qui a vu neiger. Laisse-moi tranquille, maman!») Elle s'abîmait dans sa peine comme si Émile était son seul grand amour perdu. Que plus rien de bon ou d'amoureux ne surviendrait.

Maintenant, à la lumière des évènements, Hélène voit bien que sa fille pleurait effectivement le seul grand amour de sa vie. Parce que sa vie s'est cassée net.

Il lui plaisait, Émile. Beau garçon, bien élevé, un rien rigide (ce que Juliette assouplissait avec son humour et sa fantaisie), il n'était pas du genre à bousculer une fille, à ne pas la respecter. Ni du genre à l'entraîner dans des excès, qu'ils soient d'ivresses sexuelles ou de toutes natures.

Hélène ne pouvait rêver mieux pour les premiers pas amoureux de son exaltée de fille. Elle nourrissait beaucoup de craintes avant Émile, parce que Juliette avait tout pour devenir une intense qui tombe pour chaque tentation ou qui préfère avant tout s'étourdir follement. Émile avait stabilisé sa beauté attirée par les émotions fortes. Mais quand ils se sont laissés, Émile ne pouvait plus tempérer l'excessive Juliette, évidemment. Hélène se souvient sans plaisir des engueulades qu'elles ont eues et qu'elle mettait sur le compte de la déception de sa fille.

Ce qui s'était soldé par de nombreux silences, des absences plus fréquentes et une complicité mère-fille mise en pièces par leur exaspération respective. Oui, Hélène s'avouait hyper protectrice et inquiète : si un chagrin d'amour minait sa fille à ce point, comment surmonterait-elle les déceptions inhérentes à toute vie ?

Pour avoir la paix, pour échapper aux questions faussement désinvoltes de sa mère, Juliette avait émigré chez Guillaume. (« Pour un temps. Ça va te faire du bien, maman. Pis à moi aussi. »)

Hélène en éprouve encore du dépit, comme si Guillaume s'était ligué contre elle pour récupérer leur fille, alors que c'était un simple retour du balancier : si quelqu'un pouvait comprendre la lourdeur d'Hélène avec ses « bonnes intentions », c'était bien son ex !

Après cette crise, Juliette n'était jamais vraiment revenue vivre à temps plein avec elle. Quelques week-ends ici et là, quelques sorties... sa fille s'émancipait et préférait habiter en colocation en ville où elle étudiait plutôt que dans cette banlieue bien belle mais trop loin de ses centres d'intérêt. Hélène était prête à lui offrir sa voiture pour lui simplifier la vie. (« Pour que je fasse ma part avec les gaz à effet de serre ? Tu veux rire ? ») Mais c'était évident que sa liberté lui plaisait trop pour la sacrifier aux inquiétudes maternelles.

Et Guillaume poussait dans le même sens que Juliette, bien sûr. Comme toujours. Cette enfant savait enrouler son père autour de son petit doigt.

« *Get a life*, Hélène ! Lâche-la et prends des cours de ce que tu veux pour t'occuper, mais laisse-la respirer ! C'est quand même plus une enfant. »

Sous prétexte que le fils d'un de leurs amis venait de s'avouer cocaïnomane, Guillaume militait pour la gratitude d'avoir une fille aussi allumée et raisonnable.

« Quand même elle aurait un peu de fun sans ta permission et sans que tu saches comment, ça te tuera pas. Pis ça va améliorer vos relations. »

Si c'était le résultat visé, elle n'avait pas eu le temps de le vivre.

Peut-elle dire au juge : cet homme m'a privée du retour de ma fille qui me trouvait contrôlante ? Mon sacrifice de sa présence pouvait durer en autant que la perspective de la retrouver existait. Maintenant, cet homme m'a empêchée de rire avec Juliette, de cuisiner avec elle, d'aller magasiner avec elle et de l'entendre me faire la leçon avec ma consommation effrénée qui menace la planète. Maintenant que mon excès de prudence et d'inquiétude me reste bloqué dans la gorge, maintenant que je ne pourrai jamais voir la fin de cette brouille, comment voulez-vous que je me pardonne mon côté mère protectrice achalante ? Alors, lui pardonner à lui, c'est impossible.

Ça semble si dérisoire, si anecdotique… et pourtant, c'est ce qui lui vient quand elle veut décrire le bonheur perdu. Ça, et les petits-enfants qu'elle n'aura jamais.

De quoi est faite la vie, quand on sait le bonheur perdu, elle ne peut pas l'exprimer. Elle éteint l'ordinateur et reprend le cahier de sa fille pour aller à sa page préférée : celle de la dévoration avec ces bouches magnifiques qui ne ressemblent en rien à celle d'Émile. Ces bouches qui lui permettent de croire que Juliette avait renoué avec le bonheur et l'amour avant de mourir.

## 27

En voyant le nom du père d'Éloi sur son téléphone, Jules soupire : est-il vraiment réduit à jouer les messagers entre le père et le fils ? Déjà que le fils n'est pas très loquace.

Lâchement, il laisse la boîte vocale prendre le relais.

Depuis leur retour de la morgue, Éloi n'a pas dit un mot.

Le texto qui entre ensuite est sûrement l'effort le plus techno que peut exécuter monsieur Marcoux.

Jules écrit une réponse qu'il soumet à l'approbation de son ami : « Ton père... Lis ce qu'y dit avant ma réponse. »

*Je m'excuse d'insister, mais je suis horriblement inquiet d'Éloi. Où est-il ? Comment va-t-il ? S. V. P. rassurez-moi si vous savez quelque chose. S. V. P.*

*Monsieur Marcoux, ne soyez pas inquiet, Éloi est avec moi. Pour l'instant, il est sous le choc. Je suis désolé de ce qui arrive. Je vous donnerai des nouvelles, mais ça va.*

Éloi pointe le « *pour l'instant, il est sous le choc* » et lui demande de l'effacer. Jules s'exécute, même si ça ressemble pas mal à la réalité selon lui, et il envoie.

Le double «*merci*» qu'il reçoit dans la minute qui suit illustre l'ampleur de l'inquiétude et du soulagement du père d'Éloi. Ce qui ne fait pas broncher son ami, toujours prostré dans son fauteuil.

Les questions que se pose Jules, il les garde pour lui. Pour tromper son attente d'une direction à prendre, il entreprend une sauce à spaghetti.

Il n'ose même pas mettre de musique pour ne pas déranger la réflexion d'Éloi. Il s'active, interrompu uniquement par les bips de notifications qui entrent sur son téléphone.

La sauce mijote quand Éloi enfonce sa tuque jusqu'aux yeux et annonce qu'il rentre chez lui.

«Pis comment tu vas faire si y a des journalistes?

— Après trois jours, y se sont tannés. Y ont inventé ce qui avait à inventer. Y ont pas besoin de moi.

— Mais… t'as pas peur de te faire reconnaître? De… j'sais pas, moi, de te faire attaquer?»

Éloi rabat son capuchon. La barbe de trois jours qui pousse avec une belle régularité change déjà son apparence, Langlois le reconnaît.

«Comment je vas faire pour savoir comment tu vas pis ce que tu fais?

— Tu vas lire mes textos.

— Aye! J'ai-tu une poignée dans le dos? T'écriras rien pis on le sait. J'ai dit à ton père que j'tais là, avec toi.

— T'as pas menti, man. T'étais là, pis je te remercie. Bye!»

## 28

Après la réunion, Guillaume invite Teresa à prendre un café pour lui faire part de son envie de rester dans le même groupe, si cela ne la dérange pas.

Elle semble plutôt soulagée, pas du tout inquiète ou perturbée par leurs deux histoires qui se rejoignent... et qui risquent d'éveiller des souvenirs.

Pour elle, si leurs filles revenaient, elles raconteraient chacune à leur façon les évènements et elles auraient raison toutes deux. Pas un seul proche ou parent touché par ces meurtres ne réagit de la même manière et chacune est respectable, même dans le déni, même dans la fuite.

« Vous êtes arrivé dans le groupe il y a quoi, deux mois ? Ça faisait déjà un an que j'y étais. Après combien de nuits blanches ou de somnifères, combien d'évasions ou de façons de ruminer vous vous êtes décidé, je ne le sais pas. Mais votre façon vous appartient et y en a pas de bonnes ou de mauvaises. Avez-vous remarqué que quand la mort passe, on arrête de se projeter et de planifier, on atterrit dans le moment présent sans aucune difficulté ? Alors que c'est si difficile, habituellement.

— On atterrit d'aplomb, oui. Pas si intéressant, finalement, le moment présent. Plutôt surfait. »

Il la fait rire et ça lui fait du bien. C'est d'ailleurs cet humour qu'elle réveille qui lui plaît le plus. Il croyait avoir perdu cet aspect de sa personnalité en perdant Juliette. Comme si c'était elle qui détenait les clés du rire. Comme s'il fallait que quelque chose meure en lui avec elle. Le tribut offert à la mort par les vivants pour continuer à vivre. Je te donne mon rire, tu me laisses ma vie.

Il lève les yeux et s'aperçoit que le silence a duré et que Teresa ne semble pas troublée ou mal à l'aise. Elle attend en l'observant avec amabilité.

« Excusez-moi, j'étais retombé dans mes ruminations. »

Ce qu'il y a de bien avec cette femme, c'est qu'elle a l'air de ne rien attendre de lui. Ni soutien, ni conversation, ni rien qui dépasse la simple mise au point qu'ils viennent de faire.

Il s'avoue avoir eu des craintes à propos de l'envie qu'elle aurait de parler de sa fille, de le charger de cette perte supplémentaire. Il sourit : quelquefois, surtout quand on ne leur accorde pas trop de gravité, les choses sont simples.

Comme là, quand Teresa lui dit bonsoir et à bientôt.

## 29

En quittant le café, Teresa fait une courte halte à l'appartement qui fait face au sien. Brigitte est encore debout et elle l'accueille avec soulagement : « J'avais peur que tu reviennes pas. »

Pour la millième fois, d'un ton égal, sans manifester la moindre impatience, Teresa la rassure : elle ne rentrerait pas chez elle sans s'arrêter s'assurer que tout va bien. Et même si elle ne frappait pas à sa porte, Brigitte sait qu'en tout temps, elle peut venir se réfugier chez elle.

Il est inutile de demander si Brigitte a toujours la clé de son appartement, elle la porte à son cou en permanence, comme ces enfants qui rentrent dans une maison vide après l'école.

Un regard sur les mains de la jeune femme ne rassure pas Teresa : les ongles sont tellement abîmés qu'ils s'arrêtent à mi-bout des doigts qui, eux, sont couverts de plaies sanguinolentes. L'angoisse a encore régné et la manie a explosé ce soir.

« Je prendrais bien un petit lait chaud à la vanille pour m'aider à dormir, moi. Tu en veux ? Tu as déjà pris tes médicaments du soir ? »

Brigitte retire la main de sa bouche pour répondre et ce seul petit geste soulage Teresa. Parce que la réponse, elle la connaît — presque tous les soirs, le rituel du lait chaud revient. Sauf en de très rares «bons moments», Brigitte se perd dans sa médication et elle dépend de l'aide de Teresa pour l'assiduité. En fait, elle dépend de Teresa pour presque tout.

C'est d'ailleurs Teresa qui lui a trouvé ce studio en face de chez elle. Et le déménagement a enfin provoqué une nette amélioration de son état, même si l'angoisse la terrasse encore souvent. Surtout quand elle sait que Teresa s'absente. Pour les heures de travail, ça va. C'est le jour, et elle a réussi à calmer les crises de panique grâce à la régularité des horaires de Teresa. Le fait de pouvoir traverser le palier et se rendre chez elle, qu'elle y soit ou non, lui apporte également un répit quand la tension monte et que la peur devient incontrôlable. La peur est toujours impossible à raisonner. Brigitte se répète que c'est comme un frisson, que ça traverse le corps sans qu'on le provoque et sans qu'on puisse l'arrêter, ça ne change rien à la dévastation qu'elle ressent. Elle fait tous les efforts pour aller mieux, mais la peur a grugé davantage que ses doigts et ses ongles. Elle a l'impression d'avoir laissé son intelligence en pâture à la peur. D'être devenue une ombre effrayée qui guette le coup fatal qui va l'emporter.

Un choc post-traumatique, elle se le répète puisqu'elle le sait. Ça ne la soulage pas tellement. C'est déjà mieux qu'il y a six mois, mais les progrès sont lents et, sans l'aide de Teresa, elle sait qu'elle en serait morte. Paradoxalement, elle se serait épuisée à force de craindre de crever et elle aurait sauté dans le vide pour mettre fin à la torture de la peur de mourir. Se tuer pour ne pas mourir de peur, voilà où elle en est, ou plutôt était. Alors qu'elle était une fille brillante, promise à un bel avenir.

Elle avale son lait chaud en tenant sa tasse à deux mains. Teresa détourne son regard des lambeaux de peau. « Après, j'ai la pommade et des petits gants de coton. On va soigner tes mains, d'accord ?

— T'es rentrée plus tard, me semble…

— Oui. Je vois bien que tu t'es inquiétée. T'as sûrement oublié de regarder tes messages.

— Ah non… ben, je pense que j'ai oublié ton message après un certain temps… c'est niaiseux. Mais j'étais pas si inquiète que ça. T'as quand même le droit de vivre ! »

L'effort pour prendre un ton détaché est surhumain et Teresa se promet de ne pas infliger une autre attente à sa protégée. En couvrant les doigts abîmés, elle met au point un système de sécurité avec elle. C'est la simple répétition des appels et messages qui devrait la rassurer, comme toujours. Briser la régularité des habitudes provoque aussi le bris des connaissances de la jeune femme. Comme elle le dit, elle « sait » qu'il n'y a pas de danger, mais elle a peur quand même.

« Tu veux dormir chez moi, ce soir ? »

Le regard de Brigitte est surpris : ce remède n'est offert qu'en cas d'attaque de terreur particulièrement vicieuse.

« Je vais si mal que ça ? »

Le rire de Teresa est sa récompense suprême parce qu'elle se bat contre ses fantômes pour mériter l'amitié de cette femme sans qui, elle en est persuadée, elle serait morte.

Le 21 avril 2018, c'est avec Sophia qu'elle était amie. Et c'est Sophia qu'elle accompagnait pour acheter la tenue que la jeune diplômée devait porter à son premier jour de travail comme traductrice simultanée dans un congrès.

Le choix de Sophia s'était porté sur un ensemble «gris sérieux» agrémenté d'un chemisier «rose tendancieux pas mal moins sérieux» et tout à fait approprié. Brigitte n'avait pas un sou à dépenser, mais devant un pantalon «trop cool, trop exactement ce qui lui manquait» elle s'était engouffrée dans la cabine d'essayage pendant que Sophia réglait ses achats.

Et la fusillade était survenue.

Tapie au fond de la cabine, écrasée par terre, les mains sur les oreilles pour ne plus entendre les cris et le son de l'arme qui crachait la mort, Brigitte estimait le temps entre la première balle et sa sortie du cagibi à quelques heures. Le temps réel avait été de cinquante-quatre minutes. Et encore, c'était à cause du déploiement des forces policières plus que du temps réel de l'attaque.

Une femme à la voix douce et pourtant ferme lui avait parlé longuement, en s'accroupissant près d'elle. Sans faire état de la moindre impatience, elle était restée en sa compagnie le temps qu'il fallait pour apaiser ses craintes et la décider à bouger. Elle était la gentillesse incarnée et elle avait eu la délicatesse de ne pas lui faire remarquer qu'elle était vêtue uniquement de sa petite culotte.

Dans les faits, la mission de la policière était de veiller à protéger la victime de toute aggravation du traumatisme et à cueillir les informations qu'elle pourrait fournir. Devant le choc de Brigitte, elle avait opté pour une conversation rassurante, le temps que les ambulanciers puissent arriver par la porte arrière de la boutique et qu'ils évacuent cette survivante sans qu'elle ait à voir les corps des victimes encore étendues par terre dans une mare de sang. Un écran avait été tendu devant le rideau de la cabine d'essayage et, au moins, parmi les souvenirs terrorisants de cette journée, la jeune fille n'aurait pas à ajouter cette dernière vision d'horreur à tout ce qu'elle venait de traverser.

Parce que le saccage, les trois femmes transpercées de balles, le sang, les éclats de verre qui maculaient le sol, c'était difficile pour tous les policiers présents.

Après une courte visite aux urgences, Brigitte était retournée chez elle où sa famille l'attendait comme une miraculée. Raconter lui faisait du bien, et elle avait multiplié les récits tant aux journalistes qu'à la police. Malheureusement, sa mémoire avait bloqué certains détails et elle inventait de bonne foi ce qu'elle jugeait plausible : sa fuite dans la cabine, les hurlements du tueur, la peur des autres filles, leurs cris...

Elle ne devenait pas une héroïne, ce n'était pas raconté pour gonfler une image flatteuse d'elle-même, c'était seulement pour fournir les informations qu'elle était persuadée d'être en mesure de donner.

Tout ce qu'elle disait était réel, elle en était convaincue.

Puis, les questions s'étaient calmées, le tueur était emprisonné et Brigitte avait repris le cours de sa vie en y ajoutant quelques TOC pour apaiser une angoisse persistante. Ce n'était rien ou presque, des craintes vagues, des sursauts quand le tonnerre ou un bruit incongru survenait.

Elle venait d'emménager dans son premier appartement, une étroite pièce et demie, quand l'enquête préliminaire a commencé.

Elle n'avait aucune envie de raviver cette période de sa vie et avait encore moins l'intention d'y assister. Mais les procureurs voulaient la rencontrer et l'appeler à témoigner.

Contrariée, elle s'était rendue à la première séance de travail préparatoire.

Les questions précises, presque maniaques des avocats lui avaient fait perdre ses moyens. Elle avait dit ça ? Elle ne se souvenait pas. C'était possible, mais pas certain à 100 %, elle ne pouvait plus rien dire parce qu'elle avait essayé d'effacer ces moments-là. Plus les avocats parlaient, plus la panique s'emparait d'elle : rien, elle ne se rappelait plus rien. Elle avait envie de vomir, elle voulait partir, c'était terrifiant et surtout, un immense sentiment de culpabilité l'envahissait. Elle répétait qu'elle n'avait pas fui à la place des autres, qu'elle ne savait pas tirer, qu'elle n'avait pas d'arme, qu'elle ne savait pas d'où ça venait, pourquoi ça arrivait.

Rassurants, les avocats l'avaient laissée partir en lui suggérant d'écrire ce dont elle se souvenait et qu'ils jugeraient ensuite si elle pouvait les aider en cour. Ils l'avaient réconfortée : l'accusé était le bon, mais son état mental au moment de la tuerie était en cause. L'éventuelle condamnation ne tenait donc pas du tout à son témoignage.

Brigitte n'avait jamais témoigné.

Au moment où le procès se tenait, elle était enfermée dans un hôpital psychiatrique, complètement folle ou plutôt accablée d'un puissant stress post-traumatique. Sa mère l'avait trouvée terrée dans le fond du garde-robe, délirante de terreur, souillée d'urine et de matières fécales, incapable de la reconnaître et hurlant qu'elle n'avait tué personne. La rencontre avec les avocats remontait à deux jours et elle n'était pas sortie de sa cachette depuis.

Le séjour à l'hôpital avait duré. Les épisodes de panique succédaient à de grandes plages de tranquillité où elle n'arrivait pas à reconstruire le fil de sa vie. Ni à restaurer ses forces mentales.

Un jour, alors que les visites de ses proches s'espaçaient de plus en plus, Teresa était arrivée. C'était l'automne.
« Tu me reconnais, Brigitte ? Je suis Teresa, la mère de Sophia. »
Brigitte la connaissait bien parce Sophia adorait sa mère. Doublement, disait-elle, parce qu'elle n'avait pas eu de père.

« On m'a dit que tu avais très peur… »
Brigitte avait hoché affirmativement la tête, attendant le « tu devrais pas » qui allait inévitablement suivre.
« On n'est pas obligées de parler. Je suis venue te rassurer. T'offrir ma main pour tenir la tienne, le temps que tu aies moins peur. »

Et Teresa avait posé sa main ouverte sur le bord du lit.
En posant la sienne dessus, Brigitte avait enfin senti une minuscule paix l'envahir. Un mince espoir. La main de Teresa était douce et sèche et la moiteur de sa main à elle ne semblait pas la dégoûter.
Pour la première fois depuis des mois, Brigitte se dégoûtait un peu moins.

## 30

Éloi voudrait rentrer chez lui, se remettre au travail et oublier ce qu'il a vu à la morgue. Oublier les derniers instants de Juliette. De Carolane et aussi de ces filles qui étaient au magasin et n'avaient rien à voir avec elle. De ces femmes et du cri de haine qu'aurait poussé l'assassin. Son frère.

Il n'y a pas si longtemps, il essayait d'assimiler la rupture avec Juliette.

Maintenant, c'est sa mort qu'il doit accepter.

La sienne et celle de deux autres personnes.

Alors, que son frère soit le responsable du désastre lui semble juste trop. Trop écrasant. Trop inconcevable. Quand son esprit essaie de donner un sens à cette réalité, à cette partie des évènements, quelque chose bloque en lui et refuse d'avancer dans cette direction. D'achever le raisonnement.

Seule Juliette, la perte de Juliette, l'obsède.

Plus il y pense, plus c'est la vivante, celle qui a fait étinceler sa vie, qui le hante. Celle qui a illuminé... il s'arrête de marcher, surpris. Ses pas l'ont mené avenue Laurier, devant la boutique où des curieux s'agglutinent et commentent ce qui a causé la pose des grands placards de contreplaqué en devanture et les rubans jaunes de scène de crime qui interdisent encore l'accès à l'endroit.

Éloi est sur le trottoir d'en face — de l'autre côté de la rue — comme il y était le soir de son anniversaire, il y a à peine quelques jours.

S'il était entré, s'il avait supplié pour une dernière rencontre, s'il l'avait emmenée chez lui, est-ce qu'elle vivrait encore ?

Soudain, une effroyable pensée le traverse : quand elle a vu Rock entrer dans cette boutique, armé et haineux, quand elle l'a vu, a-t-elle cru que c'était lui ? A-t-elle pensé avant de mourir que c'était lui qui la tuait ? Lui qui criait qu'il la haïssait ? Lui qui voulait la détruire au lieu d'accepter de la perdre ?

Anéanti, il ferme les yeux. Quelqu'un s'est immobilisé près de lui pour observer la boutique. La personne murmure : « C'est effrayant… »

Éloi se force à bouger avant d'être reconnu.

Il ne pourrait être plus d'accord avec cet étranger.

## 31

Du jour où elle avait posé sa main dans celle de Brigitte, Teresa ne l'avait pas lâchée. La patience, la constance et la douceur viendraient à bout du traumatisme, c'était sa conviction. Et de la patience, elle en avait. Avec la régularité d'un métronome, elle était revenue voir Brigitte. Inutile de rester longtemps. C'était superflu pour le moment, les échanges ne se situant pas dans les paroles ou les discours. L'important, c'était de créer un rite rassurant, une habitude qui éloignerait pour un instant les terreurs de la jeune fille.

L'hôpital n'était pas situé très loin du travail de Teresa. En finissant, elle prenait un bus et, vingt minutes plus tard, elle venait saluer Brigitte. Les fins de semaine, elle s'y rendait à la même heure exactement.

En trois semaines, les premiers bienfaits de cette régularité s'étaient fait sentir. Brigitte l'attendait et elle mangeait le repas du soir en sa compagnie. Avec appétit, même si le service était tôt, bien avant l'heure du souper comme le concevait Teresa.

Le personnel aussi appréciait ce soutien, et Teresa connaissait la plupart des infirmières et même le médecin traitant qui avait demandé à la rencontrer.

La docteure Alba Frenette avait abordé clairement ses sujets de préoccupations et, très rapidement, elle avait conclu que rien de malsain ou d'inquiétant ne se dégageait des efforts de cette femme en deuil pour aider l'amie de sa fille décédée. Teresa Rodriguez ne s'illusionnait pas et n'effectuait pas un transfert parental morbide. Elle ne remplaçait pas sa fille, ne cherchait pas à nier sa perte ou à la masquer. Teresa Rodriguez était seulement une femme généreuse qui avait compris qu'elle ne pouvait plus rien pour sa fille, mais que l'amie de celle-ci, elle, pouvait encore être sauvée des conséquences de l'attentat.

Elle pleurait sa fille, mais demeurait consciente du monde dans lequel elle vivait. Elle agissait en mémoire de sa fille, mais sans chercher à la ressusciter à travers la guérison de Brigitte.

La psychiatre avait avisé les parents de Brigitte de cette relation, non par obligation puisque la patiente était majeure, mais par courtoisie, surtout pour les informer des progrès survenus.

Comme cela arrivait parfois, les parents s'étaient montrés à la fois soulagés et inquiétés. Soulagés d'apprendre que quelqu'un les délestait du fardeau de leur fille malade, et inquiétés de la voir s'en sortir et envisager de revenir habiter avec eux, ce qui ajouterait un poids à leur vie. Leur position avait la dureté d'une franchise brutale : ils avaient deux autres enfants plus jeunes et ne pouvaient endurer l'idée que Brigitte perde les pédales encore une fois. La mère ne se remettait pas de l'avoir trouvée au fond de son garde-robe et, puisqu'elle était partie de la maison quand la crise était survenue, les parents ne se sentaient plus tenus de l'accueillir à nouveau.

Le problème n'était pas inusité pour la docteure Frenette, et elle avait travaillé fort pour débusquer un endroit de transition pour Brigitte. La préparer au changement, même s'il représentait une amélioration, faisait aussi partie de la thérapie.

Comme Teresa l'avait compris dès le début, les habitudes contraient la peur, et les changer exposait Brigitte à un haut degré de stress.

En travaillant avec Teresa pour préparer la jeune femme à cette étape insécurisante, le médecin avait conclu que la chance de Brigitte, c'était d'avoir une telle alliée dans sa vie. Une femme aussi aguerrie qui en avait vu d'autres et qui ne portait aucun jugement, ne s'apitoyait jamais sur son sort ou sur le côté moins généreux de la vie.

Une femme qui avait eu la simplicité de lui montrer la lettre que les parents de Brigitte lui avaient envoyée, lettre qui aurait pu la choquer mais qui n'avait excité que sa compassion. « Je pense qu'ils sont dépassés et pas mal démunis. Mais si vous voyez quelque chose de dangereux ou d'inconsciemment nuisible dans ma présence auprès de Brigitte, je voudrais que vous me le disiez. »

La lettre était truffée de fautes d'orthographe. Sous des apparences généreuses, c'était carrément mesquin. Une lettre au « double langage » pervers dont ces parents ne se rendaient visiblement pas compte.

« *Vous avez perdu votre fille dans ce drame et au bout du compte, c'est peut-être mieux que ce qui nous est arrivé. On se rend bien compte que plus jamais notre belle Brigitte reviendra normal. Nous aussi on a perdu notre fille, celle qui* » *riait et était gentille. C'est pas pour vous enlever votre mérite, mais c'est pas mal moins dur de pleurer un enfant mort qu'un enfant devenu folle. On sait que Sophia était sa meilleure amie et que c'est elle qui l'avait amener magasiner dans cette boutique. Elle ne pouvait pas prévoir ce qui est arrivé et on le sait. Mais ce que vous faites pour notre povre fille, c'est vraiment gentil et on est certain que votre fille au ciel est reconnaissante de votre aide pour corriger le drame qui serait jamais arrivé sans elle. »*

Encore un peu et ils l'accusaient! Dans l'esprit simpliste de ces gens, ce n'était que justice que Teresa prenne en charge les effets dévastateurs de la tuerie puisque sa fille était responsable. Peu importe qu'ils terminent la lettre d'un réconfortant: «*Pas une minute on pense que vous vouler voler notre fille pour remplacer la vôtre. C'est déplacé de penser ça, on le dit à ceux qui pensent à mal. Vous avez du cœur, on le sait. Alors on comprend, on vous remercit pour vos efforts et on vous dit nos simpathies pour Sophia.* »

Tout ce qui précède est un véritable procès d'intention et une entreprise de déresponsabilisation de leur part. Quand la docteure le dit à Teresa, celle-ci sourit, soulagée: «Ça me fait du bien de vous entendre. Je me suis posé des questions…

— Sur vos intentions ou les leurs?

— Les miennes… mais Brigitte n'est pas Sophia, et je le sais.

— Si ça peut vous rassurer, j'ai quand même veillé à vérifier cela au départ. Pourquoi vous le faites? Le savez-vous? Ça représente beaucoup de temps…

— Parce qu'elle est tellement seule… Et je peux le faire, c'est pas excessif. Je l'ai, ce temps-là.

— Sans culpabilité si jamais elle ne s'en sort pas ?

— Non. Et sans culpabilité pour Sophia non plus. Mais elle va s'en sortir. Ce sera long, mais ça va arriver. »

La psychiatre se dit que si cette patiente s'en sort, elle devra une fière chandelle à cette femme probablement aussi seule qu'elle.

« Vous permettez que je photocopie la lettre et la mette au dossier ? C'est quand même éclairant comme discours… »

## 32

« Tu l'as dit à quelqu'un, toi ? »

Quand Juliette prenait cet air-là, Éloi s'amusait beaucoup.

« Bon ! C'est quoi, le petit sourire du mâle supérieur ? Qu'est-ce que j'ai dit de drôle ? »

Il la laissait mariner un peu pour le plaisir de la voir débattre intérieurement de ce qui l'agaçait. Il savait parfaitement où elle allait avec sa question. Leur secret, il n'avait aucun mal à le garder, c'était lui le discret, pour ne pas dire l'hermétique. C'est parler qui lui était difficile.

Elle, avec sa vivacité joyeuse, elle était comme un livre ouvert. Et il lit très bien où ses questions la mènent.

« Personne s'en doute ? Ta mère ? Tes amis... En six mois, personne t'a passé de remarques ?

— Non. Pis on est pas en danger si ça se sait. On n'est pas des agents du FBI en mission. C'est quoi ? Tu l'as dit à qui ?

— Je l'ai pas dit ! Mais quelqu'un s'en doute...

— C'est pas grave.

— Achalant quand même, non ?

— Non.

— C'est ma *best*. Carolane. Quand je dis que j'ai pas le temps de sortir ou que je réponds pas à ses messages parce qu'on est très occupés à baiser… Tu sais ben qu'elle se doute que je suis pas enfermée chez mon père en train d'étudier ! Pas chaque fois que je réponds pas !

— Tu peux dire que t'as quelqu'un sans dire qui…

— Qu'est-ce que tu penses que je fais depuis six mois quand ma mère lui envoie des textos en désespoir de cause parce que j'ai pas couché chez mon père ?

— Quoi ? Ta mère te surveille ? Dis-moi pas que t'as seize ans pis que tu m'as menti !

— Y a jusse ma mère qui s'est pas aperçue que j'ai dix-neuf… pis ça serait trop long à expliquer.

— Tu dis ce que tu veux à Carolane. C'est absolument pas grave. Tu le sais, pourtant. C'est un caprice, le secret, pas une règle d'or.

— J'aimerais mieux, parce que là… j'ai dit que j'étais sur Tinder pis que j'essayais toute ce qui passe !

— Sérieux ? T'as dit ça ?

— Pis après queque temps, j'ai dit que j'avais trouvé mon match, mais qu'y était marié. Top secret. Le bug, c'est que l'autre jour, elle nous a vus ensemble et elle m'a demandé si tu m'intéressais. J'ai juré que non…

— Pis t'étais convaincante en plus ?

— Très ! D'ailleurs, tu m'intéresses pas tant que ça. »

Quand elle s'approchait de lui avec ces yeux dangereux, remplis d'appétits, quand elle le renversait sur le sofa en trouvant immédiatement comment le convaincre d'un intérêt purement expérimental, il en perdait le souffle.

«Tu m'as pas convaincu. Je t'intéresse quand même un peu.»

Elle riait de ce rire indolent de femme repue — son rire paisible d'après l'amour.

«J'aimerais ça qu'on aille à la mer ensemble.»

La main de Juliette avait stoppé sa caresse alanguie: «Pourquoi?

— Pour goûter le sel sur ta peau.»

Juliette trouvait l'idée excellente.

~ ~ ~ ~

Revenir dans son appartement ne produisait que cette avalanche de souvenirs, exactement comme avant la mort de Juliette. C'était comme si, la rupture n'étant pas consommée ou acceptée, il n'arrivait pas à passer à l'autre évènement marquant, la mort de Juliette. Tout bloquait et formait une boule dans sa gorge.

Pour ce qui était de son frère, et même de ses parents, une ère glaciaire semblait l'envahir. Il n'éprouvait rien, ni haine ni colère. Rien.

Depuis sa rencontre avec Juliette, depuis cette inoubliable manifestation pour le climat, il s'était appliqué à faire ce qu'il avait inscrit sur sa pancarte, à sauver ce qui reste.

De son passé familial, il ne gardait rien parce que rien ne lui paraissait avoir été conçu en pensant à lui. Finalement, il s'était senti toute sa vie l'écho tranquille d'un colérique insatisfait, son frère. Et ça ne l'avait rendu ni heureux ni satisfait. Mais ça avait permis aux parents de se reposer en s'appuyant sur son ascendant sur Rock.

À lui la tâche ingrate de compenser les coups d'éclat de l'autre. À lui aussi de raisonner et de calmer les initiatives déjantées de son frère.

Au début, du plus loin qu'il se souvienne, il l'a fait pour s'épargner d'être accusé des méfaits dont l'autre n'hésitait pas à le charger. Les « qui l'a fait ? », « qui est responsable ? » se soldaient par une punition partagée parfaitement injuste aux yeux d'Éloi. Rigolote aux yeux de Rock qui préférait ne jamais être séparé de son frère, surtout en punition.

Ce n'est que le jour béni où il a quitté le sous-sol sombre et encombré du bungalow parental qu'Éloi a ressenti son individualité et surtout, les limites de sa responsabilité qui s'arrêtait enfin à lui-même et seulement lui-même.

S'il n'avait pas été si maigre, il en aurait perdu des kilos. Il éprouvait une telle sensation de liberté et de légèreté qu'il se réveillait la nuit pour goûter sa douce solitude. Entrer chez lui, même si c'était minimalement meublé, même s'il manquait de tout, c'était le paradis. Le rêve réalisé. Et malgré toute la fascination et l'amour qu'il éprouvait pour Juliette, il remerciait le ciel ou le diable ou les deux qu'elle n'ait pas eu le réflexe des autres filles qu'il avait fréquentées par le passé : celui de marquer leur territoire, de l'organiser et d'arranger son intérieur et son emploi du temps selon leurs normes.

Côté domestique, Juliette ne se souciait que d'une chose, que les draps du lit soient propres. Le reste, elle semblait n'y accorder aucune importance. Cela avait d'ailleurs été son premier cadeau : des draps blancs, doux, des draps dans lesquels elle lui avait fait jurer de ne baiser avec personne d'autre qu'elle.

Et depuis trois mois qu'elle l'avait quitté, les draps étaient aussi délaissés que lui.

# 33

Quand Claudine, sa secrétaire exemplaire, lui remet les messages des dernières heures, Guillaume sourcille en lisant le « *x4* » sur celui de Chantal Rioux.

« Fois quatre ?

— Elle insiste…

— En effet ! Merci. »

Il s'empresse de se mettre à l'abri des yeux amusés de cette perle qui navigue avec discrétion dans les eaux mouvementées de sa vie privée. Chantal Rioux est de l'histoire ancienne, elle n'a aucune raison de le relancer aujourd'hui. D'autant plus que leur « histoire », si histoire il y a eu, tenait davantage de l'errance à la suite de la mort de Juliette qu'à une véritable attirance.

Guillaume ne s'en défend pas : toute sa vie, il a bamboché. Aucune rupture n'a été vécue sans l'exaltation d'un autre corps, d'une autre attirance. C'était, depuis toujours, sa façon de se « remettre d'aplomb » et de remettre le pied à l'étrier. Il n'en est pas fier, il est même conscient que cette réaction presque épidermique à l'échec contient son aspect le plus macho. Il admet que certaines aventures de transition qu'il appelait intérieurement des « *buffers* » n'exaltaient pas le meilleur de lui-même ou des dames qui cédaient à ses avances.

Juliette le jugeait sévèrement, d'ailleurs, quand elle était témoin d'une de ces consolations transitoires.

(« Franchement ! T'avais vraiment besoin de la séduire ? Elle a de la misère à faire deux phrases sensées. Elle a pas dix ans de plus que moi ! »)

La sévérité de Juliette, ses jugements précis sur ses compagnes d'un soir (« Ça ressemble à un problème, non ? Si je faisais ça, tu me trouverais pas drôle pantoute ») le faisaient rire. Quand elle est devenue adulte, ce n'était pas ses aventures qu'elle jugeait, mais son côté « mâle dominateur qui n'a aucun respect pour les femmes baisables. Parce que pour grand-maman, ça va, t'es très respectueux. »

Ils avaient eu de solides discussions et il devait admettre que sa fille savait tenir son bout et le déstabiliser. Il avait admis que son « féminisme de façade » nécessitait une sévère mise à jour et Juliette s'employait à ce qu'il ne l'oublie pas. Leurs échanges les plus corsés étaient survenus quand Magalie et lui s'étaient laissés pour deux semaines après ce qu'il appelait « avoir sauté une clôture de trop ». Juliette ne nourrissait pourtant aucune amitié particulière pour cette dernière compagne de longue durée, mais elle était en âge de s'identifier à celle-ci. Et comme sa rupture avec le sage Émile l'avait égratignée, elle faisait payer à son père ce qu'elle reprochait… à elle-même, il le voyait bien. Tout comme il s'apercevait que sa nature aventureuse, sa soif de plaisir — qu'il qualifiait de vitalité — n'étaient pas absentes des gènes légués à sa fille.

Jamais il n'aurait cru qu'un jour il discuterait de plaisir sexuel avec sa Juliette! Il l'avait cataloguée du côté de sa mère pour ce qui était des appétits: une femme mesurée et raisonnable, capable de prendre son pied, mais sans excès. Il n'aimait pas imaginer son enfant en proie à des concupiscences que lui-même estimait parfaites pour son usage personnel mais inquiétantes pour le sien. Elle l'avait coincé solidement un matin où la porte s'était refermée sur un homme que Guillaume jugeait trop vieux et trop marié pour elle.

« C'est juste une aventure d'un soir, papa. Et y a moins de différence entre lui et moi qu'entre Magalie et toi. Ou qu'entre la fille de samedi passé et toi! »

Elle le narguait! Elle lui rendait la pareille. Elle s'aventurait sur son terrain pour lui faire goûter sa médecine.

Une fois passé son mouvement de colère, ils avaient discuté franchement. À sa grande surprise, Guillaume avait senti du désarroi chez sa fille. Cette sexualité joyeuse et libre dont il avait joui toute sa vie sans se questionner, elle embêtait Juliette, elle la déstabilisait. Sa fille ne disposait pas du sauf-conduit magique que tout homme possède. Elle pouvait prétendre le contraire, afficher une désinvolture de fille assumée et jouisseuse, dans le fond, elle se savait aux prises avec des notions vieilles comme le monde et qui ne brimaient que les femmes, celles de la pute, de la *bitch*, de la fille facile, trop facile pour être respectable, trop gourmande pour n'être pas salope ou cochonne. Elle avait dit ces mots horribles en pleurant. Le problème de Juliette était l'opposé de ce qu'il avait cru: la rupture avec Émile était son fait à elle, sa décision, son envie. Elle avait repoussé quelqu'un qui l'aimait vraiment, éperdument, totalement, comme elle avait tant rêvé... parce qu'il était un piètre amant. Elle ne l'avait pas formulé si précisément, mais Guillaume l'avait compris. Ce n'était pas l'inexpérience du jeune homme qui était en cause, mais son respect, justement. Une sorte de respect empreint de vénération qui freinait les moindres délires sexuels, ces folles échappées dans le plaisir qui ne juge rien, ne condamne rien *a priori* et qui ne possède qu'une règle, celle de ne pas en établir.

Il voyait sa Juliette écartelée entre sa nature impétueuse et le respect qu'elle voulait éprouver pour elle-même. Guillaume évaluait bien le problème, ses solutions demeuraient vagues, moins efficaces. Comment la convaincre qu'on est un tout indissociable de ses appétits ? Qu'on a intérêt à les accepter pour trouver le plaisir et même le bonheur.

Il l'entendait répéter : « Il m'aimait tellement ! Personne va m'aimer autant dans ma vie ! Je lui ai fait tellement de peine, papa, il pourra jamais plus aimer quelqu'un comme ça. Pourquoi c'est pas assez ? Pourquoi je lui ai fait ça ? », et il ne voulait pas lui avouer que quelquefois les gens qui nous aiment ne sont pas assez, même si on les aime, même si on voudrait tant que ça suffise.

En reniflant, elle s'était désolée de tant lui ressembler. Elle lui avait demandé « sans jugement cette fois » s'il savait ce qu'il cherchait ou s'il prenait ce qui se présentait sans chercher.

Elle l'avait bien embêté. Pour s'en sortir, il lui avait demandé ce qu'elle cherchait, elle.

Entendre Juliette déclarer qu'elle avait écarté l'amour véritable d'Émile pour un plaisir qu'elle n'éprouvait même pas avec ses « essais de partenaires » le désolait.

« Tu commences à essayer. T'es peut-être pas encore bien tombée. »

Elle s'était blottie contre lui : « Le vieux d'hier soir, c'était pour te choquer… y me trouvait ben belle, mais y me faisait rien de trippant. »

Guillaume se souvient encore du profond mouvement de recul que ce candide aveu avait provoqué : il ne voulait pas entendre ça ! Autant la sexualité de ses parents le dégoûtait, autant celle de sa fille le mettait mal à l'aise. En discuter, c'était vraiment le plus loin qu'il pouvait aller ; l'imaginer le rebutait. Ce n'était pas son affaire. C'était sa vie à elle, sa vie de femme qui se cherche et qui explore à sa façon les limites imprécises de la sensualité et de l'amour.

Chose certaine, cette conversation l'avait tenu à l'écart des jeunesses qui testent leur pouvoir de séduction. La frontière entre son plaisir et ses responsabilités envers les femmes s'en était trouvée à jamais définie. Et son inconscience de mâle satisfait avait vacillé pour de bon.

Ça lui aurait fait plaisir, à sa fille.

Il s'assoit en considérant le message « fois quatre » de Chantal Rioux. Encore une erreur de parcours, cette aventure. Mais une erreur qu'il se pardonnait, comme tout ce qui avait suivi la mort de sa fille. Il considérait qu'il s'était davantage échoué dans le lit de cette femme que soumis à un désir puissant.

L'alcool était devenu son allié quotidien et il arrosait pas mal ses fins de soirées. Chantal Rioux était la mère de Carolane, la meilleure amie de sa fille qui travaillait avec elle à la boutique le jour fatal.

Quand Guillaume était encore le mari d'Hélène, il avait fréquenté le couple Rioux-Thériault à quelques occasions. Ils habitaient le même quartier cossu où voisiner était fréquent et de bon ton. Souvent, des barbecues improvisés réunissaient les habitants de la même rue dans un échange joyeux où chacun apportait un mets. C'était décontracté et sans façon.

Guillaume n'avait jamais accordé d'attention à Chantal, une jolie femme, mais sans ce zeste d'appétit sensuel qui l'attirait habituellement. Son mari était le roi des contrepèteries et des jeux de mots. Au début hilarant, il devenait lourd après avoir englouti sa première bouteille de vin. Guillaume ne crachait pas sur un bon vin, mais il demeurait raisonnable dans sa consommation. Jusqu'à la mort de Juliette où il avait troqué momentanément le vin pour plus fort, plus efficace pour brouiller les contours acérés de sa détresse. Comment il en était venu à finir ses verres et ses soirées avec Chantal, il ne le sait même pas. Ça avait sûrement commencé chez Hélène, dans la maison qui jouxtait celle des Rioux-Thériault. Tout ce dont il se souvient avec certitude, c'est que ça s'était passé chez Chantal, alors que son mari — ivre mort — ronflait sur le sofa du salon. L'empressement de Chantal avait fait le reste sur son indifférence éthylique. Il s'était enfui avant que quiconque dans cette maison se réveille.

Ce n'est que plus tard qu'il avait appris que le lit où ils avaient copulé était celui de Carolane à l'époque bénie où elle habitait encore cette maison.

Chantal l'avait poursuivi de ses appels, presque traqué. Elle avait besoin de lui. Elle n'en pouvait plus de cette vie conjugale avec un homme qui ne la touchait plus depuis des années, avec deux filles dont elle s'occupait sans se plaindre, avec la mort effroyable de Carolane, avec tout ce qu'elle avait encore à reprocher à sa fille et tout ce qu'elle ne se pardonnerait jamais de n'avoir pas dit.

Guillaume ne voulait rien savoir de cette femme et de ses récriminations. Son dossier « malheur » était plein avec Hélène qui se désagrégeait de peine, avec Magalie qui réclamait l'homme qu'il ne serait plus jamais, et la perte, le manque, le trou béant de la mort de Juliette. Le gin l'avait peut-être égaré, mais il était assez dessoûlé pour savoir ce qu'il ne désirait pas. Et la mère de Carolane ne faisait certainement pas partie de sa « guérison », quoi qu'elle en pense. Un étrange mélange de pitié et de culpabilité l'avait poussé à expliquer ses sentiments à Chantal. Une sorte de respect aussi. Cette femme était aussi ébranlée qu'eux tous. Et elle souffrait.

Ses explications n'avaient produit qu'une relance encore plus agressive de Chantal. Boire avec lui consistait sa seule demande, elle promettait de ne pas insister pour autre chose, mais elle avait besoin de partager leur malheur commun.

Chantal avait franchi les limites du « malheur commun » très rapidement. Elle déversait ses motifs d'insatisfaction, s'attardant lourdement sur les turpitudes de son mari, sur ses carences domestiques et surtout sur son inappétence sexuelle causée par sa consommation excessive d'alcool selon lui et par son impuissance selon elle. Guillaume s'en fichait et il n'avait aucune envie d'en apprendre davantage sur la misère sexuelle du couple. Gilles Thériault avait toute sa sympathie, Chantal se révélant de plus en plus pénible et larmoyante. De plus, malgré ses promesses, Guillaume avait bien dû repousser vingt fois les mains caressantes, la bouche implorante et les « reste donc, juste ce soir » d'une Chantal qui se pendait à son cou.

Il avait louvoyé jusqu'au moment où Chantal l'avait attendu dans le hall de l'immeuble de son condo. En larmes, défaite, elle expliquait confusément que Gilles l'avait quittée, qu'il avait tout découvert et qu'elle ne savait plus quoi faire. Qu'il ne pardonnait ni à lui ni à elle cette trahison.

Froidement, Guillaume avait pensé que si quelqu'un pouvait comprendre un acte semi-délibéré posé sous l'effet de l'alcool, c'était bien Gilles Thériault.

Il entretenait de sérieux doutes sur l'honnête désir de Chantal de récupérer ce mari si peu satisfaisant. L'important à ses yeux n'était pas de comprendre, mais d'éviter de saper d'aussi bonnes dispositions. Elle prétendait ne pas pouvoir « tout perdre » après la mort de Carolane ? Fort bien. Il avait appelé Gilles devant elle en réussissant du même coup à provoquer son départ puisque son mari s'en venait « avoir une bonne conversation » avec lui.

Guillaume n'avait rien à dire à cet époux ramolli pour sa défense, à part le peu d'émoi que son « pas de côté » avait suscité. Il était tout à fait disposé à déguerpir de leur vie, sans toutefois spécifier que cela le soulagerait d'un poids.

Gilles Thériault était arrivé fin soûl, les clés de sa voiture à la main et réclamant un remontant qui aurait l'effet contraire. Affalé dans le sofa, il balbutiait ses reproches envers sa femme, comme on récite une prière connue. Pas une seule fois il n'avait accusé Guillaume d'avoir enfreint les règles sacrées de l'amitié en couchant avec sa femme. Guillaume cherchait encore comment faire son *mea-culpa* quand Gilles l'avait assommé : « Ça fait un maudit bout de temps qu'elle rêvait de s'envoyer en l'air avec toi. J'ai déjà failli te supplier d'y aller. La fois du Jacuzzi, je te jure, je l'aurais poussée sur toi ! J'étais trop soûl. Je suis encore trop soûl. Et pour tout dire, j'ai envie de rien d'autre que d'être soûl. Fait longtemps que c'est fini avec Chantal. Tu peux pas savoir le soulagement que c'est d'être enfin tout seul, de plus l'entendre. Si c'était pas des enfants, je serais parti depuis un maudit bout de temps. T'aurais pas un *refill* ?

— Si tu me laisses tes clés de voiture, j'en ai.

— Ben voyons donc ! Mon petit meublé déprimant est à deux pas !... Mettons dix rues, max.

— Ben, tu vas les faire à pied, tes dix rues, ou en taxi, mais pas dans ta voiture.

— Calvaire ! T'appelles-tu Chantal ? Pour qui tu te prends pour me juger ?

— Si jamais tu tuais quelqu'un en rentrant, je pense que ça arrangerait rien. Après ce qui est arrivé à ta fille, Gilles, tu survivrais pas. Alors, je te juge pas, je t'épargne une catastrophe. J'irai te reconduire si tu veux. Tes clés ! »

Obéissant, penaud, Gilles avait rendu ses clés et avalé son scotch d'un trait. Calmé par un nouveau *refill* dûment versé, il était resté pensif un long temps avant de dire d'une voix accablée : « Le pire, c'est qu'elle a parlé contre Carolane.

— Qui ça ?

— Chantal ! Elle l'a pas pris, pis elle a gueulé contre elle les six derniers mois… jusqu'à sa mort. Pis là, elle a changé de disque. Mais devine si je m'en souviens du crisse de drame ? »

Guillaume était complètement largué : « Excuse-moi, mais quel drame ?

— Son nom ! Son changement de nom. Elle est partie en appartement avec ses amies… ben ta fille pis l'autre… j'sais plus trop qui, mais une fois partie, elle a fait des démarches pour s'appeler juste Thériault. Chantal a fait une syncope ! C'tait épouvantable d'y faire ça, un désaveu, une trahison, l'abandon suprême. Y avait rien à dire pour y faire voir que s'appeler Carolane Rioux-Thériault, c'tait lourd en maudit. Chantal Rioux, j'veux ben, mais Carolane Rioux, crisse, rien qu'à le dire, ça s'effouère. Carolane Thériault au moins ça aboutit quelque part, ça se prononce… même soûl, ça se prononce. Tu vas me dire que c'est un détail, une niaiserie après ce qui est arrivé, mais c'est resté comme si notre fille avait choisi de devenir la mienne et de plus être la sienne. Tu vas trouver ça débile, mais l'avis de décès, tu sais, l'annonce des funérailles pis toute, Chantal a jamais accepté qu'on mette le nom que Carolane voulait. C'était Rioux-Thériault, comme tout le monde l'avait toujours connue ! Ce que notre fille voulait vraiment, ça avait plus aucune espèce d'importance… Ben, dans c'te niaiserie-là, dans c'te petit détail là, j'ai tchoqué. Pas capable d'y pardonner. À Chantal. Pas capable de passer par-dessus. J'y en veux. Carolane est pas revenue nous voir pendant trois mois à cause de ça. Pis après, c'tait trop tard. Pis ça va être trop tard toute ma vie…

— C'est pour ça que t'es parti?

— Tu sais ben que non… pas plus que votre histoire… »

Guillaume attendait patiemment la vraie raison. Gilles avait terminé son verre et l'avait regardé avec cette lucidité que l'alcool exaltait parfois : « Parce que je voulais continuer à y en vouloir. »

Après cette soirée, Guillaume avait cessé de voir le couple, que ce soit ensemble ou séparément.

Il agite le message pensivement… « fois quatre » veut dire de longues explications épicées d'une probable exaltation. Il n'est plus dans l'état délabré d'il y a un an, et il ne désire pas renouer d'une façon ou d'une autre. Et ce n'est pas le fantôme de Juliette qui va le pousser dans cette direction, l'amitié de sa fille s'arrêtait à Carolane. Il repousse les messages et se concentre sur un dossier urgent.

## 34

Bien avant que le procès de leur fils commence, les policiers avaient rendu aux parents de Rock les appareils électroniques et autres effets lui appartenant. Pas l'arme, bien évidemment, elle demeurait une pièce à conviction. Mais comme ils avaient ces instruments de mort en horreur et n'avaient eu aucune conscience de leur existence auparavant, cela ne leur manquait pas.

Jean-Daniel avait repris le chemin du bureau après quelques jours d'absence seulement. Il avait essayé d'ignorer les regards curieux, faussement compatissants ou dégoûtés, de ses collègues. Il se savait l'objet de nombreuses supputations, mais jamais ouvertement. Personne ne venait lui poser de questions ou lui faire des remarques.

Quand le procès avait débuté, quinze mois après les évènements, c'était juillet et il avait pris des vacances.

Le bungalow qu'il avait fini de payer trois ans auparavant avait été réhypothéqué pour régler les honoraires des avocats. De toute façon, pour Jean-Daniel, sa retraite n'était plus envisageable ou même désirable : qu'aurait-il fait, une fois chez lui ? Regarder Ginette astiquer chaque pièce pour en effacer tout désordre, toute salissure ? La voir se pendre au téléphone pour atteindre enfin Éloi et l'entendre murmurer que tout allait bien, sauf pour ce pauvre Rock ? Rejouer mille scénarios dans sa tête pour changer ce qui était ? Trouver les causes, les manquements, les erreurs qui avaient mené à ce désastre ?

Autant Ginette se concentrait sur leur fils emprisonné, lui parlant, le soutenant et le visitant sans répit, autant il avait du mal à le considérer comme un homme sensé, capable. Probablement très malheureux. Jean-Daniel avait beau prétendre que cette histoire était dramatique pour tout le monde, les victimes comme l'assassin, il n'arrivait pas à s'en convaincre.

Il avait vu les visages de ceux qui avaient perdu leur enfant, et il n'arrivait pas à atténuer l'intense culpabilité qu'il ressentait. Être le père d'un homme haineux, d'un homme qui a fomenté et exécuté des meurtres pour hurler à l'injustice, c'est être en échec à vie.

Depuis longtemps, ses collègues ont cessé de le considérer d'un œil inquiet. Le dernier qui pose toujours un regard méprisant sur lui, c'est lui-même.

## 35

Guillaume marchait vers le lieu de sa réunion avec le groupe d'aide quand son cellulaire a vibré. Exaspéré par l'acharnement de Chantal, son « allô » sonne plutôt sec.

Le ton de Chantal est aussi tranchant que le sien : « Désolée de te déranger et d'insister, Guillaume, mais c'est par égard pour Hélène que je le fais. Pas pour moi. Ça concerne Juliette. »

Il arrête de marcher et attend la suite... qui ne vient pas. Il répète le nom de sa fille, incapable de voir en quoi elle pourrait peiner sa mère plus d'un an après sa mort.

« Tu te souviens qu'elles habitaient ensemble, nos filles ? Quand Carolane... quand c'est arrivé, on a vidé l'appartement où elles vivaient à Montréal et on a tout mis à la cave. C'était trop dur de... bon, tu comprends. Savais-tu que notre deuxième est partie étudier à Montréal, cette année ? On vend la maison, c'est devenu trop grand pour nous. Et puis, faut bien le dire, ça nous rappelle trop de souvenirs douloureux... »

Pendant qu'elle continue à pépier, Guillaume saute à la conclusion que des effets de Juliette sont dans leur cave et qu'il doit s'en occuper. Il l'interrompt : « Tu veux que j'aille chercher les choses qui appartiennent à Juliette, c'est ça ?

— En fait, je sais pas trop… est-ce que c'est à ta fille ou à quelqu'un d'autre… J'ai pas tout regardé, ça me choquait trop. On dirait presque que ça a à voir avec un homme… bizarre.

— Bizarre ? Bizarre comment ?

— Ben, assez bizarre pour avertir la police… les enquêteurs, là…

— Attends ! De quoi tu parles ? Y en a pas, de procès. Pas de mystère non plus. C'est quoi, cette histoire-là ? Essaye de t'expliquer clairement, veux-tu ?

— Brusque-moi pas, ça m'énerve. C'était dans les papiers de Carolane, mais adressé à une Joy… Ça ressemble plus à Juliette qu'à Carolane, tu trouves pas ?

— Si on veut, oui… Quelle sorte de papiers ?

— Ben ! Des feuilles ! Des courriels imprimés. J'ai pas tout lu… c'était *kinky*.

— *Kinky* ?

— Ben… bizarre. Pas propre, genre vicieux. Un peu violent, là, comme un homme qui aime ça *rough*.

— Comment elle s'appelait l'autre fille qui habitait là ?

— Lynn… Lynn je sais plus trop. Une Anglaise qui allait à McGill. Pas rapport, comme dirait ma fille.

— Ben là : Joy aurait plus de chance d'être elle, non ? Pourquoi tu penses que c'est à Juliette ?

— Parce que l'enveloppe dans quoi c'était, c'est écrit "*Ne pas toucher*" dessus… et c'est l'écriture de ta fille. Pis… »

Guillaume sent qu'il va s'énerver si elle fait durer le silence : « Oui ? Pis quoi ?

— C'est les dates, tu sais ? Les dates des courriels…

— Oui, je vois. Quoi, les dates ?

— Ça commence en janvier pis ça finit… trois jours avant… avant l'évènement.

— O. K. Ça venait de qui ? L'adresse du gars en dessous de la date, c'est quoi ?

— C'est des chiffres, l'adresse. Pis c'est signé Tentation… Ben, *Temptation* là, en anglais. Ça ressemble à un code entre gens intimes. Très intimes.

— Pourquoi ça aurait à voir avec l'assassinat ? Pourquoi ça serait pas à Carolane ?

— Faudrait que tu lises… je veux pas qu'Hélène voie ça. Je veux pas le jeter. Pis je veux pas le garder. »

Au moins, ça a le mérite d'être clair. Il promet de passer en fin de soirée, après sa réunion.

S'asseoir près de Teresa, écouter les témoignages, tout ce qui d'ordinaire lui apporte le calme est brouillé par la conversation avec Chantal. De tout ce qu'elle a dit, la seule chose inquiétante lui semble les dates. Les derniers mois de la vie de Juliette.

« Vous êtes distrait, ce soir. J'espère que c'est rien de grave. »

Teresa a un sixième sens aiguisé. Elle pressent toujours son état d'esprit. Cette femme si discrète a des antennes pour les autres, mais ne révèle jamais rien d'elle-même.

Quand elle n'assiste pas aux réunions, il sait qu'elle a des soucis avec une amie appelée Brigitte. Mais c'est tout ce qu'elle en a dit.

Après avoir parlé avec Chantal, le silence avec Teresa est un baume.

## 36

Jules Langlois a eu le temps de manger toute sa sauce à spa-ghetti avant d'aller frapper à la porte de son ami qui, depuis une semaine, ne répond à ses textos que par un laconique « *ça va* » accompagné d'un pouce relevé.

Pour un gars qui a perdu son ex dans une tuerie commise par son propre frère, c'est un peu mince.

Ébouriffé, la barbe plus fournie qui lui mange les joues, le front encore rougi par la marque de sa blessure, Éloi est déjà bien différent du gars dont on parle dans les infos quotidiennement.

Langlois ne lui laisse aucune chance de le repousser : il fonce et entre avant que son ami lui claque la porte au nez. La pièce est en désordre, les ordinateurs allumés et ça sent le renfermé.

« Tu fais quoi ?

— Je travaille, Jules. Pis tu me déranges.

— Sur quoi ?

— Sur des sites. Je gagne ma vie, imagine-toi donc. Je dépanne du monde pogné avec l'informatique.

— O. K., O. K., je le sais ce que tu fais! T'es pas sorti, c'est ça? Je gage que t'as pas encore appelé ton père?»

Le regard d'Éloi est très éloquent: ta gueule!

Jules retire ce qui encombre le futon, s'assoit: «Les funérailles de Juliette ont lieu après-demain. On fait quoi?»

Ça y est, là il a capté l'attention d'Éloi: son visage se fige dans un masque.

«Si tu te cales un bonnet jusqu'aux yeux, avec la barbe que t'as déjà, ça passerait. Je peux y aller avec toi, si jamais quelqu'un veut te faire du trouble… C'est toi qui décides.»

Déboussolé, Éloi marche en enjambant les fils des ordinateurs. Langlois soupire: «Je sais pas comment tu fais pour vivre dans un bordel pareil. T'es pas de même d'habitude.
— C'est où?
— Rive-Sud. Belœil.»

Éloi sourit: la banlieue endormie au gaz, celle qui coûte si cher à la planète, c'est comme ça qu'elle qualifiait l'endroit où elle avait été élevée. Ses parents l'auront finalement récupérée, elle qui voulait tant s'affranchir d'eux. Enfin, de sa mère davantage que de son père. («Tu l'aimerais, lui! Y est cool. Et c'est le genre qui verrait tout de suite que tu me fais jouir.») Mais ils aimaient trop le cocon du secret pour en sortir.

«Euh… es-tu toujours en train de réfléchir à ma question? On fait quoi? Je t'avertis qu'y va y avoir du kodak pis que tout le monde sera pas là jusse pour elle. Ben dur d'empêcher la curiosité. Ça se calme, mais…

— Je sais pas… Ça sert à quoi d'aller là ? Ça change rien, de toute façon.

— J'sais ben. Mais je voulais que tu le saches. »

Gêné, Jules ne sait plus quoi dire. Il a l'impression d'avoir fait du mal pour rien. C'était sûrement une mauvaise idée de lui avoir rappelé ça.

Mécaniquement, il range les feuilles éparses, les livres entassés dans le désordre par terre. Il tombe sur un carton où un dessin est commencé, une esquisse à la mine de plomb. La bouche est archi-facile à reconnaître, c'est extrêmement bien dessiné. Jules lit à voix haute : « Jolly Jumper… »

Il n'a pas le temps de demander de qui il s'agit que son ami lui arrache le dessin des mains. Jules est stupéfait : « Ben là !… capote pas.

— Ça te regarde pas.

— J'partais pas avec non plus ! T'es ben maniaque… Y a pas moyen de te parler, man, reviens-en. Slacke un peu. »

Dépité, Éloi pose le carton sur une autre pile, loin de Jules. Il a parfaitement conscience d'avoir bousculé son seul allié pour une vétille : « J'étais surpris, c'est tout.

— C'est elle, Jolly Jumper ? »

Éloi sourit presque : un seul coin de sa bouche se relève. Un surnom parmi tant d'autres. Jolly Jumper, c'était quand elle s'agitait et le bousculait. Jolie Juliette pour quand elle se calmait, mam'zelle Gripette quand elle le surprenait et Juliette-Juliette quand une fois n'était pas assez. Elle lui manque à en hurler.

« Penses-tu qu'elle aurait repris ? J'veux dire c'fille-là t'aimait, c'est tellement clair. »

Éloi en est persuadé : Juliette l'aimait. Juliette-Juliette n'a jamais cessé de l'aimer... jusqu'à sa mort.

Il s'assoit devant son ordinateur, agite la souris dans un geste automatique : une multitude de dossiers apparaissent et couvrent l'écran. Depuis qu'il est rentré chez lui, il s'acharne à trouver ce qui a pu se passer pour qu'elle s'éloigne.

La voix de Jules lui semble venir de très loin. Elle est remplie de compassion : « Tu travailles pas tant que ça, han ?

— Pas vraiment, non.

— J'peux-tu faire de quoi ?

— Va aux funérailles pour moi, regarde le monde qui va être là, trouve le gars qui pleure le plus et prends des photos avec ton téléphone.

— Le gars qui... wo ! Tu penses qu'y avait quelqu'un d'autre ? C'tait pas supposé être l'honnêteté en personne, cette fille-là ? C'est pas ça que tu disais ?

— Disons qu'après ce qui s'est passé, j'ai envie d'éliminer une hypothèse qui y ressemble pas, mais qui me reste dans tête.

— Tu penses trop. Tu vas finir par croire que toutes les filles sont des hypocrites comme... l'épais — il s'interrompt, désolé d'avoir évoqué Rock.

— ... mon frère qui s'est pris pour Rambo en mission contre les hosties de féministes ? Pense pas finir comme lui, non.

— T'es pas de même, Éloi. T'as sa *shape*, sa face, mais ça s'arrête là.

— Sais-tu ce qu'y m'a demandé pour notre anniversaire, deux jours avant d'aller descendre Juliette ?

— J'pensais que tu y parlais pus !

— Ce qui l'empêchait pas de me parler, lui. Ma boîte vocale est pleine. Les textos, ça arrêtait pas.

— Qu'est-ce qu'y voulait ?

— Qu'on se fasse tatouer la même affaire à la même place ! Y me laissait le choix de l'image. C'est ça qui y aurait fait plaisir !

— Ben là ! Ça t'écœure, les tatous, même moi je sais ça. Y est pas au courant ? »

Éloi va chercher un dossier sur l'ordinateur et se met à lire : « *Même hyper super petit, même entre deux orteils, jusse un signe qu'on est absolument pareils. Liés à vie. J'en ai envie depuis tellement longtemps ! Fais ça pour moi, O. K. ?* Pis deux jours plus tard, celui qui m'aime tant débarque dans une boutique où y tue trois filles. »

Il se détache de l'écran et pivote vers Jules : « D'après toi, c'est par amour pour moi qu'y a débarrassé le monde de la fille qui a fait du mal à son frère ? Comment y aurait su ça, lui ? C'est-tu par gentillesse qu'y en a tué deux autres du même coup ? Ou ben les trois, c'était pour se vider le cœur comme y a vidé ses chargeurs ? Depuis quand quelqu'un de normal va se faire tatouer un petit cœur entre deux orteils pareil comme son hestie de jumeau avant d'aller descendre trois filles qui y ont rien fait à part que d'être des filles ? J'espère qu'y vont le trouver fou, parce que si y est normal, moi je suis fou pis j'aime autant le rester. »

Vu de même, Langlois ne peut rien contester. Par-dessus tout, il est soulagé de voir Éloi exprimer sa colère. Enfin, une partie de celle-ci.

~ ~ ~ ~

En espérant soulager un peu la détresse de son ami, Jules Langlois se rend aux funérailles de Juliette. Un moment d'une telle tristesse que même lui qui ne la connaissait pas tant se met à pleurer.

C'est plus fort que lui, il prend discrètement en photo l'homme qui semble le plus affecté dans cette assemblée où absolument personne — jusqu'au célébrant — n'a les yeux secs.

C'est celui qui est assis sur le banc d'en avant, celui qui tient le bras de la mère de Juliette, celui qui s'incline dans son banc, la tête dans ses mains, les épaules secouées de sanglots muets.

Son père, Guillaume Hébert.

## 37

C'est un Gilles Thériault mal à l'aise et presque sobre qui ouvre la porte à Guillaume. Il a ce sourire mou des gens qui veulent que ça se passe bien, c'est-à-dire qui n'abordera aucun sujet litigieux ou substantiel. Comme souvent, quand des confidences ont révélé un pan moins glorieux de la vie d'une personne, celle-ci se tient à bonne distance du détenteur des secrets, lui en voulant presque d'avoir reçu une vérité moche et de s'en souvenir. Gilles a l'air d'avoir recouvert toutes ses vérités d'un drap bien opaque.

Ils échangent quelques faussetés espacées de plusieurs silences avant que Chantal arrive, munie d'une enveloppe matelassée. Une pluie de lieux communs s'ensuit et elle termine en disant qu'elle sait combien c'est difficile d'ouvrir un passé aussi pénible, qu'elle n'a pas l'adresse de Lynn si jamais ce sont ses documents, qu'elle est persuadée que Carolane n'avait rien à voir avec ces échanges, bref, rien de neuf aux oreilles de Guillaume.

Il s'enfuit presque après avoir refusé café, thé, scotch et autres civilités.

L'enveloppe lui brûle les mains et il s'empresse de la poser dans le coffre arrière de la voiture.

Puisqu'il est près de chez elle, il décide d'arrêter saluer Hélène.

Elle a l'air heureuse et surprise de le voir.

« J'avais affaire dans le coin, je me suis dit que je viendrais te faire un petit bonjour. »

Il la trouve tendue et un peu fausse dans son accueil, comme s'il était inopportun. Pourtant, elle répète qu'elle est vraiment heureuse de le voir un autre jour que le samedi matin. Ce n'est pas un reproche, mais une plainte vague qui contient son effluve de blâme.

L'image stoppée sur le grand écran du salon est celle d'un feuilleton anglais d'époque. Avec une désinvolture étudiée, Hélène prétend que ses soirées sont plus légères avec des gens du siècle dernier qui avaient des préoccupations bénignes aux yeux d'aujourd'hui. Bref, dans ce genre d'émissions, aucun fou furieux ne descendrait des enfants au fusil semi-automatique.

« Tu bois quelque chose ? »

Elle éteint l'écran et prépare une tisane : « T'as vu que les Rioux-Thériault vendent ? La mère de Carolane m'a dit…

— Chantal.

— Oui, Chantal m'a dit le prix qu'ils demandaient. C'est astronomique. Si je vendais…

— T'en as envie ?

— J'ai surtout envie de prendre ma retraite.

— T'es pas un peu jeune ? Tu veux regarder ta série en boucle ?

— Ben non ! Mais je pensais… je sais pas, peut-être m'occuper d'une fondation, faire du bénévolat, aider les gens… je veux dire, les femmes. »

Guillaume la considère avec surprise : Hélène n'est pas une philanthrope et si elle devient féministe après la mort de Juliette, ça n'aura rien à voir avec ses convictions. Enfin, celles qu'il lui connaissait. Il ne discute pas. Il souffle sur sa tisane en affectant l'air qu'il prend dans le groupe quand il entend un témoignage bâti sur un mensonge ou qui protège encore la personne de la dure réalité de son deuil. Ces échappatoires qui ont tellement l'apparence de la vérité et auxquelles on croit mordicus pour ne pas sombrer dans l'abîme qu'elles recouvrent.

Ce qu'il découvre en écoutant son ex, c'est à quel point faire face à ce qui le torturait et ne changerait pas lui a apporté de paix. Et un peu de tolérance vis-à-vis ceux qui se débattent comme ils peuvent dans les eaux glacées de la perte.

Hélène babille, saute d'un sujet à l'autre, sans lien apparent.

« … Je ne sais même pas pourquoi ils sont revenus ensemble. Elle a pas arrêté de parler contre lui quand il est parti. Plus personne pouvait l'écouter dans le voisinage. À côté de ça, nous deux, on est encore amoureux fous. Elle nous enviait notre séparation "si harmonieuse", comme elle disait. Ta finesse et ton côté *caretaker*, tu sais bien. Nos samedis au café, elle en revenait jusse pas. Comme s'il fallait coucher encore ensemble pour avoir des rapports humains acceptables.

— Qui ça ?

— Ben! La mère de… Chantal. Elle est certaine qu'on va revenir ensemble ! »

Quelquefois, à l'époque où il était le mari d'Hélène, un petit signal d'alarme résonnait dans son esprit quand elle parlait, un signal de danger de grosse chicane. Il entend le signal et, sans analyser les pourquoi, il l'observe d'un œil prudent sans rien demander, sans commenter. Elle émet son petit rire de fille qui en a vu d'autres. La question périlleuse, Guillaume sait qu'elle doit rester muette, il ne doit pas la poser, c'est là qu'elle veut aller et c'est de la glace vive. Comme leur fille lui a dit un jour : « Tu penses qu'elle va finir par comprendre que tu reviendras pas, même si tu l'aimes bien ? Des fois, elle fait pitié, papa, j'ai envie de lui crier *get a life* ! »

Leur séparation… le premier deuil qu'Hélène n'a jamais avalé ni digéré. Comment pourrait-elle faire celui de leur fille ?

Un sursaut de compassion l'envahit : oui, il aime cette femme qui fut sa femme et qui ne le sera jamais plus, il le sait du plus profond de son cœur.

Et il a mal pour toute la douleur que ses inconsciences volontaires vont provoquer. Parce qu'elle ne pourra aider personne si elle ne s'aide pas d'abord. Accepter, admettre sont sans doute les verbes les plus inaccessibles pour cette femme qu'il a blessée dans sa vie, qu'il a trompée aussi, mais qu'il a aimée.

Hélène ne se méprend pas : ce qu'elle voit dans les yeux de Guillaume, c'est tout ce qu'elle espère encore de la vie, un peu d'amour.

## 38

« *Grosse salope ! T'as le cul d'un truck ! Cry baby cry… Shut up pis endure.* »

« *Slut* » « *Whore* » « *Tu sais ce qui t'attend… you're gonna cry…* » « *Ta gueule !… or you'll get it rough* » « *Tears are sweet, blood is better* » « *Crisse de pute, y a vraiment rien qui t'écœure ?* » « *Joy, Joy, Joy…* » « *My favorite is coming. Here we are!* »

Guillaume repousse les feuilles, incrédule, dégoûté. C'est d'une obscénité sans nom. C'est à vomir.

« *Kinky ?* » Complètement pervers, dérangé, fou. Rien à voir avec du *kinky*, Chantal ne sait pas de quoi elle parle. Et sa fille ne peut pas avoir poussé aussi loin ses expérimentations. C'est tellement avilissant… Elle ne peut pas avoir trouvé ce genre d'échanges excitants ou… Révolté, il revient au premier message concernant le cul de la fille : Juliette avait une structure de liane, ça ne peut pas être ses fesses qui sont comme l'arrière d'un camion.

Ça lui fait tellement de bien de penser qu'il s'agit de quelqu'un d'autre, que ce n'est pas sa Juliette qui aurait reçu les hommages d'un sadique.

Il enferme le tout dans l'enveloppe, pressé d'en finir, pressé d'oublier les images atroces que les mots ont suscitées. Il sait que ça existe, évidemment. Il sait que la domination est un jeu sexuel qui convient à certaines personnes, il sait tout ça, mais… pas sa fille! Pas comme ça! Pas avec ce langage ordurier, dégradant, pas dans cette recherche du sale et de l'abjection qui confond l'humiliation, l'anéantissement de l'autre avec le plaisir de l'abandon. Pas elle!

Il passe ses doigts sur le «*Ne pas toucher*» qui est indubitablement de la main de sa fille. Il le sait, c'est elle qui a lu et archivé ces obscénités. Ça ne veut pas dire qu'elles lui étaient destinées ou qu'elle les considérait pour autre chose qu'une étude, un travail universitaire. Quand on est en socio avec une majeure en études féministes, c'est normal de faire un travail de fond sur la domination sexuelle. Le langage immonde qui accompagne certaines perversités n'est rien d'autre qu'un sujet d'analyse. Ça ne signifie pas qu'elle s'est livrée elle-même à ces jeux ou qu'elle cachait une tendance masochiste. Joy, ce n'est quand même pas Juliette…

Ce qu'il y a de terrible avec la mort, c'est que les questions sans réponses le demeurent. Il doit croire ce qu'il estime vrai à partir de ce qu'il sait de son enfant. Ces feuilles ne sont pas une preuve ni un déni de sa fille, c'est autre chose, un accident, un sujet d'analyse. Personne ne fera croire à Guillaume que la déchéance pouvait être un moteur d'excitation sexuelle pour sa fille. Et même si ça l'était, même si elle avait eu le quart des dispositions masochistes nécessaires pour aimer le contenu de ces écrits, elle n'aurait certainement pas voulu que son père le découvre, le lise et en déduise qu'il ne connaissait pas sa Juliette.

Pour Guillaume, l'obscénité consisterait à renier ce qu'il sait pour affubler sa fille d'un passé hideux et humiliant. Si elle avait voulu qu'il le sache ou qu'il connaisse un de ses secrets, elle le lui aurait dit, point.

Il porte l'enveloppe dans l'espace exigu de la buanderie et il sourit en refermant la porte : c'est effectivement la place de ces saloperies : le lavage !

## 39

En vingt mois, depuis le massacre et l'arrestation de Rock, Éloi n'a revu ses parents que deux fois. Son père, une fois, et ses parents ensemble, une fois. Ça s'était mal passé, exactement ce qu'Éloi craignait.

C'était pour l'anniversaire de Ginette. À ce moment-là, Rock avait pris le chemin de la prison après son plaidoyer de culpabilité survenu en plein procès et ils attendaient encore le prononcé de la sentence.

Pour éviter les débordements émotifs, la célébration («avec la moitié de ma famille seulement») se passait au restaurant. Dès son arrivée, Éloi aurait voulu repartir. Son nouvel aspect physique ne convenait pas à sa mère. Pour ne plus voir ses cheveux devenus couleur rouille avec le temps, il s'était carrément rasé le crâne. La barbe fournie, pourtant soigneusement taillée autour de la bouche et du cou, achevait de le « défigurer » selon sa mère, outrée d'une telle mascarade. («Si ton frère voyait ça, il ferait une syncope! As-tu honte, coutdonc?» «Oui, maman, oui j'ai honte de mon ancienne tête et ne me demande pas pourquoi.») Cela avait jeté un froid.

L'entrée n'était pas encore posée devant eux que Ginette entreprenait son laïus de militante pro-Rock qui visait deux objectifs : un (et c'était urgent), que Rock reçoive des nouvelles de son jumeau et deux, qu'Éloi adresse au juge une lettre qui compensera les récits des parents des victimes. Sans laisser le temps à son mari de l'arrêter, elle avait saisi le poignet d'Éloi : « Tu dois le faire ! Toi aussi tu as perdu quelqu'un. Y sont pas les seuls. T'as perdu ton frère, ton jumeau et ça, c'est aussi sinon plus important que de perdre une blonde. Rock savait pas que tu la connaissais, il me l'a dit. Y te l'a écrit. Si tu lisais ses messages, si tu y donnais une chance de s'expliquer, tu verrais que c'était un accident. Y avait pris des médicaments, Éloi, y était malheureux, y voulait mourir. Tu venais plus jamais le voir, tu venais plus nous voir et, même ça, ça le faisait souffrir. Il l'a pas fait pour te faire du mal, il le savait pas. Comment veux-tu ? Tu nous as jamais parlé de ta vie, une fois parti de la maison. On avait du mal à avoir de tes nouvelles. Tu nous avais même pas dit où tu restais. En ville ! Tu parles d'une réponse ! Ça a tout pris pour que Rock s'en remette. Y m'a dit que se priver de toi, c'était plus dur que se priver de drogue. Y avait plus sa tête. Y s'en veut tellement que ça va le tuer. Tu pourrais pas lui pardonner ? Comme on pardonne aux alcooliques et aux drogués ? »

Éloi avait libéré sa main d'un geste sec, accrochant du coude son verre d'eau qui s'était renversé. Il s'était levé et avait jeté sa serviette en prononçant un « non » placide avant de s'excuser et de déguerpir alors que sa mère, debout, lui criait qu'elle non plus ne lui pardonnait pas. « Je veux plus jamais te voir ! » sont les dernières paroles qu'il a entendues.

Il avait littéralement arpenté la ville en marchant tellement vite qu'il en était à bout de souffle. Est-ce que ça avait toujours été ainsi ? Sa mère, crédule et larmoyante, prête à croire tout ce qu'invente son garçon si malchanceux, si peu gâté par la vie ? Surtout au regard de l'autre. Surtout en comparaison. Il ne veut pas savoir ce que vit, ce que pense, ce que déplore ou désire son frère. Il veut être adopté, changer de nom, changer de ville, de pays. S'il revoit son frère un jour, ce sera pour le défigurer à jamais — que plus personne, jamais, ne porte ses propres traits en étant si pourri à l'intérieur.

Sa mère a parlé toute sa vie d'amour inconditionnel, ce qui signifiait tout accepter sans rouspéter. Il la trouve idiote, stupide et dangereuse. Oui, il la juge, oui, il la méprise et oui, il la déteste. Et ce n'est pas parce qu'il voulait secrètement qu'elle le traite avec la même indulgence pleurnicharde qu'elle offrait à Rock, comme les psys à cinq cennes diraient. C'était parce qu'elle l'était, idiote.

(« Oui, mais on fait quoi avec les femmes imbéciles ? Parce qu'y en a. Être féministe, c'est pas devenir aveugle ou excuser des aberrations. » Comme elle riait, sa spécialiste des sociétés : « On fait comme avec les hommes idiots, on les endure ou on les fuit. »)

Même avant de la connaître, c'est ce qu'il avait fait, fuir. Et depuis qu'elle l'avait quitté, il se consacrait à tenter de rester digne d'elle, de son merveilleux sens de l'humour, de ses galipettes intellectuelles. («C'est une façon de ne pas devenir une machine implacable qui applique des règles sans nuances. De fuir le dogme dangereux. Une galipette, c'est une sortie de secours pour les enfermements théoriques. Rien de ce qu'on prétend être la vérité ne devrait devenir une religion, trouves-tu?»)

Il aimait son sens de la mesure et son désir d'intégrité absolue.

Il aimait tout d'elle. («Es-tu toi à 100 % avec moi? J'ai jamais été aussi proche du 100 % que maintenant, Éloi.»)

Et pour bien lui montrer qu'ils n'étaient pas accros l'un à l'autre (péché mortel de la religion féministe), elle partait passer deux jours avec sa mère et revenait excédée. («Elle m'énerve, t'as pas idée! Ça a l'air que quand je vais avoir un enfant, je pourrai enfin faire une galipette intellectuelle avec elle et assouplir mon jugement! Je pense pas qu'on fasse un enfant pour ce genre de miracle là.»)

Il ne comprenait rien à cette histoire de jugement hâtif faussement savant et se jetait avec énergie sur la seule galipette qu'il aimait.

Même en marchant trop vite, même après la sortie de sa mère qu'il réfute du premier au dernier mot, c'est encore elle qui règne, elle qui l'occupe, elle qui le hante. Et il sait qu'il se veut hanté, que c'est tout ce qu'il désire; que le reste du monde sombre dans le néant et qu'elle le hante à jamais.

Il est de nouveau devant la boutique de l'avenue Laurier. Elle est fermée. Depuis la fusillade, elle n'attirait que des curieux, aucun client. La vitrine est réparée et l'énorme affiche «À vendre ou à louer» trône en son centre.

Son cellulaire vibre. Son père. Sans doute pour excuser la célébrée revancharde.

Il éteint.

Il ne se sent rien de filial, ce soir.

## 40

Quelquefois, après une crise de terreur, Brigitte prenait du mieux de façon presque aussi spectaculaire qu'elle s'était enfoncée. Ses doigts guérissaient, les plaies montraient même des débuts de croûtes et elle réclamait beaucoup moins d'assistance de Teresa. Dans ce temps-là, elles en profitaient pour sortir et marcher pour « affronter le parc », comme le suggérait Teresa. Bras dessus, bras dessous, elles avançaient parmi les gens et Brigitte les observait d'un œil suspicieux sans pour autant vouloir se précipiter dans son antre.

« Est-ce que tu le fais pour Sophia ? Ce que tu fais pour moi ? »

C'est la première fois que Brigitte parle de sa fille et d'elle. À croire qu'élargir son espace vital lui permet de dépasser sa personne et ses peurs. Ce qui, aux yeux de Teresa, constitue une véritable victoire.

« Non, je le fais pour toi, Brigitte. Parce que, pour l'instant, tu en as besoin. »

Elle serre son bras : « Merci… si ça avait été l'inverse, si Sophia avait été dans la cabine, elle aurait repris sa vie, maintenant.

— On ne le sait pas, Brigitte. On peut jouer à ce qu'on veut, on peut imaginer le pire et le mieux, c'est fini. Et c'est comme ça que ça s'est passé, c'est tout. C'est toi qui vis des moments difficiles, c'est de toi que je m'occupe. »

Un long silence suit. Arrivées chez elle, Brigitte propose de confectionner elle-même le lait chaud. C'est une soirée douce et les fenêtres sont ouvertes. Pour la première fois, quand un klaxon exaspéré se fait entendre, Brigitte sursaute comme Teresa, sans plus. Et elle poursuit la conversation sans en perdre le fil.

En se couchant ce soir-là, Teresa sent sa fatigue comme si elle avait mille ans. Sa fatigue et sa peine que les terreurs de sa jeune voisine abolissaient par leur urgence. Les vingt années avec son affectueuse fille sont passées. La présence de Brigitte lui a permis de traverser une dure période. Peu importe le prix, elle doit maintenant ouvrir ses mains et permettre à l'oiseau blessé de reprendre son envol. Que la vie de Brigitte redevienne une vie de femme libre qui a surmonté le choc et qui va enfin rire et avancer.

Demain, elle écrira un courriel à la docteure Frenette pour lui raconter la jolie embellie du jour.

## 41

Guillaume est presque en proie à l'obsession. Même s'il n'a pas lu tous les messages à Joy, ceux-ci se sont incrustés dans sa mémoire et ils reviennent sans cesse à son esprit. Il essaie désespérément de respecter le « *Ne pas toucher* » écrit par Juliette, mais les mots cruels sont en lui, maintenant, il a du mal à les balayer ou à les repousser comme il le voudrait. Il n'y parvient pas du tout, même.

À croire qu'avec la mort de sa fille, son insouciance — qu'Hélène traitait d'inconscience — avait aussi disparu.

Quand il rencontre Teresa Rodriguez au groupe de soutien, il se dit qu'il devrait lui en parler. Cette femme posée, raisonnable, le conseillerait sûrement avec sagesse. Sa troisième tentative à aller prendre un café est encore refusée. Avec gentillesse, mais refusée. Elle lui en donne même la raison : sa protégée a besoin de la voir revenir à heure fixe. Déranger ses habitudes, c'est l'exposer à la terreur.

« Pourquoi ? Vous avez besoin de parler de choses que vous taisez dans le groupe ? On peut tout entendre, vous savez. Sans juger. »

Si elle savait! Guillaume est désolé et préfère ne pas insister. Teresa le rattrape, alors qu'il prenait la direction ouest. Elle lui propose de la raccompagner... dans la direction opposée.

« Si Sophia avait eu des secrets... lourds, des contacts néfastes avec des gens peu recommandables et que vous l'appreniez seulement maintenant, vous feriez quoi?
— Vous fouillez le passé, Guillaume?
— Je dirais plutôt que le passé est venu me fouiller.
— Et c'est pas beau? C'est vraiment des gens pas bien? Ils vont essayer de vous faire chanter? D'abuser?
— Non! Pas du tout.
— Ça a à voir avec sa fin?
— Non plus.
— C'est donc quelque chose qui lui aurait fait du mal et que vous auriez voulu savoir pour lui épargner de souffrir.
— Exactement.
— À part vous désoler encore et toujours, qu'est-ce que vous pouvez y faire, Guillaume? Rien. Elle ne souffre plus, c'est vous qui souffrez. Et ça ne lui apporte rien. Votre fille savait que vous l'aimiez et, si elle avait voulu, elle vous en aurait parlé. C'est sa vie. C'était sa vie.
— Mais!... elle était tellement têtue et tellement sûre d'elle! Elle a pu mal évaluer le danger. »

Le sourire de Teresa est si compréhensif, il en pleurerait.
« Je vais vous confier quelque chose, Guillaume. Après sa mort, j'ai appris que Sophia avait été harcelée à l'école secondaire. Son teint, son côté latino, son nom... on m'a dit qu'elle avait eu du mal à résister à la méchanceté des autres. On m'a aussi dit qu'elle avait fini par rétablir des

relations, une sorte de respect. Je ne sais pas comment elle a fait ni le prix que cela lui a coûté. J'ai essayé d'être fière d'elle au lieu de me désoler de n'avoir rien su et rien pu faire pour lui épargner cette épreuve. Y a deux façons de le prendre, Guillaume. Il faut en finir avec ce qu'on aurait pu faire et qu'on n'a pas fait. Il faut... Avez-vous fait votre possible avec elle ? Avez-vous été un bon père ?

— Je pense, oui... j'espère.

— Alors, concentrez-vous là-dessus et n'allez pas fouiller son passé pour trouver des manques. Il y en a toujours. Et si elle ne vous en a pas parlé, c'est que ça lui appartenait. »

Il rentre, apaisé. Elle a raison, il le sait. Il doit renoncer à déterrer le passé de Juliette comme de vieux os pourris qui nourrissent son refus de sa mort.

Il se traite de dégueulasse, d'irrespectueux... et résiste encore à jeter l'enveloppe.

Il n'arrive ni à s'en débarrasser ni à la rouvrir.

Il allait s'endormir quand le nom de cette colocataire lui revient : Lynn Sullivan !

Il s'endort en se promettant de ne pas l'appeler. De tout arrêter.

~ ~ ~ ~

Enceinte jusqu'aux yeux, Lynn Sullivan peut le rencontrer à sa convenance puisqu'elle est en congé de maternité.

Elle parle un français impeccable, sa mère est une Mélançon et c'est pour perfectionner son anglais qu'elle a étudié à McGill.

Guillaume la trouve bien rondelette, mais de là à avoir un *cul de truck*, il y a une bonne marge. Cette fille ne dégage rien qui soit le moindrement tendancieux. Mais depuis quand les perversions et les goûts sexuels tordus s'affichent-ils sur le front des gens ? Il désigne son ventre : « C'est pour bientôt ?

— Dix… cinq jours ? Ou demain, parce que je pense que c'est un coureur. Il va sortir avec cent kilomètres au compteur !

— Un garçon ? »

Elle fait oui de la tête, et Guillaume voit venir l'expression de condoléances qu'il ne souhaite pas entendre. Juliette est morte depuis assez longtemps pour qu'il ne désire plus que les gens lui communiquent leur sympathie. Ou plutôt leur curiosité malsaine déguisée en sympathie. Ça fait assez longtemps pour qu'il la garde pour lui, sa Juliette.

« J'ai accepté de vous rencontrer même si je sais que je ne pourrai probablement pas vous aider. C'est Carolane qui connaissait Juliette et qui la fréquentait. Pas moi.

— Est-ce que le prénom de Joy vous dit quelque chose ?

— Du tout.

— Ou un surnom, une façon gentille d'appeler quelqu'un ?

— Non, non ! Ni Carolane ni Juliette se sont jamais appelées Joy. Ni entre elles ni autrement.

— Et… Temptation ?

— C'est supposé être un surnom, ça ? Tout un programme… Jamais entendu ça. »

Il a beau être suspicieux, c'est difficile de taxer cette bonne humeur de tactique de dissimulation. Elle trouve tout cela inoffensif et plutôt rigolo : « *The Temptation of Joy*, ça ferait un bon titre. »

Devant son air déçu, elle ajoute : « Vous savez, on la voyait pas beaucoup, Juliette. Elle allait tout le temps chez son chum. Bon, peut-être moins à partir de janvier, mais là, elle n'allait pas bien et elle passait tout son temps à parler dans la chambre de Carolane.

— Elle n'allait pas bien ? En janvier ? Le janvier d'avant l'attentat ?

— Ben… plus février, je dirais. Mais la rupture a été *heartache*.

— C'était qui, déjà, son chum ? Le frère de l'autre, là ? C'était vrai, cette histoire-là ?

— Je peux pas vous dire. Il s'appelait Éloi. Carolane pourrait, mais…

— Et ça pouvait pas être Carolane qui avait des problèmes, je sais pas, une peine d'amour avec Temptation…

— Votre Temptation, c'est un gars, c'est ça ?

— Oui, oui.

— Alors non. Carolane avait juste un problème de cœur dans la vie, et c'était Juliette. — Elle ouvre les mains en signe d'évidence — Elle savait pas si elle aimait toutes les filles ou seulement Juliette. »

Estomaqué, Guillaume répète le prénom de sa fille, comme pour écarter une image difficile à concevoir : « Êtes-vous sûre ?

— Devinez si on en a entendu parler de ses problèmes d'identité sexuelle ! Bi, homo, queer, à rien, à toute ! Interminable... J'avais hâte qu'elle se décide.

— Et Juliette ? Elle... elle a fait quoi ?

— Je le crois pas que je suis en train de parler de ça avec vous ! Juliette, c'était une bombe sexuelle. Carolane pouvait bien capoter de la voir aller. À l'appartement, avant qu'elle rencontre son chum, ça swinguait pas mal. Pas sûre pantoute que Carolane ait pu goûter à Juliette... Excusez. Disons, réaliser son fantasme. Mais on était jeunes, on essayait toute.

— Toute ?

— Ben... pas mal d'affaires. Faut ben se faire une idée. Ça se faisait beaucoup dans ce temps-là. »

Comme si elle parlait d'un temps ancien ! Ça ne remonte même pas à deux ans. Guillaume est ébranlé.

« Savez-vous avec qui Juliette... essayait toute ? »

Lynn hausse les épaules, nonchalante : « Ça a tellement pas d'importance ! C'est une passe, de même... C'est comme la *porn*, c'est pas important. Regardez-moi : enceinte de mon premier, en couple, pis on parle de se marier ! Y a rien là, je vous dis. C'est pas important ! Du tout.

— O. K., je comprends. Est-ce qu'il y a un nom qui vous revient parmi ses... essais et erreurs ? »

Elle prend le temps d'y réfléchir avant de hocher la tête et de dire que le bottin amoureux de ses colocs ne l'intéressait pas vraiment. C'est Carolane qui ramassait les noms, comme on collectionne les timbres : « Même les plus insignifiants, elle les archivait et Juliette la traitait de maso. Parce qu'elle était jalouse, Carolane. Pour toute. »

Guillaume tique à l'énoncé du mot qu'il redoute tant : « Et Juliette n'était pas maso, elle ? »

Elle rit et secoue la main comme pour exprimer que ça bardait : « Plutôt le contraire. Elle en a fait râler, des gars ! C'pas elle qui souffrait. Sauf pour la rupture avec son amoureux, je l'ai jamais vue s'en faire pour un gars.

— Même pas Émile ?

— Jamais entendu ce nom-là ! On dirait bien que pour elle, y avait juste Éloi. Point final. »

Guillaume ne s'estime pas très avancé.

## 42

Langlois ne lâche pas Éloi, malgré qu'essayer de le sortir de ses obsessions représente un travail colossal. Ça fait quand même cinq semaines que la tuerie a eu lieu.

« Ça te donne quoi de rester ici à pitonner sur ton ordi ? Excuse-moi, mais ça la fera pas revenir. »

Est-ce un tribut à la constance amicale de Jules, Éloi l'ignore, mais il essaie de faire comprendre à son ami que c'est de solitude qu'il a besoin. Qu'il ne sait pas quand ça va finir, ce besoin, mais que pour l'instant aller s'éclater en écoutant de la musique à tue-tête, ça ne lui dit absolument rien.

« Tu sais quoi ? Tu fais exactement ce que vous faisiez quand elle était avec toi. Au moins, quand elle t'a laissé, tu sortais, on s'éclatait, comme tu dis. »

Éloi n'a pas un souvenir bien net de ces « éclatements ». Il a surtout le souvenir d'une dérive intense et de beaucoup, beaucoup de joints.

« Tu fais quoi, tout seul de même ? Tu te gèles ? Tu bois, tu regardes des vieux films ? »

C'est fini depuis le 21 avril 2018, le temps des joints et autres débordements. Éloi a un sourire triste : « J'essaie de rentrer dans tête du tueur.

— Han ? 'Tu fou, toi ? Tu fais pas ça pour vrai ? Câlice, c'est ton frère, man !

— J'sais ben…

— Ça te donne quoi ?

— Rien. Ça m'occupe… je savais même pas comment on achète une arme.

— Pis là ?

— Je l'sais.

— Pis ? Ça te donne quoi ? À part de perdre ton temps ? Tu vas quand même pas l'imiter. Où tu vas, avec ton histoire d'armes ? »

Éloi hausse les épaules, il en a trop dit pour ce qu'il est capable d'expliquer de son comportement. Tout ce qu'il sait, c'est qu'il doit réfléchir. À beaucoup de choses. Il commence à peine à être en mesure de s'imaginer que le tueur est son frère. Et qu'il y avait quatre filles dans cette boutique. Quatre filles qui ne lui avaient rien fait, il en est persuadé.

« Savais-tu ça, Jules, qu'une tuerie de masse, ça existe juste à partir de quatre victimes ? En dessous de quatre, c'est un drame, mais pas une tuerie. Quelle sorte de société décide d'une affaire de même ? Y en a seulement trois de mortes ? Ah ben, c'est pas si pire, c'est un drame regrettable, mais pas une tuerie. Si, une hypothèse de même, si Rock a vu quatre filles en train de rire dans la boutique, penses-tu qu'y s'est demandé si y en avait assez pour faire une tuerie ?

C'est-tu le genre de chose qui y a passé par la tête, tu penses ? Ou y était trop pété pour compter ? Tu vois, c'est le genre d'affaires auxquelles je pense...

— Tu les connaissais, les autres ?

— Carolane. Pas les autres.

— Juste de même, Éloi... ça te donne quoi de savoir qu'à quatre, c'est une tuerie de masse ? Même la fille qui est pas morte, ça a l'air que c'est l'enfer. Même Carolane... je la connaissais quand même un peu, ben je me souviens que se passer de Juliette pour elle, ça ressemblait à une tragédie. La verrais-tu, toi, se remettre de ça ?

— Tu vas pas me dire que c'est mieux qu'elle soit morte ? Essaye d'aller dire ça à ses parents !

— Ben non, mais... T'as rien qu'à aller voir Rock pis y demander ce qu'y y a pris. Tu vas en avoir le cœur net. Pas besoin de te torturer à te mettre dans sa tête, me semble.

— J'irai jamais voir ce gars-là... ni en prison, ni ailleurs. C'est fini. Ça sera jamais mon frère.

— Je comprends... »

Éloi est certain d'une chose : Jules Langlois pense qu'il déteste son frère. Il ne peut pas lui dire qu'au fond de lui, il le redoute parce qu'il se demande si cette tuerie n'a pas été perpétrée uniquement pour lui faire du mal. Pour l'atteindre, lui.

## 43

«Écoute-moi, Ginette, écoute-moi bien! Tu n'appelles plus Éloi pour le supplier, l'engueuler ou lui parler de son frère. Tu renonces à cette lettre au juge ou tu l'écris toi-même, mais tu lâches Éloi. On va se tenir debout pour Rock, on va payer comme on a payé jusqu'ici, quitte à vivre dans un cabanon dans le fond de la cour, mais Éloi doit rien à personne, O. K.? Ni à nous ni à son frère. On lui doit une chose et on va lui donner: la paix. As-tu une idée que Rock a déjà reçu tout l'héritage qu'on pensait leur laisser et qu'à partir de maintenant, même si je double les contrats extérieurs, on leur laisse des dettes et rien d'autre? Si ce que tu as crié au restaurant, c'est ce que tu penses sincèrement, c'est épouvantable. On a eu deux enfants, pas un qui est au service de l'autre. Pas un tyran et un esclave. Pas un meurtrier et…»

Il en perd ses mots. Qu'ont-ils fait d'Éloi? À quoi l'ont-ils réduit en s'imaginant que la paix domestique justifiait d'en sacrifier un à l'énergie malsaine de l'autre?

«C'est pas un meurtrier! Notre fils est dépassé. Il a été mal influencé, il est allé sur des sites dangereux, il s'est mis des horreurs dans la tête avec les jeux vidéo, mais c'est pas un tueur! Si t'allais le voir et que tu l'écoutais, tu le saurais.

— Ça, c'est ce qu'il te dit, Ginette. Les as-tu lus, ses blogs? Là aussi, il parle. Et il parle fort. As-tu réussi à aller au bout de ses textes où les femmes sont des écœurantes qui rient des hommes, qui les rabaissent et qui méritent de crever tellement elles sont dégoûtantes, perverses…

— Tais-toi! C'est pas lui qui a écrit ça. C'est des influenceurs qui l'ont entraîné…

— La vidéo avec son arme, la veille de la tuerie? Ginette, réveille! Le canon accoté sur la joue, il a hurlé "je vas te décharger dans face, ma crisse d'hypocrite. Toutes des salopes, toutes des crisses de *slut*"!

— Tais-toi.

— C'est pas parce que ça me fait plaisir que je te le dis. Devant le monde, devant le juge, les journalistes, je vais toujours le défendre et répéter qu'il a perdu les pédales, que c'est une pitié de virer fou à ce point-là et qu'il a besoin d'aide. On le lâchera pas. On va l'aider du mieux qu'on peut. Mais à une condition: on laisse son frère tranquille, on le laisse s'éloigner et on ne lui demande rien. Et si c'est aux antipodes qu'il veut aller, on l'encourage. Y est à peu près temps.

— Y veut partir? Avant la sentence? Avant de savoir ce qu'on va faire à Rock?

— Il sait très bien ce que Rock a fait et ça me semble suffisant.

— Tu parles comme si y avait eu toute sa tête! Y va mieux, maintenant. C'est un autre garçon. Si t'allais le voir, tu comprendrais.

— J'vais y aller, Ginette. Ça aussi, je vais le faire. C'est notre responsabilité. Mais c'est un homme, pas un garçon. »

Étanche à la nuance de la fin de la phrase, sa femme s'illumine en apprenant qu'il ira visiter le pauvre Rock. Il n'ajoute rien, ébranlé par la résistance de Ginette à la plus mince vérité.

Cette nuit-là, alors que Ginette dort enfin, il écrit un message à Éloi. Il n'attend pas de réponse. Il veut seulement que son fils sache qu'il sera respecté dans toutes ses décisions, quelles qu'elles soient, et qu'il l'aime en sachant toutefois que cet amour n'a pas toujours été évident. Il s'accuse d'aveuglement, mais sans insister, ce n'est pas la pitié de son fils qu'il cherche, c'est lui redonner sa liberté pleine et entière. Et si pour être libre, il doit les écarter à jamais, il accepte de l'être. Et il le lui dit.

Il termine avec « *Bonne vie, Éloi. Tu as encore ta vie devant toi. Prends-la. Je t'en prie, prends-la et vis-la. Je t'aime.* »

Après, il sort du buffet qui contient la vaisselle des grands jours trois lumignons qu'il allume. Ce faisant, il murmure à chacun un prénom : Juliette, Sophia, Carolane.

Il contemple les flammes vacillantes en se demandant si leur fils sait le nom de ces femmes ou si elles ne sont que les représentantes d'une race haïe. La partie de l'humanité qu'il avait le devoir d'éliminer.

En repensant aux phrases culpabilisantes de Ginette concernant les filles qui ont humilié Rock en le laissant, les torts qu'elles avaient eus de s'exhiber en séductrices et de se défiler ensuite quand Rock leur cédait ou désirait leur céder, il conçoit que même l'amour peut entraîner la haine.

Sa femme n'est pas une révolutionnaire, loin s'en faut, mais par amour pour un des jumeaux, elle accable de reproches trois victimes innocentes et elle essaie de les rendre en partie responsables de leur sort. Le discours de Rock a donc infiltré sa pensée. Ou plutôt, Ginette adopte tout ce que Rock invente pour se disculper… quitte à faire de trois personnes jeunes et belles des monstres d'égoïsme qui ont volontairement marché sur les précieux orteils de leur fils.

Jean-Daniel répète les prénoms à voix basse. Il ne veut pas les oublier. Il ne veut pas qu'elles ne soient que des corps criblés de balles. Il veut leur rendre leur dignité d'être humain, cette dignité dont leur fils, son fils, Rock, est totalement et malheureusement dépourvu.

## 44

Ce samedi matin là, au café, Guillaume trouve Hélène bien mise et soigneusement maquillée.

« Tu vas où ?

— Au cinéma. Tu veux venir ? »

C'est lancé avec désinvolture comme ça, mais Guillaume voit le clignotant rouge s'allumer avant qu'elle n'enchaîne, l'air de ne pas y toucher : « Je peux te poser une question ? »

Elle va la poser, il le sait, et qu'elle soit anodine ou non, il sait que ce ne sera pas le cœur du sujet. Il fait oui, redoutant la suite.

« Il y a quelqu'un ? »

Devant son air confus, elle ajoute : « Dans ta vie ? »

Terrain miné, il fait court : « Non. »

Évidemment, elle insiste : « Alors, c'est quoi ? Tu n'es plus pareil, dernièrement. Un peu distrait… préoccupé, je dirais. Ailleurs… »

Il fait sa moue du gars qui ne voit pas du tout. S'il y a une chose qu'il veut qu'elle ignore à jamais, c'est le duo Joy/Temptation.

« Tu pourrais me le dire, tu sais. S'il y avait quelqu'un… »

Il en doute, mais ce n'est pas le sujet à aborder. Elle a raison, d'ailleurs. Depuis la mort de Juliette, sa libido est tombée sous le seuil de la vitalité. Il se souvient qu'à la mort de son père, il avait été saisi d'une frénésie sexuelle, comme s'il avait à prouver qu'il était toujours vivant même si son géniteur ne l'était plus. Peut-être qu'il est mort en perdant Juliette. Beaucoup de gens disent cela dans le groupe de soutien : sa mort m'a tué.

« Hé ! T'es où, là ?

— Je pensais à la mort de papa…

— Oh boy ! C'est loin… dix, douze ans ?

— Quinze. — Il se souvient que Juliette avait six ans et qu'elle s'était montrée très curieuse de la mort.

— Tu m'avais trompée avec l'infirmière des soins palliatifs, celle qui te trouvait tellement touchant ! »

Chacun ses repères, se dit Guillaume. Chose certaine, la panacée sexuelle s'était avérée inefficace avec Juliette. Il ne se souvient pas d'être resté sans sexe si longtemps de toute sa vie. À part à l'adolescence, bien sûr, où ses activités « privées » le rendaient bien honteux… ce qui ferait rigoler ferme Lynn Sullivan. Ou même Juliette à ce compte-là.

« Alors quoi, ton père ? »

Surpris, il la considère sans comprendre. Avant qu'il prononce le dangereux « quoi, mon père ? », elle continue : « Tu vois, c'est ça que je veux dire avec ta distraction ! T'es moins là… Qu'est-ce qui se passe ? »

Le sixième sens d'Hélène le surprendra toujours. Alors qu'il patauge avant de comprendre une évidence, elle met toujours le doigt au centre du bobo. Et il fait « aïe ! »

« Tu la connaissais, toi, la troisième coloc de Juliette ?
Lynn Sullivan ?

— Je savais même pas son nom ! Quoi ? T'as couché
avec ? »

Il a presque un haut-le-cœur : où va-t-elle chercher des
histoires pareilles ?

« Ben là, Guillaume, aide-moi un peu : on vient de parler
de ton père et de l'infirmière que t'as sautée à sa mort.

— Tu dis "sauter", toi ?

— C'était quand même pas de l'amour ! Coucher, sauter,
s'envoyer quelqu'un, se la faire, tringler… quoi ? T'es rendu
scrupuleux avec les mots ?

— Ben non… oui, un peu. À cause du gars et de la haine
des femmes. Oui, je pense que je suis devenu plus prudent…
ou prude ! »

Elle a un élan de sympathie vers lui, elle touche sa
main délicatement : « O. K., là je comprends. Alors ? Lynn
Sullivan ? »

Il ne sait plus puisqu'elle ne la connaissait pas.

« Rien. Elle attend un enfant. Il doit déjà être né. Un
garçon. »

Silencieuse, Hélène ne demande plus rien, ne s'inquiète
que d'une chose, ne pas pleurer. Ne pas s'écrouler encore à
l'idée que sa fille n'aura jamais les enfants qu'elle voulait.
(« Trois au moins, maman ! Je trouve qu'être enfant unique,
c'est un vrai karma. T'as pas idée comme c'est plate. »)

« Qu'est-ce que t'es allé fouiner encore ? Pourquoi la rencontrer ? C'est pas un hasard…

— Non. Je voulais savoir si… si elle était heureuse, joyeuse…

— Quand est-ce que tu vas arrêter ça, Guillaume ?

— T'as arrêté, toi ?

— Ben… J'essaie. Ça marche pas chaque jour. Mais j'essaie. »

Il dégage sa main en la tapotant pour altérer l'impression de rejet. Il voulait lui dire pour Carolane, mais à quoi bon ? Pourquoi ajouter ce fait à la vie de leur fille qu'ils connaissaient si peu, finalement ?

Il allait partir, quand il se retourne vers elle : « Si jamais tu vends la maison, penses-tu qu'on trouverait des choses cachées par Juliette ? Pas des secrets nécessairement, mais… quoi ? »

Pas besoin d'un sixième sens pour s'apercevoir qu'Hélène se raidit et prend un air coupable.

« Quoi ? Qu'est-ce que tu m'as pas montré ? Il y a quelque chose, dis-le ! »

Il est horriblement angoissé à l'idée qu'elle ait pris connaissance des saletés de Temptation.

« Je voulais te le montrer, mais j'arrive pas à m'en séparer. »

Soulagé, il se détend. Hélène n'éprouverait aucun attachement pour Temptation.

Avant qu'il dise un mot, elle murmure : « C'est son journal. C'est tellement beau, Guillaume, tellement vivant. Tellement elle… »

Sa voix craque, de grosses larmes roulent sur ses joues.

Calmé, heureux d'avoir échappé à une catastrophe, Guillaume l'assure qu'il comprend.

Et c'est vrai, il s'en rend compte en le disant, il comprend parce qu'il a fait pareil. Sauf que lui, c'est pour des raisons opposées, parce que c'est laid.

# 45

Au début, quand l'agente de police lui envoyait des textos, Jules Langlois pensait que, comme dans les séries télé, elle voulait en apprendre davantage au sujet d'Éloi et épater les enquêteurs chevronnés en apportant des éléments inédits qui feraient débloquer l'enquête.

Après, quand l'assassin avait changé son plaidoyer en plein procès et admis sa culpabilité, il n'y avait aucun mystère qui subsistait, mais elle semblait toujours préoccupée par le sort d'Éloi. Elle avait l'air de passer par lui pour rester en contact.

Sans se trouver laid ou inintéressant, Jules est parfaitement conscient du charisme supplémentaire de son ami. Ça avait toujours été comme ça : Éloi frappait le jackpot et lui s'occupait des autres. Ça lui convenait pour la simple raison qu'il était archi-timide avec les filles. Éloi et lui avaient toujours cultivé une association basée sur l'humour (parfois épais, Jules le reconnaissait) et la non-obligation.

« On n'a pas envie, on le fait pas. » C'était la règle.

On ne supplie pas, on n'insiste pas, on ne geint pas. On s'arrange avec ses troubles et on n'écœure personne : la base de leur amitié, c'était la liberté.

Avant qu'Éloi rencontre Juliette, tout avait coulé entre eux sans anicroche. La présence de Juliette avait perturbé pas mal de choses parce que le temps d'Éloi lui était consacré en priorité. Il avait envie de Juliette et seulement d'elle. Le fait que Jules ne pouvait rien partager avec eux, le fait que leur exclusivité l'ostracisait avait perturbé leurs rapports amicaux. Éloi, probablement à cause de sa famille et de son frère jumeau intransigeant, détestait qu'on lui réclame quelque chose comme un dû, qu'on exprime le moindre reproche ou quoi que ce soit s'approchant de l'obligation.

Jules avait trouvé Juliette bien habile avec sa liberté assumée et son féminisme non revendicateur. Les rares fois où il l'avait croisée, elle avait toujours l'air ravie de le voir et ravie de lui laisser la place. Pourtant, Éloi lui avait dit que garder leur relation secrète, c'était leur décision commune. Une sorte de cercle privé où ils se suffisaient à eux-mêmes, le temps qu'ils étaient dedans. Après, chacun allait vers sa vie publique, nourri de ce qu'ils s'offraient en exclusivité. La révélation du secret avait d'ailleurs été le fait d'un hasard et non pas une décision réfléchie.

Dans l'esprit de Jules, c'était bien compliqué pour rien : t'es bien, tu le dis, pis ça finit là. Tu présentes la fille à tes amis et tu l'emmènes chez vous à Noël.

Le résultat de leur « bulle à eux », c'était qu'il voyait beaucoup moins Éloi. Mais il devait admettre que, quand il le voyait, son ami était heureux comme jamais. Rieur, épanoui, ouvert, Éloi, le stoïque renfermé, avait attrapé la vitalité pétillante de cette fille et il changeait en mieux. Il réussissait même à devancer ses critiques et à suggérer un concert, un film à voir ensemble. Comme si la « bulle à eux » créait aussi une « bulle Éloi/Jules » qui, au lieu d'amoindrir leur amitié, la renforçait.

Et la preuve en avait été fournie quand Juliette avait rompu.

Pour avoir pleuré quelques relations dans sa vie, Jules savait qu'il fallait s'étourdir un peu, sortir de l'obsession de l'abandon. Mais Éloi ne voyait rien comme lui. Il avait l'air d'un condamné à mort. Il faisait même des efforts, ce qui était contraire à leurs règles — on n'a pas envie, on le fait pas. Pitoyable, il redevenait silencieux, impassible, toute légèreté envolée. Et Jules s'ennuyait de Juliette, lui aussi. De son effet salvateur sur le moral d'Éloi.

Et puis, il devait se l'avouer, lui n'avait jamais aimé une fille à ce point. Il le souhaitait, il en rêvait, mais ça ne lui était pas arrivé. À travers Éloi, il faisait l'apprentissage d'un vrai chagrin d'amour. Et il en perdait le goût d'aimer. Si c'était à ce prix, non merci.

Le soir où Isabelle Faguy, la policière, avait éclaté de rire en s'apercevant que Jules la croyait amoureuse d'Éloi avait été leur première fois. Le tourbillon des dernières semaines avait culminé dans une débauche de rires, de douceurs et d'exaltation charnelle. Comme quand deux timides laissent tomber leurs pudeurs et s'éclatent sans limites. C'était si intense, si déstabilisant que Jules avait même été content de la voir partir au petit matin. Ou plutôt, heureux l'espace de trois minutes.

Étourdi, ébranlé, il s'était mis à lui texter alors qu'elle n'avait pas atteint la porte extérieure de l'immeuble.

Se doutant que ça faisait « accro en s'il vous plaît », il avait éteint son téléphone et sombré dans un sommeil satisfait, un sommeil de corps assouvi et de cœur content. Ce n'est qu'au réveil qu'il s'était inquiété de la réaction d'Éloi à cette nouveauté. D'après Jules, selon son code de l'honneur, ce n'était vraiment pas le temps de tomber amoureux. Presque inconsciemment, à cause des circonstances particulières, Jules avait gardé l'information secrète… et reproduit du même coup la « bulle à eux » de Juliette et Éloi. Finalement, il avait beaucoup moins de critiques à formuler : la sauvegarde de l'intimité possédait de grandes vertus.

## 46

À l'époque, au bout de cinq ou six mois de leur relation, Éloi avait offert un portable prépayé à Juliette pour usage exclusif à eux deux.

Elle l'avait regardé, sourcils levés, sceptique : « J'en ai un téléphone… »

Il lui avait expliqué que celui-ci était intraçable, impossible à espionner, qu'il avait installé la sonnerie particulière qu'elle adorait et qu'il avait fait de même sur le sien. C'était leur terrain de jeux, rien d'interdit, rien de retenu, un canal privilégié, osé, une exclusivité superprivée.

Juliette s'en fichait bien d'être « traçable » ou non. Mais comme c'était lui le roi de l'informatique, lui qui savait entrer dans n'importe quel système à distance pour les réparer, elle ne discutait pas. Pas plus qu'elle n'avait discuté l'idée de rester célibataire sur son profil Facebook, de ne jamais diffuser de photos ou de vidéos d'eux, de se garder l'un pour l'autre un espace archi-hyper-sécurisé. De toute façon, Éloi n'était nulle part sur les réseaux sociaux. Lui, le plus habile à les exploiter, à les connaître, à s'en prémunir et à explorer les façons de les rendre inviolables, il n'y était pas.

« Si tu savais comme c'est facile de tricher ces comptes-là, de les infiltrer, tu fermerais tout, toi aussi. »

Éloi avait une règle simple : si tu ne veux pas que ça se sache, tais-toi.

Exactement le contraire de ce que Carolane voyait dans tout secret de sa meilleure amie : une menace et un jugement sur ses potentielles indiscrétions. Ce qui compliquait les choses pour Juliette qui l'aimait beaucoup.

Les deux téléphones avaient consacré leur bulle à eux et ils contenaient un lot impressionnant d'aveux, de désirs crus ou tempérés d'élans, de mots d'amour, codés ou pas. Juliette ne regrettait qu'une chose et c'était de ne pas pouvoir dessiner ses messages.

Le jour où elle l'avait quitté, ce jour de janvier glacial, elle lui avait tendu son cellulaire en silence. Blessé, il avait refusé en disant une méchanceté comme « garde-le pour le prochain, t'auras juste à changer la sonnerie ».

Inébranlable, elle lui tendait l'appareil. Éloi l'avait saisi, ouvert et en avait retiré la carte SIM : « Regarde, c'est ça nous deux ! Ça tient là-dessus. Et même ça, c'est trop pesant pour toi ?

— Éloi. »

Comment pouvait-elle lui faire si mal et en avoir l'air si meurtri ? Il réclamait une explication, une dernière chance, et tout le temps où il argumentait, il la voyait se contraindre à endurer sans répliquer, sans broncher. Comme si c'était lui qui la torturait.

Il s'était mal conduit, il lui avait crié dessus, avait exigé des raisons alors que depuis le début c'était une union déraisonnable — sans raison donnée ou revendiquée — qu'ils s'offraient.

Elle n'avait rien dit, rien répliqué. Il pouvait penser ce qu'il voulait, aucune précision ou contradiction ne viendrait de son côté à elle. À bout, parce que les larmes s'en venaient et qu'il en avait honte, il avait murmuré : « Dis-moi que t'es pas bien, que je te brime, que je t'ennuie, que tu veux t'éclater ailleurs, que t'as envie d'un autre… dis-moi quelque chose. Pars pas comme ça.
— Il le faut, c'est tout. »

Et elle avait éclaté en sanglots. Ça l'avait tué. Parce que Juliette sanglotait comme elle jouissait : sauvagement, totalement.
Elle n'avait même pas fermé la porte en s'enfuyant.

Depuis sa mort, il n'avait jamais plus sorti le disque dur où tous leurs échanges étaient archivés. Il n'y arrivait pas. Ouvrir ces documents, c'était se sentir trahi ou douter d'elle, de la vérité de ses mots. Alors qu'elle était la championne des mots ! Elle le battait à plates coutures au *Scrabble*, *Ruzzle* ou *Boggle*, tous ces jeux auxquels elle l'avait initié et auxquels elle se livrait avec passion. Il s'enrageait à force de perdre, les subjonctifs imparfaits avec lesquels elle gagnait lui étaient inconnus.

«Lâche ton ordi et lis, tu vas t'améliorer. Mais pas assez pour me battre, O. K.? Je suis mauvaise perdante. C'est ça, les enfants uniques, faut que ça gagne tout le temps!»

Leur mot préféré était «épatâtes», parce qu'il avait tellement ri quand elle avait remporté le *Scrabble* avec ça. «Arrête de m'épatater et viens ici que je gagne un peu.»

Même dans l'amour, elle tenait son bout et lui offrait cette affriolante énergie de conquérante. Pour être épataté, il l'était!

Elle était plus instruite que lui, mais plus poche en informatique. Il faisait des fautes d'orthographe, mais jamais elle ne l'humiliait avec ça. Il effectuait maintenant une révision automatique de tous ses envois, révision qui avait débuté avec elle.

«T'as pas dû avoir beaucoup de livres quand t'étais petit, toi.

— Le ratio était de quatre camions pour un livre… de *comics*. Toi?

— Pas de camion du tout… à mon grand regret. Des poupées et beaucoup de livres. On ne se chicanera pas là-dessus, Éloi, j'ai été gâtée pourrie. Et je sais déjà que tu l'as pas été.

— À quoi? À mes fautes d'orthographe?

— Quand on t'offre quelque chose, ton premier mouvement est le recul. Comme si on voulait t'acheter. Tu cherches ce que ça va te coûter, comme si tout était un troc. Pas vrai, ça?

— Tu m'épatates… sais pas trop. J'ai jamais pensé à ça.

— Vous êtes combien? Cinq, six?

— Wo! On est deux.

— Fille ou gars, l'autre?

— Gars.

— Tu l'aimes pas?

— Compliqué. On en parlera une autre fois, O. K.?

— O. K. Mais tu vois, Carolane, elle, y sont trois filles dans famille. Elle se lamente tout le temps à propos d'elles, elles s'obstinent, elles se font des coups… mais dans le fond, elle adore ses sœurs.

— Je sais pas si ça va te faire plaisir, mais t'es la première personne au monde que j'adore. »

Oui, ça lui faisait plaisir.

## 47

« Je m'appelle Guillaume et j'ai perdu Juliette.

« Il est arrivé quelque chose dernièrement et je voudrais en parler. Objectivement, je ne sais pas si c'est une bonne chose. Je veux dire, dans la perspective d'en finir avec le deuil. Bon, je vais essayer d'être concis. Il y a dix jours, j'ai récupéré des écrits de ma fille. Une sorte de journal. Pas intime au sens de secret. Enfin, je n'ai pas eu cette impression-là. Plutôt des réflexions, une sorte de mise au point sur tout plein de sujets. Mais surtout des dessins. Des dessins fantastiques, vivants, magnifiques. Elle croquait les gens qu'elle aimait et même ceux qui la tannaient. Laissez-moi vous dire que ses sentiments paraissaient dans le dessin.

« Elle parle de sa mère, de ses amis, de moi… elle parle de sa vie. Et j'ai pu constater que sa vie était belle, satisfaisante. Exaltante aussi. J'ai compris également que les racontars de la presse après son assassinat étaient vrais. Parce qu'elle a dessiné le tueur. Enfin, le frère jumeau du tueur. Son amoureux était le frère de celui qui l'a tuée. Au début, en le voyant dessiné avec fascination, j'ai été révolté. J'aurais voulu lui crier de faire attention, de ne pas se fier à cet homme pervers qui lui ferait tant de mal. Elle ne nous en a jamais parlé, ni à sa mère ni à moi. Elle en dit peu dans ce journal, et encore, il faut faire des liens, analyser des dessins et les quelques mots mystérieux qui les accompagnent pour comprendre qu'elle parle de lui. Je n'ai pas eu à la mettre en garde, parce qu'elle nous a tenus à l'écart. Volontairement. Et là, j'ai compris ce qu'on essaie tellement d'assimiler et de mettre en pratique ici : sa vie n'est pas la mienne, ses choix sont les siens, même s'ils ont mené à sa mort. Même si elle n'avait rien à y voir.

« Ce qui m'a consolé dans ce journal, c'est que son regard à elle sur sa vie à elle, il était heureux, satisfait. Sa perte m'appartient, c'est ma peine, mon chagrin, mais sa vie et ce qu'elle en faisait est à elle. Elle avait le choix de partager ce qu'elle voulait. Donc, elle se sentait libre. Et ça, c'est notre cadeau à nous, ses parents : sa liberté de nous associer ou non à ce qu'elle vivait… quand elle vivait.

« Et je ne dis pas ça parce que c'est plus simple étant donné qu'elle ne s'est pas tuée elle-même, comme c'est le cas pour plusieurs d'entre vous ici. Je le dis parce que, quelle que soit la façon dont nos enfants ou ceux qu'on aime ont disparu, on n'est pas obligés de réduire nos vies à leurs actes. On a le devoir de vivre. Avec ce qu'on sait de nous, ce qu'on a appris à travers cet amour et cette perte. »

C'est la première fois qu'il parle autant. Il en est tout étourdi.

Teresa, qu'il raccompagne de plus en plus souvent, le remercie de ce rappel. Elle était tellement protectrice avec Sophia, tellement mère poule.

« Quand elle me parlait espagnol, c'est parce que j'exagérais. Tu as exagéré avec Juliette ?

— Jamais. Mais je garantis rien pour sa mère… De toute façon, elle savait se défendre, ma Gripette. »

Teresa adore ce surnom auquel elle n'a trouvé aucun équivalent dans sa langue. Elle le répète, tout sourire, et on dirait qu'elle fait tourner un bonbon dur dans sa bouche.

L'élan est surprenant pour lui comme pour elle. Il se penche vers cette bouche et elle pose une main douce à plat sur son poitrail pour le garder à distance. Étonné, il se ressaisit : « Désolé, Teresa. Je… c'était pas du tout prémédité ou… »

Elle le sait. Elle n'est pas vexée ou gênée, elle a même l'air de comprendre. Mais s'il y a une chose qu'elle désire préserver à tout prix, c'est cette amicale complicité qu'ils partagent.

En marchant vers chez lui, pensif, Guillaume se demande s'il pourra tenir l'engagement d'amitié qu'il vient de prendre. Est-ce le relent de sensualité qui émanait du journal de sa fille, est-ce l'amélioration que représentait son ouverture avec le groupe, l'ivresse d'avoir été remercié et flatté par les endeuillés présents, il l'ignore. Mais depuis la mort de Juliette, c'est la première fois qu'un désir sexuel le sort de sa réclusion obsessionnelle.

Il n'est même pas certain que Teresa soit autre chose qu'un désir de consolation mutuelle, qu'une femme qui aurait la patience de comprendre et d'accepter l'homme cassé qu'il est devenu. Chose certaine, Magalie, sa dernière compagne, avait capitulé devant la tâche.

Il a hâte de rentrer et de relire le court passage sur Magalie dans le journal de sa fille : un portrait très ressemblant et boudeur à souhait, avec un titre très bref, « bébé gâté ».

Elle pouvait bien parler, sa fille si gâtée ! (« Justement, je sais de quoi je parle ! »)

Il secoue la tête, ravi. Il a enfin retrouvé l'essence de son enfant. Les papiers à « Ne pas toucher » ont été relégués dans le passé grâce à ce journal plein de vie, de talents et d'envies.

## 48

Quand il avait quitté la maison, Éloi était conscient que sa famille lui pesait, qu'il rêvait d'échapper au moule «jumeaux» depuis longtemps. Il n'avait pas prévu la subtile paranoïa qui accompagnerait sa libération. Il n'avait pas transmis sa nouvelle adresse. Son cellulaire le rendait joignable, inutile de fournir ces renseignements. Non seulement voulait-il garder secrète son adresse, mais il avait fait jurer à Langlois de ne rien divulguer non plus. Surtout à son frère qui prenait très mal son départ.

«Ah oui? Y doit être jaloux. Je le comprendrais, remarque, le sous-sol des parents, ça fait un temps, mais là…»

En fait, Rock voulait venir habiter avec son frère. Il l'avait suggéré, demandé, puis il avait menacé «d'en finir» si Éloi l'abandonnait. Au début, très souvent, Éloi s'arrêtait à la maison et discutait avec lui. Mais Rock lui en voulait et ses remarques sur la vie privée de son jumeau avaient la forme de flèches très précises. Comme souvent avec Rock, ses échecs étaient à mettre au compte d'Éloi : tout ce qui foirait avait comme première cause l'insensibilité, la distance qu'Éloi mettait entre eux deux. Plus son frère s'affirmait, prenait sa vie en main, plus Rock éprouvait de la rancune et de l'envie.

La liberté, la sensation extraordinaire d'être enfin seul et maître de ses décisions apportait juste assez de bonheur à Éloi pour compenser la culpabilité qu'il ressentait. Les raisonnements ne servaient à rien contre ce qui l'envahissait en pensant à Rock : oui, il l'abandonnait, sinon c'est lui-même qu'il aurait abandonné. Il sauvait sa peau, même si rien ne semblait le menacer directement. C'était une figure de style, une façon de parler, mais peu à peu, Éloi avait cessé d'aller voir son frère parce qu'il ne pouvait plus l'entendre râler contre le monde entier et se radicaliser de plus en plus. Il préférait avoir mauvaise conscience plutôt que d'affronter son pareil qui professait l'exclusion pour les étrangers et le retour de la peine capitale. Ils ne parlaient jamais « des femmes » parce que Rock n'avait pas de compagne et que les services d'escortes dont il vantait le professionnalisme dégoûtaient Éloi. Jamais il n'avait été tenté par des « prestations tarifées » ou des « massages complets » — selon lui, à vingt ans, un gars qui paye va payer longtemps parce qu'il se trompe totalement sur ses besoins réels et sur ce qu'est la sexualité. Mais comment expliquer ça à Rock ? Il s'abreuvait à la pornographie sur Internet depuis qu'il avait dix ans. Curieux, Éloi avait regardé, mais il y avait là-dedans une sorte de frénésie désespérée qui lui rappelait le chien du voisin qui se « zignait » avec un acharnement hébété sur les jambes de tous les passants.

Finalement, plus Éloi s'émancipait, plus Rock s'enfonçait dans des théories et des pratiques douteuses. Moins il allait voir son frère, plus celui-ci devenait obsédé par des faussetés.

Ce n'est que vingt mois après l'assassinat qu'Éloi admet que sa relation avec Juliette, pourtant si belle et si réussie, il n'avait cessé de la mettre à l'abri de son frère. Instinctivement, sans jamais chercher des justifications ou même se l'avouer, il craignait son jumeau. Il ne le désirait plus dans sa vie. Et les reproches haineux de Rock qui prétendait qu'il l'excluait, qu'il le repoussait, qu'il lui cachait jusqu'au lieu où il vivait, Éloi sait maintenant qu'ils étaient parfaitement exacts.

Il a cru au début que c'était pour un temps seulement, pour le bonheur d'éprouver l'affranchissement total des chaînes familiales, qu'il reviendrait vers les siens une fois contenté son désir de liberté. Mais le désir grandissait à mesure qu'il le satisfaisait et «les siens» apparaissaient de plus en plus étrangers à ce qu'il était vraiment. La présence et l'amour de Juliette amplifiaient davantage cette bienheureuse distance. La prison de la famille, celle de la gémellité, c'était comme s'il avait attendu trop longtemps pour s'en libérer et que, une fois la fuite effectuée, il devenait impossible d'envisager le plus mince retour en arrière.

Rock avait peut-être raison de dire qu'il ne l'aimait pas, qu'il n'était pas son allié; Éloi reconnaît que depuis plus longtemps qu'il n'en a conscience, il s'est non seulement détaché de son pareil, mais qu'il l'a fui carrément en espérant ne plus jamais avoir à négocier avec lui ou à le protéger de sa turpitude. Ça lui est aussi difficile à admettre que ça l'était à vivre. Sa déception vient de lui, de sa capacité à lui. Et cela avait toujours été comme ça : ce que son frère faisait, provoquait, créait, prenait sa source dans l'attitude d'Éloi, toujours fautive à ses yeux. Comme une marionnette, son frère se débattait et luttait contre les ficelles qui initiaient ses mouvements, tout en suppliant le marionnettiste de ne pas le lâcher. Dans le fond, Rock agissait à sa guise et, quand il devait affronter les conséquences inévitables de ses actes, il se servait de son frère pour lui faire endosser les responsabilités qu'il fuyait.

« La faute de l'autre », Éloi avait haï ce réflexe de déresponsabilisation toute sa vie et il l'avait payé au prix fort, parce qu'il assumait davantage que ses propres actions. Mais il se rend compte que l'emprise négative de son frère a quand même pénétré la « bulle Juliette » et que, n'eût été ce réflexe ancien d'assumer, il aurait combattu férocement la décision de son amoureuse de le quitter. Son « il le faut, c'est tout » avait sonné à ses oreilles comme « je suis rendue loin de toi, c'est tout » et il avait complété méchamment en « je suis rendue là où je dois être, c'est-à-dire sans toi, sans ton poids sur ma vie », exactement ce que lui-même avait ressenti en quittant sa famille !

Mais ne pas combattre sa décision, c'était la respecter, la croire, elle, et l'aimer.

Exactement ce que les anti-féministes comme son frère ne font et ne feront jamais.

Traqué, impuissant, Éloi cesse d'arpenter son minuscule espace. Il s'assoit et essaie de stopper le mouvement infernal de son obsession qui l'étourdit à force de rouler dans le vide.

Il texte Langlois : *Sors-moi d'ici. Je deviens fou raide.*

## 49

En visitant son fils à la prison, Jean-Daniel s'aperçoit qu'il a changé. En quelques mois son visage n'est plus le même. Est-ce dû à ce qu'il a fait ou à la vie dans cet endroit où tout exige une féroce et rapide adaptation, il l'ignore.

Son regard n'est pas franc et sa véhémence, elle, a encore gagné en ardeur. Il réclame, il se plaint, il est victime de harcèlement, il a peur, il lui faut de la protection, il n'appartient pas à ce milieu, c'est horrible d'être là...

Jean-Daniel l'interrompt avec douceur : il s'est juré qu'il ferait ce qu'il peut pour son fils et il s'en tiendra à cet engagement, peu importent les sentiments que Rock éveille en lui.

Il lui répète que rien ne peut changer sa situation. Rien, à part les excuses qu'il fera bientôt en cour aux familles des victimes. Ces excuses, il a intérêt à les écrire et à les livrer avec sincérité. Le juge lui donnera sa sentence en tenant compte de son authentique regret d'avoir agi comme il l'a fait.

« Tu comprends ça, Rock ?

— Me prends-tu pour un débile ? C'est pas de ça que je te parle !

— Moi, c'est de ça que je te parle. As-tu écrit quelque chose ? Veux-tu me le lire ? Ou que je t'aide ? »

Rock le considère sans cacher son dégoût, comme si son père était atteint de sénilité. Il serre les poings en mordant un « calvaire » pourtant audible, comme si ce que son père avait dit était une insulte.

Jean-Daniel continue de lui parler d'un ton posé, mais il a le cœur battant de dépit. Rock n'est pas encore rendu à l'étape du regret ou de l'introspection… s'il s'y rend jamais.

Le regard de son fils qui va d'un mur à l'autre, ses doigts qui tapent un rythme nerveux sur la table comme s'il portait ses écouteurs déstabilisent Jean-Daniel. Il persiste parce que la rencontre avec le juge est un pivot dans l'avenir déjà compromis de Rock. Délicatement, comme si l'attitude de son fils lui convenait, il évoque ce qui l'attend en cour : les récits des parents des victimes sur ce qu'ils ont vécu et ce que la violence de Rock a entraîné dans leur vie. Sur les conséquences des meurtres de leur enfant dans leur avenir.

« Et qui va venir parler de ce que les autres m'ont fait ? Han ? Qui ? »

Jean-Daniel se tait, le regard fixé sur son fils, espérant qu'il se rende compte par lui-même qu'il dépasse la mesure. Devant son silence nerveux, il pose sa main sur celle qui tapote rythmiquement la table : « Si tu veux vraiment ne jamais sortir de prison, Rock, va par là. Parle encore des bonnes raisons que t'avais de tuer des femmes innocentes. Continue de même et t'auras jamais une chance de sortir d'ici. »

Rock dégage sa main. Il hausse les épaules. Il sait tout ça, il va l'écrire sa crisse de lettre de coupable qui en revient pas d'avoir été l'objet d'hallucinations pareilles. Les gars lui ont expliqué comment ça marche et ce qu'il faut dire pour convaincre les débiles qui règnent sur le « système de pas-de-justice ».

Quand, lessivé et quasiment étourdi, Jean-Daniel se lève pour partir, Rock a un sourire enfantin, presque craquant : « Bye papa ! C'est cool que tu sois venu. Ça faisait long-temps en crisse…

— Essaie d'écrire, O. K. ? Je vais revenir te voir.

— J'ai même pas d'ordinateur ! Faut écrire à main, icitte ! »

Jean-Daniel ne réplique rien. Il a connu pire comme punition, mais pour Rock, se priver d'électronique, c'est se priver de système nerveux. « Essaye, mon gars. C'est important. »

Un sourire beaucoup moins enfantin tord la bouche de Rock : « Sais-tu quoi ? J'ai une idée… Tu devrais demander à Éloi de l'écrire pour moi. Lui, y sait manipuler le monde d'aplomb. »

Ginette lui avait dit que ce serait pénible, mais qu'il s'habituerait.

Jean-Daniel est d'accord, c'est pénible. Mais jamais il ne s'habituera.

Il voudrait bien pouvoir écrire au juge tout ce qu'il a perdu, lui, quand son fils armé a déchargé sa haine sur ces jeunes femmes.

Ginette a pris le parti de Rock, elle obscurcit tout son bon sens pour le croire victime, mais lui n'y arrive pas. Aucun parent ne devrait être déçu à ce point d'un enfant. Encore moins l'admettre, puisque c'est son éducation fautive qui est en cause. Mais depuis cette tuerie et l'irruption de la police chez lui, il n'a plus aucune illusion à nourrir : il a sacrifié un jumeau à l'autre et tous, ils se sont inclinés devant la dictature du tyran.

Il se sent en deuil d'Éloi tout en souhaitant qu'il ait le bon sens de se tenir loin d'eux à jamais, et il est en deuil du père qu'il aurait souhaité offrir à ce fils, et qu'il n'a jamais été. Anéanti de tristesse, il se demande si le juge accepterait de répartir la peine entre lui et Rock. Il lui semble que ce serait plus juste.

## 50

Jules Langlois venait de sombrer dans le délicieux sommeil d'après-l'amour quand son cellulaire a vibré. C'est Isabelle qui le réveille, parce que lui, il n'a rien entendu.

Il n'a même pas besoin d'expliquer en long et en large pourquoi il doit l'abandonner, elle comprend tout de suite, elle propose de partir en même temps que lui ou de rester pour l'attendre, c'est comme il veut.

Il arrête de s'habiller brusquement : « Sais-tu quoi ? T'es trop top. C'est dangereux. Je pense que je suis amoureux.

— D'Éloi ?

— Exactement ! Bouge pas. Je te dirai si c'est parti pour être long. »

C'est au gym qu'ils vont se défouler et épuiser l'énergie destructrice qu'Éloi redoute comme si son frère prenait le contrôle de son esprit.

Attablés devant une pizza qui leur redonnera l'énergie brûlée, Éloi ne sait même pas par où commencer : « On dirait que dès que j'ai envie de me choquer, il y a une paralysie qui m'empêche d'y ressembler. Je reste comme figé, Jules, je me perds de vue, je perds les pédales ben raide. C'est rendu que tout ce qui m'est arrivé de plate, c'est sur lui que je fais retomber ça, c'est lui le responsable… je fais exactement comme lui avec moi !

— Ben… excuse, mais c'est un peu ça quand même : il les a tuées, les filles. Y est responsable en maudit !

— Je parle d'avant… ben avant ça.

— Comme quoi ?

— Toute ! Sa façon de régler nos conflits par la violence, de prendre mes affaires, de copier sur moi. Rien que les ordinateurs, Jules, ma manie de fouiller, de devenir capable de faire ce que je veux avec les logiciels… quand j'ai commencé, ça me permettait de m'enfermer dans mon monde, de plus voir personne. Pis ben sûr y a fallu que lui aussi en ait un, qu'il devienne aussi fort que moi, qu'il soit même plus débrouillard… plus vite, plus toute. Ça l'avait jamais intéressé avant que je devienne bon.

— O. K., mais ça t'enlève rien qu'y soit expert en ordi, ça te dérange, toi ?

— Ce qui me dérange, c'est que lui hallucine sur moi, qu'y me colle au cul même quand je veux plus rien savoir.

— Ben là ! Y est en prison pour un boutte. Y est pas près de revenir te coller au cul !

— Tu penses ça, toi ? »

Il sort son cellulaire et lui montre un texto sans identité autre qu'un numéro : *Quand tu viens me voir ?*

Il ne laisse pas Langlois s'étonner. Il fait défiler une suite interminable de messages d'une seule phrase qui tournent toujours autour de la même question : *Tu viens quand ?*

Jules est stupéfait : « Y ont le droit au cell en prison ?

— Ben non, mais c'est pas une raison pour pas en avoir, han? La drogue est livrée par drone asteure, tu sais ben. Les textos arrivent par vagues, pis ça s'arrête. Y a sûrement pas accès à un cell tout le temps.

— Change de numéro… ah, mais tu l'avais fait après la tuerie. Attends, tu l'as jamais perdu ton téléphone, c'est ça? Tu l'as changé à cause de lui?

— En plein ça. Je peux encore changer, mais y va me trouver.

— Tes parents? C'est eux qui lui donnent le numéro?

— Ça se peut. Je sais pas et je demanderai pas.

— Pis heu… porter plainte, ça se pourrait pas? Genre harcèlement…

— Le dénoncer, tu veux dire? Être responsable de ce qui peut lui arriver en prison, de ce qui va empirer sa condamnation?

— J'sais ben, mais… c'est *weird*, man! Tu vas pas y aller? Tu vas pas y parler? Crisse, tu vas vouloir le tuer si tu y vas!

— Sais-tu quoi? J'pense que c'est exactement ce qu'y veut.

— Sérieux? Ça va pas ben… Tu montres ça à un psy pis on l'enferme à l'asile, non?

— Même pas, Jules. Dans sa tête, toute a du sens, toute est organisé logiquement, pis toute est de ma faute.

— Mais pas dans tienne? »

Devant le silence pensif de son ami, Jules se dit que c'est être jumeau, le problème. Il repousse la dernière croûte de pizza dans son assiette : « J'peux pas dire que je comprends c'est quoi être jumeau, mais quand j'ai été dans la même chambre que mon frère, on se pouvait plus tellement on s'endurait pas. Ça a fini que j'ai déménagé dans la chambre de ma sœur Julie. C'était contre les principes de ma mère de mettre un gars pis la fille ensemble. J'vas te dire de quoi, man, c'tait la bonne idée. J'ai changé d'air, je me suis calmé le pompon. Toi, quand Juliette est arrivée, je t'ai jamais vu aussi heureux pis changé. Tu me l'avais pas dit pis je savais déjà qu'y avait de la fille le fun dans l'air. Ton frère pis ses hosties de procès d'intention, y ont pris le bord d'aplomb. Ta tête était toute à toi, y avait plus aucun pouvoir, y avait beau texter ce qu'y voulait, c'était *no way*.

— On peut dire qu'il l'a repris, son pouvoir.

— Non, y l'a pas repris. T'oublies que vous étiez plus ensemble quand Rock a débarqué dans boutique. Y pouvait pas la tasser loin de toi, elle était déjà partie.

— Tu vois ben que je fais comme lui : j'essaie de lui mettre sur le dos tout ce qui m'est arrivé.

— Disons qu'y s'en est mis épais tout seul. Pas besoin de l'aider. »

Son cellulaire émet son bip de texto. Il jette un œil vif et éteint sans rien dire.

Éloi sourit : « D'après moi, ça fait… deux semaines.

— De quoi tu parles, là ?

— D'une fille le fun dans l'air… C'est qui ? »

Un peu déçu d'être si transparent, Jules passe aux aveux complets en précisant qu'il ne cherchait pas tant à se cacher qu'à ménager son ami qui traverse une méchante peine d'amour.

Éloi le renverse avec son commentaire : « Aye ! J'en ai besoin de tes bonnes nouvelles, Jules. Ça peut pas me faire de mal. Je suis ton ami… La sympathie, ça t'oblige pas à arrêter d'avoir du fun sous prétexte que je suis en peine. Y a toujours ben des limites! J'suis pas ton jumeau, j'suis capable d'être content pour toi. »

## 51

La perspective de lire une lettre au juge dérange tout le monde et Guillaume commence à trouver que c'est une bien mauvaise idée.

Quand Hélène lui réclame le journal de Juliette parce que ça l'inspire, il est agacé. Mais quand elle lui demande d'écouter ce qu'elle a écrit, il s'impatiente carrément : « Si je ne veux rien écrire, Hélène, c'est parce que je n'ai pas envie de remuer le fer dans la plaie. Demande-moi pas ça, O. K. ? Lis-le à n'importe quel ami, mais pas à moi. »

Elle fait semblant de comprendre sa position pour lui soutirer la promesse de sa présence au tribunal ce jour-là.

Il hésite. Il ne veut pas y aller. Surtout que Teresa lui a confié qu'elle lirait quelque chose. Et que les parents de Brigitte, pourtant si absents de sa vie et si peu soutenants, ont également l'intention de s'adresser au juge.

Toute cette démonstration de douleur, cette exposition d'une blessure jusque-là secrète jetée à la face du monde et des médias lui paraît déplacée. Les voyeurs excités par le sang et les larmes vont se repaître d'un drame aux dimensions tellement plus dévastatrices que ce que chacun pourra en dire.

Si des parents aussi hermétiques aux souffrances de leur fille que ceux de Brigitte veulent s'exprimer, c'est bien qu'il y a là quelque chose de malsain, il en est convaincu.

Il aurait voulu en débattre avec Teresa, mais il ne la voit plus depuis quelque temps. Il s'est momentanément écarté des réunions. Il n'a pas envie de témoigner de quoi que ce soit.

Il estime qu'il le fait de plus en plus, d'ailleurs, se taire. Éviter les discussions. Il recommence à s'isoler. Et c'est depuis la lecture des obscénités de Temptation qu'il garde pour lui ses pensées. Comme s'il partageait un secret avec sa fille. Et qu'il s'investissait d'un devoir de protection posthume qu'il sait en parfaite contradiction avec ce qu'il a prétendu avoir compris devant le groupe de soutien.

En fait, comme si souvent quand il s'agit des émotions, ses propos étaient authentiques au moment où il les a émis, mais les choses ont évolué.

Le journal de Juliette a adouci l'acidité de sa découverte de l'échange Joy/Temptation, mais ce n'est pas suffisant pour arrêter de chercher ce qui s'est passé avec ces feuillets à « Ne pas toucher ».

Chantal avait essayé de savoir ce qu'il pensait de tout ça et il s'était montré hyper relax en lui expliquant longuement qu'un des travaux de Juliette consistait à analyser les discours sexuels méprisants. Ceci expliquait cela et il a même ajouté que sa fille lui en avait vaguement parlé et qu'elle trouvait ça pénible.

« Je te remercie, Chantal, de m'avoir prévenu. Hélène aurait tellement eu peur en lisant ça. Ça aurait été dramatique.

— Je ne peux pas croire qu'on perde du temps à étudier des cochonneries pareilles ! Une chance que Carolane était en lettres. Au moins, elle lisait de la littérature. Je suppose qu'on va se voir au tribunal pour la lecture de nos témoignages ? »

Sans répondre pour lui-même, Guillaume doit entendre Chantal raconter tout ce que ce devoir coûte à sa famille en dérangements puisque la sœur cadette de Carolane veut s'exprimer aussi.

En raccrochant, il doit sortir marcher tellement il est horripilé.

## 52

La salle de cour est bondée. Et ils sont tous là, à la même place qu'il y a quelques mois quand le procès avait commencé avant de finir en queue de poisson avec la déclaration de culpabilité de l'assaillant. Ils sont seulement moins tétanisés par le choc. Les avocats s'agitent, compulsent leurs énormes cartables, les assistants ont l'air aussi préoccupés que s'il s'agissait de leur cause.

Hélène tripote tellement son papier que Guillaume le lui arracherait des mains pour ne plus entendre ce froissement. Teresa est assise plus loin, après un couple qu'il croit être les parents de Brigitte, et la famille de Chantal occupe le reste de la rangée. Gilles a l'air sobre comme une croix de tempérance, mais Guillaume peut sentir son malaise de là où il est.

Il fait chaud dans la salle mal ventilée et, quand il sort sous prétexte d'aller aux toilettes, il est pris d'assaut par les journalistes qui attendent leur pitance d'émotions brutes sous les spots allumés dans le hall.

Il se rue aux toilettes, décidé à n'en sortir que plus tard, quand le cirque aura débuté dans la salle.

Son téléphone vibre. Hélène s'inquiète : *Le juge ! Reviens.*
Il sait qu'elle doit éteindre. Il envoie un *vomir* qui dit la vérité sur son état d'esprit et qui ment sur son corps.

Il ne peut pas. Il ne veut pas. Il est venu pour une seule raison, et c'est un échec. Il voulait voir l'amant de Juliette, cet homme qui est le double de l'assassin, son portrait craché qu'il n'a jamais aperçu ailleurs que dessiné par la main amoureuse de Juliette.

Il veut lui parler. Il n'évoquera pas directement Joy ou Temptation, mais il saura tout de suite si cet homme a quelque chose à voir avec cet échange. Sinon, qui d'autre serait le partenaire épistolaire ?

L'obsession de ce compagnon de Juliette — celui qu'elle n'a jamais cru bon leur présenter, celui dont elle n'a jamais parlé — est la seule raison de sa présence dans cette chambre de torture. Et maintenant qu'il doit trouver une autre façon de le joindre, de l'atteindre et de l'asseoir devant lui pour exiger des comptes, il est piégé avec sa propre ruse et il doit écouter les lamentations de chacun. L'escalade, la surenchère de douleurs va commencer et il comprend tout à coup le sens profond du passage du Christ au Jardin de Gethsémani.

Il retourne prendre sa place auprès d'une Hélène aussi furieuse que désespérée qui saisit sa main avec la ferme intention de l'empêcher de fuir.
Le juge parle, explique posément ce qui va se passer.
Guillaume observe l'accusé à la dérobée. Bien mis dans un complet tout neuf, il a l'air distrait d'un homme qui cherche une connaissance dans un mariage. Ses yeux sont

attentifs, ils balaient la salle à plusieurs reprises. Guillaume le voit ébaucher un demi-sourire et il suit son regard. Tout près des parents de l'accusé, un jeune homme est assis et tient la main d'une agente de police en uniforme. Le pauvre gars a l'air mal à l'aise et, s'il y a quelqu'un dans cette salle qui capte l'attention de l'accusé, c'est lui et non pas sa mère qui sanglote déjà dans son mouchoir ou son père, droit et digne, qui lui passe des kleenex.

Guillaume est distrait par Hélène qui se lève : elle sera la première à parler. Sa voix craque dès le début de son allocution et le supplice est complet quand elle s'excuse en pleurant auprès du juge qui lui recommande avec douceur de prendre son temps.

Hélène se ressaisit et attaque son récit avec un semblant d'assurance.

À cet instant, la mère de l'accusé s'écroule en gémissant et crée toute une commotion : alors que son mari la tient du mieux qu'il peut pour éviter qu'elle se blesse, la policière et le jeune homme derrière elle se portent à son secours et ils sortent en la maintenant debout alors que sa tête ballotte misérablement et que ses pieds raclent tellement le sol qu'une de ses chaussures reste là. Un officier se précipite pour la ramasser et il suit le convoi... qui vient de passer les portes derrière lesquelles la rumeur s'amplifie. Les médias en auront pour leur investissement.

Tout de suite, le regard de Guillaume se porte sur l'accusé. Plutôt intéressé, pas du tout inquiet, il hoche vaguement la tête comme s'il s'attendait à ce genre d'incident fâcheux, comme si cela confirmait ce qu'il pensait de cette procédure.

Guillaume déteste être d'accord avec ce sale type. Il reporte son attention sur Hélène qui, éberluée, regarde encore vers la porte d'où est disparu le groupe.

Le juge ordonne une pause.

~~~~

Sur l'écran de son téléphone, Éloi suit les infos en direct, celles qui sont le plus en amont des évènements, les amateurs de sensationnalisme, les broyeurs qui avalent les émotions comme les enfants se goinfrent de bonbons le soir de l'Halloween : à s'en rendre malades. Si Juliette savait que le cirque est réuni en partie pour elle, elle serait bien déprimée.

Les caméras ont capté les avocats de chaque partie, certains parents et membres des familles concernées, mais personne ne s'est encore adressé aux journalistes qui répètent inlassablement le résumé des évènements qui « trouvent aujourd'hui leur conclusion dans cette partie émotive que seront les témoignages des parents des jeunes victimes ».

Éloi aurait pu écrire leur texte tellement ils sont prévisibles, convenus et faussement émus. Il a horreur de l'expression « jeunes victimes », comme s'il s'agissait d'enfants à peine pubères. C'était des femmes dans la vingtaine, des femmes belles, aimantes et aimées. C'est même pour ça qu'elles ont été tuées. Parce qu'elles étaient en âge de choisir et que mon frère n'a pas été choisi et que c'est un hostie de mauvais perdant.

Éloi, surpris de sa hargne, pose son téléphone : il ne voulait pas y aller, il a dit à Langlois que ce serait une mauvaise idée, il a répété les phrases de Juliette qui a toujours estimé que ce genre d'émotivité brisait l'émotion au lieu de l'exalter, érodait la sensibilité des gens qui avaient besoin de plus en plus d'émotions fortes pour être un peu touchés. « C'est comme la porno, ça en prend de plus en plus pour arriver à bander. Au début, juste une image et ça y est, paf, tu viens ! Un an plus tard, t'as tout le film pis tu travailles encore pour finir la job ! »

Il était totalement d'accord avec elle, surtout que la porno ne fonctionnait pas fort avec lui.

« T'es un romantique, Éloi. Ça te prend le regard, toi. »

Il avait refusé l'étiquette, s'était obstiné ferme pour finir par admettre qu'une mèche de ses cheveux qui l'effleurait et il était gagné… enfin, perdu.

« Gagné à ma cause, perdu pour toi. Viens, on va sauver ce qui reste. »

Cette pancarte et son message « pas du tout romantique » revenaient souvent avec Juliette. Éloi n'est pas certain que s'il avait écrit « sauvons la planète », cette merveille de femme aurait abouti dans ses bras… pour le sauver du romantisme.

Des éclats de voix et une certaine animation le forcent à s'extirper de sa rêverie : sur l'écran, il voit sa mère quasi inconsciente littéralement portée par son père, Langlois et Isabelle. Ils essaient de se frayer un chemin, et les caméras suivent leurs efforts sans les soutenir.

Impitoyable, l'image de sa mère, tête pendante, yeux révulsés, les épaules soulevées par les mains qui la tirent par dessous les bras, cette image tellement choquante occupe l'écran jusqu'à ce qu'enfin une porte s'ouvre et permette au petit groupe de se mettre à l'abri de l'ogre médiatique.

Éloi est stupéfait. Les journalistes excités ont beau supputer, identifier « la pauvre femme dévastée », personne ne peut décrire ce qui a provoqué cette sortie.

Quand un agent sort à son tour, portant une chaussure de sa mère comme s'il s'agissait d'une pièce à conviction, la horde se précipite sur lui sans qu'aucun éclairage sensé ne soit apporté.

Qu'est-ce qu'ils espéraient, se demande Éloi en éteignant. Que sa mère demeure de marbre devant les témoignages d'autres mères ayant perdu leur enfant ? Sa mère doit sûrement considérer sa perte comme équivalente si ce n'est supérieure puisqu'elle devra vivre avec la prison pour le reste de ses jours. Éloi connaît par cœur ses théories, directement inspirées des délires de son frère. Avoir refusé d'écrire au juge pour prendre la défense de Rock a consommé la séparation définitive d'avec sa mère.

Sans les textos de son père qui le confortent dans son exil familial, qui écrit des messages minimalistes pour l'encourager à se tenir loin d'eux et à « refaire sa vie », Éloi aurait eu l'impression d'avoir battu sa mère pour qu'elle sorte du tribunal dans cet état.

Comme quoi, la culpabilité a la tête aussi dure que le romantisme : il ne s'en débarrasse pas à son gré.

~ ~ ~ ~

La reprise des activités de la cour se fait dans un désordre bruyant. Guillaume a dû empêcher Hélène de sortir pour lui éviter une confrontation inutile avec les caméras ou, pire encore, avec les parents démolis du tueur.

Stoppée dans tous ses élans, déstabilisée, mécontente de devoir reprendre son laïus après un coup d'éclat qui, malgré qu'il ait été non prémédité, fera paraître son texte terne ou trop sage, Hélène s'en prend à Guillaume et l'accuse de l'avoir abandonnée juste avant son témoignage, au moment crucial, le seul où elle avait réclamé quelque chose de lui.

Cette charge est comme un écho de tout ce qui a accompagné leur divorce et Guillaume n'a aucune envie de céder à ce genre de pression qu'il reconnaît sans peine, celle de son ex qui veut passer sa mauvaise humeur sur son dos à lui : « Je suis là pour tenir ma promesse, Hélène. Rien d'autre. Parce que je te garantis que je ne serais jamais venu sans ça. Je peux partir si tu juges ma présence inutile. Je ne te suis d'aucun secours, c'est bien ça ? Je peux y aller ? »

Paniquée, Hélène murmure qu'elle a besoin de lui, mais qu'elle regrette que son message ne rende pas hommage convenablement à leur fille. Elle déplore de devoir « faire ça » devant l'assassin et les parents de celui-ci, comme elle a déploré de ne pas avoir été en mesure de parler aux funé-railles de Juliette. Guillaume l'assure qu'elle n'a aucun besoin de performer au nom de Juliette ou pour elle. Cette parodie lui semble plutôt favoriser un retour en arrière loin d'être souhaitable. Qui doute que leur vie est brisée, saccagée, le plaisir enfui et les rêves détruits ? Qui pourrait penser qu'une telle tuerie n'aura pas mille rebonds sur autant de vies ? Comme si les balles du tueur traversaient les corps encore et encore, atteignant d'autres cibles insoupçonnées, d'autres corps, d'autres vies… jusqu'à l'infini. N'était-ce pas le but visé ? Détruire. Piétiner. Achever et empêcher tout sursaut de survivance, toute velléité d'évasion ? Il se demande quelle satisfaction ils sont en train d'offrir au tueur qui écoute sans broncher le score final de son geste d'éclat.

Il reste là, persuadé que chaque intervenant va surtout régresser et s'offrir une rechute de déprime après avoir expliqué au juge en quoi cet homme mérite d'être puni.

Et lui, ce double de l'homme aimé de Juliette, lui le grand morveux à l'air suffisant de ceux qui ne sont pas concernés, lui obtiendra la gloire d'avoir bien visé.

La main d'Hélène se pose dans la sienne. Elle chuchote : « Tu respires tellement fort ! Est-ce que tu vas vomir encore ? Tu peux sortir, je vais comprendre. »
Guillaume hoche la tête, mais il se demande effectivement si l'excuse qu'il s'est inventée n'est pas en train de devenir vraie.

Quand la séance reprend, seul le père est assis du côté de la défense, accompagné du jeune homme qui l'avait aidé à secourir la mère. La policière n'est pas revenue. Guillaume en déduit qu'elle est restée avec la dame bouleversée. Les journalistes qui s'entassent dans la salle écrivent avec précipitation sur leur clavier. Les expressions de chaque parent sont scrutées, interprétées. En proie à une tension extrême, Guillaume serre les lèvres.

Dieu merci, le bref message des parents de Brigitte, la protégée de Teresa, est si faux, si affecté quand on connaît comme lui les faits réels que ça lui permet de prendre un peu de distance et de laisser libre cours à son sens du ridicule. Un œil jeté à Teresa le rassure : il y a des limites à sa tolérance généreuse et elle hausse un sourcil pour lui indiquer qu'elle sait parfaitement qu'il y a là une légère distorsion entre les lamentations et le réel. Le « toute notre vie nous aurons à protéger et sécuriser notre fille à jamais traumatisée » lui arrache un nouveau soupir, immédiatement suivi d'un regard alerté d'Hélène. Guillaume sourit : ce serait bien un sommet si, après le malaise de la mère de l'assassin, le père d'une victime vomissait en pleine séance ! Voilà un spectacle qu'il se refuse de jeter en pâture aux lions affamés qui piétinent derrière la porte.

La pause dîner devient un véritable rodéo pour réussir à échapper aux médias. Par chance, les avocats ont obtenu de ne pas avoir à faire traverser le hall principal à leurs clients.

À la reprise, la mère, pâle et défaite, est revenue s'asseoir près de son mari, ce qui provoque le seul sourire de l'accusé, accompagné d'un petit signe de la main.

Guillaume se demande jusqu'à quel point la détresse évidente de cette femme va émouvoir le public. Il n'a rien contre elle *a priori*, mais si jamais le juge décidait de l'épargner en chargeant moins le fils ? Toute l'entreprise virerait en eau de boudin, comme si cette exposition de la douleur humaine devenait un concours de la pire tragédie.

Teresa et Chantal font chacune leur représentation auprès du juge. La première de façon sobre et touchante, sans pathos, la seconde, tout à l'opposé, souvent freinée par des sanglots volontairement libérés, des larmes abondantes et un refus mélodramatique de prendre une pause. Tout ce que Guillaume anticipait avec dégoût.

~~~~

C'est une journée de torture pour Éloi. Malgré sa ferme détermination, il n'arrive pas à se détacher de son réseau d'informations en direct où les moindres faits et gestes de chacun sont décrits et commentés.

Juste avant de retourner au tribunal, Jules a eu la bonté de lui texter que sa mère était remise. Aux infos de midi, on a fait grand cas du malaise de «la pauvre femme dont on n'a aucune nouvelle. Notre reporter assure toutefois qu'aucune ambulance n'a été réclamée aux abords du palais de justice. Il est donc permis d'espérer que ce ne sera qu'un léger étourdissement très compréhensible si on considère la foule présente et la chaleur qui règne dans la salle d'audience».

Un beau paquet de lieux communs! Éloi n'en revient pas. Exactement ce que Juliette adorait imiter. («Attends, attends! Il va dire: dans ces circonstances, l'opinion publique a sanctionné le ministre. Le tribunal populaire...») Elle riait tellement quand le fameux tribunal était immanquablement évoqué dans la phrase suivante du journaliste.

Si elle n'était pas morte, où serait-elle, aujourd'hui? S'adresserait-elle au juge pour évoquer Carolane, sa *best* qui ne finissait jamais ses travaux à temps?

Cet instant où il l'imagine ayant échappé au massacre et prenant la parole pour crucifier le tueur est le seul moment apaisant de cette journée pourrie.

~~~~

Toute la salle est silencieuse quand arrive le dernier témoignage, celui d'Anaïs Rioux-Thériault, la sœur de Carolane, qui a treize ans.

Avec un aplomb rempli de colère, elle apostrophe le juge comme s'il avait pris part aux meurtres.

« On est supposé dire ce que ça change que Carolane soit morte. Ben d'abord, si c'était juste elle, ça serait plate, mais on pourrait l'endurer. Là, c'est pas ça du tout qui arrive. Quand j'ai perdu ma sœur, les autres qui étaient dans ma vie sont comme morts aussi. Mon père, ma mère, mon autre sœur, tout le monde est comme devenu différent. On s'obstine même plus ! Pensez-vous qu'on rit ou qu'on niaise ? Non. Tout est fini. Pis ma mère a peur qu'y nous arrive la même chose ou un autre malheur, je sais pas trop lequel. Pis ma sœur a pas le droit de sortir le soir comme Carolane quand elle avait son âge. Ça a l'air niaiseux, mais comment on va faire pour être mieux si on a peur tout le temps ? Je me chicane plus avec personne tellement j'ai peur que j'aye plus le temps de m'excuser comme avec Carolane. Elle s'est fâchée ce jour-là parce que j'avais pris son chandail doux avec un lapin en vrais poils de fourrure dessus. Chaque fois que j'allais la voir à Montréal, je le mettais et je voulais lui emprunter. Pis là, je l'ai emprunté sans y dire. Pour un party où je suis jamais allée, finalement. Ce jour-là, le 21, elle m'a appelée, pas contente. Elle savait que c'était moi qui l'avais pris pis elle m'a dit une poignée de bêtises. Elle a pas pu le mettre pour aller travailler. Ben… pour aller se faire tuer. Je l'ai jamais remis, le chandail ! C'est rendu que je peux plus voir un lapin sans me mettre à pleurer. C'pas normal, ça ! Avant, j'aurais jamais fait ça. Pis ma sœur qui me reste, je m'excuse, mais est moins fine que Carolane. Pis je l'énerve quand je parle de Carolane. Pareil avec papa ou maman : quand on parle d'elle, c'est effrayant ce que ça fait, un silence de mort. Finalement, toute est mort, pas juste ma sœur. — Elle se tourne vers l'accusé — Je le sais pas t'es qui, je le sais pas ce qui t'a pris, je veux jusse te dire que tu t'es trompé pis pas à peu près : Carolane était même pas *bitch*. Si y a de quoi, elle comprenait tout le monde. Même toi, elle t'aurait compris ! Mais moi, je te comprendrai jamais, je t'excuserai jamais pis j'espère que tu vas être super malheureux tout le temps. — Elle revient au juge — C'est tout. Rendez-le malheureux. Parce que nous autres, on n'est plus jamais heureux. Ça serait ça la justice. »

Dans un silence presque religieux, Anaïs regagne sa place. À elle seule, du haut de ses treize ans, elle a illustré ce que toutes les larmes de sa mère n'ont pas réussi à esquisser : la vraie douleur de la destruction et l'impossible reconstruction.

À côté de tant de franchise abrupte, les quelques mots d'excuse de l'accusé, prononcés de façon laconique, ont l'air d'une fausseté étudiée. Comme s'il se moquait de la douleur exposée par chacun. Comme s'il n'avait aucune véritable conscience des conséquences de ses actes. Le vrai repentir exigé par la cour est évoqué, les mots prononcés, mais l'absence de sincérité amplifie la cruauté de l'homme, exalte son absence criante d'humanité. Il est clair qu'il comprend ce qu'on attend de lui, il l'offre du bout des lèvres et seul le mépris s'entend nettement. Sans l'ombre d'un remords.

Guillaume a du mal à le regarder tellement des pensées violentes le traversent. Une chance que « les excuses » se sont limitées à quelques minutes parce que, selon lui, cela s'appelle de l'incitation au meurtre.
Un détournement évident du but recherché.

Quand Hélène annonce qu'elle désire suivre les autres dans le hall central, quand elle évoque la possibilité de s'adresser aux journalistes, Guillaume juge sa mission accomplie et il décide d'emprunter la porte discrète réservée aux proches. Il n'argumente pas et laisse partir Hélène.

Pour ne pas se retrouver face à face avec les parents de l'accusé, il laisse ceux-ci sortir cahin-caha, escortés par la jeune policière et son ami. La salle d'audience s'est vidée, il entend la rumeur du hall chaque fois que les portes s'ouvrent.

Épuisé, il se lève pour partir quand il voit le jeune homme qui est sorti avec la mère de l'accusé revenir sur ses pas et ramasser un objet par terre.
Guillaume saisit sa chance et s'approche de lui.

~~~~

Les infos de dix-huit heures sont les plus riches pour Éloi. La sortie des parents des victimes, leurs commentaires, leurs larmes sont exploités sans réserve. Quand il voit une très jeune fille à l'écran et le nom d'Anaïs Rioux-Thériault qui s'affiche en bas de l'image, il monte le volume.

Elle parle avec assurance de ce qu'elle a dit à la cour, de sa sœur Carolane et même de Juliette. Debout derrière elle, sa mère se tamponne les yeux, comme si le discours de la petite excitait de grandes douleurs.

Éloi reconnaît là le « désir de s'illustrer » dont Juliette parlait. Pas celui de la petite qui se livre de bonne foi et sans mélo, mais celui de la mère qui consent à montrer ce qu'elle croit qu'on attend d'elle. Servilement. (« Les larmes des femmes, c'est vraiment une arme à double tranchant ! T'as remarqué que sans le "l", larme devient arme ? Laisse-moi jamais utiliser ça avec toi. »)

Comment aurait-il pu ? Il ne l'a jamais vraiment vue pleurer avant ce jour épouvantable de leur rupture.

Éloi revient à l'écran où une Teresa Rodriguez est interviewée.

Il est heureux de constater que ses parents ont échappé aux caméras, parce qu'ils sont sûrement éprouvés par cette journée et par le malaise de sa mère. Ils ont dû sortir en catimini.

Il attend fébrilement des nouvelles de Langlois qui a promis de passer.

## 53

Guillaume est en avance. Le cœur battant, énervé, il a eu peur de ne pas trouver l'endroit facilement ou d'avoir du mal à stationner. Mais il sait surtout qu'il n'en pouvait plus d'attendre ce moment.

Le café est bruyant, rempli de gens dans la vingtaine. Il est le seul au-dessus de quarante ans.

Situé sur Saint-Laurent, dans le Mile End revampé par la présence d'entreprises numériques et autres créateurs de jeux vidéo, c'est un endroit qu'il ne connaissait pas.

Il s'assoit dans un coin du fond et il attend, fébrile, en oubliant de boire son café.

L'homme qui s'arrête devant lui a la carrure qu'il attendait, mais le bonnet enfoncé jusqu'aux yeux et la barbe fournie et impeccablement taillée le rendent très différent de son double. Ses yeux ressortent avec éclat et la bouche est la parfaite réplique des dessins de Juliette.

« Monsieur Hébert… je suis Éloi. »

Guillaume se lève et lui serre la main, surpris de la timidité qui se dégage de cet homme qui a exactement la même voix que son frère. Il s'attendait à ce que l'ami qu'il avait rencontré en cour et à qui il avait demandé d'établir le contact l'accompagne, mais il est seul.

Comme aucune des formules de courtoisie coutumière n'est vraiment à sa place dans le contexte, ils restent silencieux un moment.

Guillaume ne sait même pas s'il peut lui dire « tu », mais il pressent que le « vous » établirait une distance qu'il ne souhaite absolument pas entre eux.

« J'ai compris dernièrement que tu avais été… excuse, que ma fille t'aimait. Que tu étais vraiment dans sa vie. Qu'il ne s'agissait pas d'une rumeur inventée par les journalistes… »

Éloi l'écoute avec un sourire aimable : entendre le père de Juliette lui dire qu'elle l'aimait ! C'est davantage que tout ce qu'il espérait de cette rencontre.

Le silence persiste et Éloi n'arrive pas à comprendre ce que cet homme espère de son côté. Pour se donner du temps, il se lève et va se chercher un café.

Quand il revient, Guillaume s'est ressaisi et il parle avec un peu d'étonnement : « Comment ça se fait que ni sa mère ni moi on n'en ait rien su ? Excuse-moi de le demander, mais t'es pas marié ? C'était pas… une liaison extra-conjugale ? »

Le rire d'Éloi change toute la dynamique.

Sa réponse aussi. « On voulait que ce soit à nous. Libre, complètement. Avec chacun nos vies, nos relations, nos affaires. Mais nous deux, on voulait que personne s'en mêle, et que ce soit notre exclusivité. Nos choix. Chaque jour.

— Ça ressemble à Juliette, en effet. »

Guillaume est déstabilisé, presque confondu par cet homme qui ressemble à l'assassin de sa fille sans rien avoir de sa hargne, de son dédain. Il doit le considérer avec une toute autre perspective. Et c'est compliqué de changer sa perception : « Il faut que je te le demande, mais… ton frère, lui, il l'a su ? Il était au courant de votre secret ?

— Non. Jamais.

— C'est pas possible ! Il l'a deviné alors ?

— Non. Je ne pense pas. Je le saurais. Je l'aurais su… je sais plus.

— Il aurait pu te le cacher, non ? Le savoir sans t'en parler ?

— J'ai cherché, vous pouvez me croire. J'ai cherché à comprendre comment ça s'est passé. Et je vous jure que personne dans ma famille a jamais su au sujet de Juliette. De nous. La seule fois où mon frère l'a vue, c'était dans la rue. Il n'a pas su qu'on était ensemble… euh, amoureux. »

Entendre cet homme dire le prénom de sa fille avec cet écho d'intimité, c'est tellement étrange, tellement dérangeant, Guillaume a du mal à changer la personnalité assassine qui va avec cette voix, ces yeux, cette bouche. Enfin, qui allait jusqu'à ce jour.

Éloi n'a pas le même rythme intérieur que son frère et Guillaume s'accroche à cet aspect.

« Vous savez, si ça peut vous rassurer, je ne suis pas le seul à le dire. Les enquêteurs aussi ont cherché. Ils ont fouillé partout : sa chambre, ses appareils électroniques, ses écrits, tout ! Juliette s'est trouvée au mauvais endroit au mauvais moment, c'est ce qu'ils ont conclu.

— Carolane, peut-être ? Par elle, ton frère aurait pu...

— Non, y aurait fallu qu'il sache pour Juliette et moi avant d'arriver à Carolane. Et même à ça, Carolane se doutait, mais ça a pris beaucoup de temps avant qu'elle sache vraiment que j'étais le gars dans la vie de Juliette. Elle était pas mal placoteuse, Carolane, c'était risqué que la ville entière le sache.

— C'est bizarre quand même. D'habitude, quand on est amoureux, on veut que le monde entier le sache...

— Pas moi. Pas Juliette.

— Ça a duré longtemps ?

— Quinze mois.

— L'ami que j'ai rencontré à l'audience, monsieur Langlois, il le savait, lui ?

— Qu'il y avait quelqu'un, oui. Juliette... ça a pris quelques mois avant qu'il comprenne que c'était pas une femme mariée, justement. Mais son nom au complet... je pense qu'il l'a jamais su avant que ce soit terminé. Il l'a croisée à l'occasion, c'est sûr, mais rien d'autre. De toute façon, c'est mon ami. Il voyait pas mon frère.

— Mais il le connaissait ? Ton frère connaît tes amis ?

— Celui-là, Jules Langlois, oui. Parce que c'est un ami d'enfance. Pas mes autres connaissances. »

En le disant, il se rend compte qu'à ce chapitre, il y a fort peu de monde. Des amis à part Jules... non, il n'y en a pas.

Il observe le père de Juliette réfléchir, se creuser les méninges pour rétablir les faits, les connexions. Il sait exactement quels chemins il prend, son obsession de trouver un lien.

« Vous savez, j'ai essayé de tout analyser, j'ai revu chaque moment, chaque occasion où mon frère aurait pu savoir ou deviner… mais vraiment, je ne pense pas. Je suis sûr que s'il y avait un lien entre notre histoire à Juliette et moi, je l'aurais trouvé.

— Qu'est-ce qu'elle disait de ça, Juliette, qu'une copie conforme de toi existe ailleurs ?

— Elle… elle l'a pas su avant un bon bout de temps.

— Ah bon ? Pourquoi donc ? C'est important dans ta vie, non ?

— Parce que je voyais plus mon frère. Parce que nos rapports étaient pourris. Vous savez ce qu'il a fait, alors… disons qu'y a pas changé du jour au lendemain et que j'ai- mais pas son discours ni son attitude. J'ai coupé les ponts du moment où Juliette est arrivée dans ma vie. Mais ça faisait longtemps que j'étais plus du tout proche de lui. »

Il n'ajoute pas qu'avoir coupé les ponts a enfin ouvert la voie à la vie libre et joyeuse.

Il répond du mieux qu'il peut aux questions de Guillaume qui ressemblent beaucoup à celles que les policiers lui avaient posées au moment de la tuerie. Il voit bien que cet homme sympathique, plutôt ouvert, fait des efforts pour comprendre l'incompréhensible, et s'il avait pu l'aider, il l'aurait fait. Et il le lui dit.

Leur conversation se poursuit longtemps. Le café est vide quand Guillaume sort l'enveloppe à « Ne pas toucher » et demande à Éloi s'il a déjà appelé Juliette « Joy ».

Les yeux d'Éloi ne se détournent pas, ils pétillent même d'un certain amusement : « Ça lui aurait convenu. Mais non, pas celui-là ! »

Guillaume saisit que les surnoms n'ont pas manqué entre ces deux amoureux.

« Et Temptation, ça te dit quoi ?

— Tentation !

— Ton surnom ?

— J'aurais bien voulu, mais non. C'est quoi, l'affaire ? »

Guillaume décide de jouer le tout pour le tout, quoi qu'il lui en coûte. Il tend le premier feuillet des échanges Joy/Temptation et il voit le jeune homme blêmir et le repousser sans lire davantage, dégoûté, troublé.

« Vous pouvez pas penser qu'on avait des rapports aussi tordus !

— Avant de te rencontrer, je pouvais imaginer ce que je voulais. Plus maintenant. As-tu une idée de qui pourrait être Temptation ? »

Complètement déstabilisé par ce qu'il vient d'entrevoir, Éloi secoue la tête.

« Ça s'est passé à partir de la fin janvier et ça va pratiquement jusqu'au moment du meurtre. T'as rien remarqué chez elle qui pourrait nous aider, nous mettre sur une piste pour comprendre ? Une distraction, une inquiétude ou un travail universitaire particulièrement dérangeant ? »

Guillaume se tait parce qu'il a l'impression de voir Éloi se dissoudre en silence devant lui, s'abîmer dans une souffrance muette. Il hoche la tête, comme si ça ne lui disait rien. Il continue de hocher la tête en murmurant : « Ça me dit que c'est pour lui que Juliette m'a quitté. »

## 54

Jules Langlois s'en veut à mort. Avoir su que « rencontrer le beau-père » allait rendre son ami aussi fou, il aurait découragé l'entreprise au lieu de la favoriser.

D'où Guillaume Hébert tenait-il ces courriels salaces et plutôt dégradants, personne ne le sait. Était-ce un intime de Rock qui aurait attiré Juliette pour ensuite la dénoncer comme une agace-*bitch* à éliminer ? Était-ce un jeu pervers auquel elle s'initiait pour tester ses limites ? Une expérience du genre « extrême » au pays des dépravés sexuels ? Ils ne le sauront jamais. Il ne cesse de répéter à Éloi qu'il faut se résigner et arrêter de se faire souffrir en se rappelant des écœuranteries pareilles.

Quand Éloi se met à douter des enquêteurs qui ont analysé et débusqué les échanges contenus dans l'ordinateur et le téléphone de son frère, Jules se choque : les analystes ne sont pas des débutants et ils ont creusé assez pour trouver du stock du *darkweb* autrement plus dur à dissimuler.

« Tu veux quoi, là ? Lire les rapports de police ? Refaire l'enquête ? Tu veux que je demande à Isabelle ?

— Non, t'as raison. Non, laisse Isabelle en dehors de ça.

— Tu sais qu'on se parle de tout et que c'est le genre de choses qui l'intéressent, quand même? Ben quoi? C'tait top secret?

— Non. Mais j'aime mieux que ça se sache pas.

— Bon, je vais me répéter, mais tant pis! Y a peut-être un lien avec l'assassinat et peut-être pas. Y a sûrement un lien avec votre rupture, mais Juliette a pas voulu que tu le saches. Elle a rien dit. La seule chose certaine, c'est que le gars qui tenait l'arme qui a tué trois filles en avril, c'était ton frère. Et il a été pris. Et il a finalement plaidé coupable. Il est même en prison pour le reste de ses jours. Alors, ça change rien à tout ça que tu apprennes qui était Temptation ou Joy. Rien! Ça change un gros zéro. Genre, rien.

— O. K., Jules. Je le sais.

— Convaincu en crisse, oui! Veux-tu me dire ce que ça y donne au beau-père de savoir ça? Pourquoi y te met ça dans face?

— Y est comme moi, Jules, y l'aimait pis y peut pas supporter l'idée qu'elle ait enduré une cochonnerie de même avant de mourir.»

Jules connaît son ami: quoi qu'il dise pour le convaincre de l'inutilité de ses démarches, ça ne l'empêchera pas de les entreprendre. Et si ce que ces courriels révèlent, c'est une sorte de harcèlement maniaque qu'aurait subi Juliette, alors il a intérêt à être dans les parages pour le soutenir. Parce que ça va faire mal.

«O. K., man. Par où tu veux pogner ça? On commence par quoi?»

Jules se répète qu'il devra se souvenir de l'éclair de reconnaissance dans les yeux d'Éloi, le jour où il regrettera de l'avoir aidé.

« Les ordis et tablette de Rock. Tous ses supports, incluant des téléphones prépayés si y en avait. »

## 55

« *Ta mère et moi, on va visiter Rock tous les mercredis après-midi. Je laisse la porte de la cave ouverte. Tu prends ce que tu veux. Papa.* »

Éloi doit admettre que son père est infiniment discret et permissif : il n'a réclamé aucune explication à sa demande de « prendre des choses à Rock dans la maison ».

En entrant dans le sous-sol, il a l'impression d'être parti depuis quinze jours seulement. Même odeur de renfermé et de tabac froid, même semi-obscurité blafarde, même tapis râpé. Sur le mur, près de la porte de la salle de lavage, le jeu de fléchettes dans lequel les pics sont encore plantés. Une envie de fuir l'étreint en même temps qu'une angoisse puissante. Comment a-t-il fait pour vivre ici avec son frère tout ce temps ? Comment a-t-il pu endurer si longtemps de respirer la tyrannique oppression de son frère ? Il est absent et pourtant, entrer dans ce lieu redonne à Éloi le poids du fardeau qu'il a porté sans rouspéter une bonne partie de sa vie. Rock ne le battait pas, il ne le torturait pas consciemment, mais tout lui était soumis, tout se passait en fonction de lui, de ses besoins, de ses exigences. Sans qu'il soit nécessaire d'exercer la moindre coercition apparente, par une sorte de despotisme naturel. Ou était-ce plutôt son désir de paix qui le faisait renoncer à se battre ou à défier son frère ? Combien de fois, pour éviter des discussions sans fin, a-t-il accepté d'entreprendre des jeux interdits ou d'aller dans des endroits réservés aux adultes ?

Les *games* sordides, d'une violence à vomir, il avait cessé d'y jouer quand Rock ne pensait qu'à ça. Les « danseuses » aux corps de lianes sèches, aux seins refaits et aux bouches presque dures tant elles étaient gonflées, ces danseuses qui faisaient rêver son frère à quinze ans, Éloi se souvient encore de sa propre honte quand il avait tendu l'argent pour se soulager et que la fille l'avait invité à « toucher ». Rock appelait ça « décharger » et les fusils d'assaut le fascinaient autant que les seins démesurés de ces filles.

Quand Éloi s'indignait, Rock le traitait de moumoune et il lui promettait qu'il s'habituerait, qu'il aurait bientôt juste du plaisir, du « gros fun sale » en sa compagnie et grâce à ses connaissances. La vraie vie à quinze ans, c'était, dans l'évangile selon Rock, « la pof, la touffe et la paix ». Mais avant tout, c'était se livrer à tous ces plaisirs et ces excès en compagnie de son frère.

La première fois qu'Éloi avait refusé de l'accompagner, Rock l'avait boudé une semaine.

Le jour où Éloi avait demandé que Rock porte des écouteurs pour s'adonner à ses jeux vidéo où les rafales se succédaient dans une cacophonie insupportable, celui-ci l'avait empêché de dormir en « déploguant accidentellement » ses écouteurs de façon répétée toute la nuit… jusqu'à ce que lui, Éloi, se couche avec des bouchons et les écouteurs par-dessus. C'était la règle de Rock : si ça te dérange, tu t'arranges. Viens pas me faire chier avec tes niaiseries.

Mais il n'était pas question qu'Éloi sorte du sous-sol et aille dormir au rez-de-chaussée. Rock tenait à l'avoir près de lui. Trop attaché à sa présence, prétendait-il. Éloi savait que c'était pour le plaisir d'exercer son autorité, de tester son pouvoir illimité qu'il le voulait près de lui. Jamais, à aucun moment de sa vie, Éloi n'a cru qu'un sentiment affectueux présidait à cette coexistence forcée. Rock le considérait comme sa possession, point. Rock ne renonçait pas à ses biens et son frère en faisait partie au même titre que ses billes quand il avait six ans. Ce qui appartenait à l'un devait être à l'autre. Et ce qu'Éloi voulait affirmer de différent, Rock le niait en l'écrasant.

L'amitié de Jules Langlois pour Éloi — et non l'inverse puisque jamais Éloi n'aurait pensé avoir un ami sans qu'il soit automatiquement capturé par son frère — s'était développée quand il était devenu camelot. Se lever à l'aurore et prendre en charge la distribution des journaux pour un maigre revenu n'intéressait absolument pas Rock. Jules était camelot et c'est comme cela qu'il avait sympathisé avec ce voisin discret, limite secret. Ce qui avait séduit Jules chez Éloi, c'était la candeur avec laquelle il éclatait de rire à ses farces plates, ou en tout cas enfantines. Il était habitué à voir les gens lever les yeux au ciel quand il faisait de l'humour potache. Éloi rigolait. Éloi le trouvait drôle et Jules adorait le faire rire.

Avec un instinct très sûr, sans analyser ou expliquer, Éloi avait tenu Jules loin de son frère et de sa famille. Il n'avait jamais accepté d'invitation à souper ou à dormir chez son ami pour ne pas entendre l'inévitable «emmène ton frère». De tout ce qui a mené Éloi à se libérer du joug familial, Jules Langlois avait joué un rôle de premier plan sans jamais le savoir. Cultiver ce lien en le tenant fermement à l'écart du regard des parents ou de son frère avait jeté les bases de sa vie privée et de sa libération. Discuter, rire et s'amuser avec quelqu'un qui partageait son humour et surtout qui ne le jugeait jamais, ne lui donnait jamais d'ordre et n'exprimait aucun avis méprisant ou exigeant à son endroit, c'était nouveau et forcément émancipateur. Plus il se rapprochait de Jules, plus Éloi comprenait que vivre enfermé sous l'autorité de quelqu'un qui se prétendait lui et qu'on lui désignait comme son double n'était pas le sort inéluctable de tout être humain. Apprentissage évident pour Jules, mais inimaginable jusque-là aux yeux d'Éloi.

Confusément, Éloi avait la conviction que tenir ce nouvel univers étanche au sien constituait une règle primordiale. Ne rien révéler de l'un à l'autre lui avait permis de sauvegarder l'amitié de Jules et de ne pas laisser à Rock le plaisir de la pervertir ou de la détruire.

Avant tout, cette discrétion avait consolidé un monde intérieur, un espace privé dans lequel vivre et se développer à l'insu des siens. Peut-être Éloi possédait-il déjà ce champ privé, il l'ignore, mais le découvrir et le nommer grâce à son ami avait révolutionné sa vie. C'est à partir de ce moment qu'il a enfin pu rêver à un ailleurs, à une vie qui lui ressemble. Y rêver et y consacrer toute son énergie : un jour, il s'affranchirait de cette famille, un jour, il fermerait la porte sur ses origines et ouvrirait celle de sa vraie vie. Il n'a jamais douté qu'il y parviendrait. Mais il ne soupçonnait pas le prix qu'il aurait à payer pour y arriver.

Éloi se secoue et s'empresse de copier les contenus des appareils électroniques de son frère sur un disque externe. Ensuite, il se met en quête de son téléphone cellulaire… qu'il ne trouve nulle part.

Persuadé que la police l'a remis en même temps que les autres possessions de Rock, il reprend sa fouille de façon plus rigoureuse. Depuis son arrestation après les meurtres, jamais Rock n'est revenu dans cette maison, c'est donc ses parents qui l'ont rangé.

Une fois sa deuxième fouille achevée de façon aussi infructueuse que la première, il monte au rez-de-chaussée explorer les autres cachettes potentielles. Là, tout est minutieusement rangé. Tellement qu'Éloi a presque l'impression que ses parents sont morts. Tout est figé, trop propre, trop pauvre aussi. La chambre de ses parents aux meubles anciens de bois sombre, au dessus-de-lit en chenille qui doit dater de quarante ans, avec les pantoufles usées posées bien droites sur la descente de lit, tout hurle le pouvoir implacable des habitudes. Ces rites qui engluent la vie sans possibilité d'évasion. Ces petits objets devenus l'incarnation de l'assujettissement auquel ses parents ont consenti toute leur vie. Soumis à leur sort, acteurs muets d'un film dont ils ignorent le scénario. Éloi peut presque toucher leur consentement à l'ennui, à l'obéissance et au malheur. Comment des gens aussi démunis auraient-ils pu deviner qu'ils nourrissaient un esprit malsain, corrompu? L'admiration de sa mère pour l'esprit frondeur de Rock consolait sûrement son dépit d'être piégée dans une vie morne, sans grand drame et sans réelle joie. Une vie d'asservie. «Il va aller loin, ton frère, prends exemple sur lui!»

Et aujourd'hui, ses parents partent ensemble tous les mercredis après-midi pour visiter en prison celui qui avait tant d'envergure.

Éloi ne laisse pas l'élan de pitié le submerger. Conscient qu'il doit partir et s'éloigner de cette maison, il cherche systématiquement l'appareil qui lui manque.

Tout ce qu'il trouve est la liste détaillée des objets rendus par les services policiers. Sur celle-ci, quelqu'un a coché chaque élément. Le téléphone cellulaire est là, bel et bien coché. Mais il ne le trouve nulle part dans la maison.

Muni de ses copies, Éloi repart sans regarder en arrière: il a trop peur d'être changé en statue de sel comme la femme de Loth de la Bible, cette trop curieuse qui a voulu contempler le mal de Sodome de près et qui en a été calcifiée à jamais.

## 56

Depuis les témoignages lus au juge avant le prononcé de la sentence du meurtrier de sa fille, Guillaume a vraiment délaissé le groupe de soutien. Ce n'était ni réfléchi ni délibéré, mais une certaine lassitude avait surgi. Surtout après l'épreuve des parents qui tour à tour ont pris la parole en cour. Après cet épisode, l'idée de retourner s'asseoir avec des gens qui parleraient encore du manque l'agaçait.

Sans s'en rendre compte, il a raté quelques réunions du groupe pour des raisons extérieures à sa volonté et ensuite, il s'est demandé à quel point ces fréquentations de gens brisés par le deuil ne l'enfonçaient pas plutôt dans une certaine mélancolie, sorte de ronron qui entretient le manque au lieu d'agir pour l'évincer.

La seule personne avec qui il s'entretiendrait encore et qu'il écouterait volontiers, c'est Anaïs Rioux-Thériault. Mais à treize ans, il doute que sa complicité soit bienvenue pour la jeune fille. Il fait partie des «parents», cette race quand même identifiée à la contrainte par les gens de son âge.

Sa rencontre avec Éloi Marcoux l'a stimulé, propulsé dans l'action avec une énergie renouvelée. Avec lui, au lieu de déplorer la perte de sa fille, il en a reçu un écho vivifiant, une sorte de portrait éloquent et réjouissant.

Il a encore un peu de mal à dissocier totalement les jumeaux, c'est troublant de considérer le premier comme un allié de sa fille et de ne jamais l'associer au côté morbide du second.

Il s'accorde un temps d'adaptation puisque « l'ennemi » régnait depuis vingt mois dans son esprit alors qu'Éloi vient à peine de se faire connaître.

De la même façon qu'il a épargné son ex en ne lui révélant pas le contenu ou l'existence de l'enveloppe « Ne pas toucher », il lui a caché sa rencontre avec le dernier — ou l'avant-dernier, il ne sait pas encore — amant de leur fille. Il est d'avance agacé par les questions qu'Hélène va soulever et les raisons qu'elle exigera au sujet de cette soudaine curiosité pour la vie amoureuse de Juliette… qu'elle va appeler sexuelle pour rendre la chose tendancieuse.

Il n'a pas envie de s'expliquer, il ne désire pas élucider le mystère de l'enveloppe avec elle, et il a du mal à ne pas trouver les questions d'Hélène limite intrusives. À un point tel d'ailleurs qu'il aimerait mettre fin au côté systématique du café du samedi. Devant les explications qu'il devrait fournir pour y arriver ou en songeant à la culpabilité qui accompagnerait cette décision, il continue à se présenter le samedi matin… en écourtant leur rencontre qui en prend un petit ton forcé, presque faux.

Étrangement, ces nouveautés le soulagent du poids de la disparition de sa fille, comme si elle lui semblait soudain plus vivante, plus présente que jamais. Ses pensées se centrent sur Juliette active, Juliette au cœur de sa vie, avec ses secrets, ses mystères qu'il ressent comme des devinettes tendues par sa malicieuse coquette-Juliette. Il y voit une amélioration de son état, l'impression d'être enfin en mesure de se faire du bien et de cesser de se lamenter.

Quand Éloi le contacte pour obtenir une copie des documents de l'enveloppe, il hésite : que voudrait-elle, sa fille ? Que l'ex puisse lire des propos infamants ? Des « jeux » qui lui paraîtront sans doute critiquables, condamnables même. Si elle ne lui a rien montré, si elle l'a tenu à l'écart, doit-il casser cette décision ? Passer par-dessus la réponse que son silence a déjà indiquée ?

Cet échange était nouveau dans sa vie, cela couvre à peine quelques semaines... qu'aurait-elle fait de cette bombe si elle n'était pas morte brusquement ? Aurait-elle poursuivi la relation dépravée ? Elle l'avait quand même cachée — Ne pas toucher — ça, c'est extrêmement clair.

Voilà le cœur même de ce qu'il apprécie dans le dilemme : prolonger Juliette, tenter de vivre encore un peu avec elle, par elle, à travers elle. Peu importe que ce soit accompagné d'un peu de saleté, la vie n'est pas propre, il en sait quelque chose.

Il demande à Éloi ce qu'il désire faire de ces archives très privées et lui avoue qu'il n'a pas bonne conscience de les avoir partagées un tant soit peu avec lui.

La première partie de la réponse lui convient : trouver l'interlocuteur.

Mais la seconde lui déplaît : le dénoncer et rendre justice à Juliette.

Guillaume réclame un temps de réflexion. Que quelqu'un d'autre que lui se mette à jouer au justicier ne le tente pas du tout. Que ce quelqu'un soit le frère jumeau du tueur en prison le gêne encore plus. Qu'Éloi ait été un amoureux sincère ne le rend pas exempt de toute forme de harcèlement.

Il trouve risqué de désobéir à Juliette qui avait quand même pris ses distances avec Éloi, peu importent ses raisons. Le délai qu'il demande à Éloi lui permettra de se faire à l'idée qu'il n'obtiendra rien de plus que ce qu'il a vu. Montrer une seule page était une erreur.

Guillaume a besoin d'approfondir sa réflexion. Parce qu'il lui semble que si sa fille avait été plus inquiétée qu'excitée par ces messages, elle en aurait parlé à Éloi plutôt que de s'éloigner de lui.

Si ces pages sont demeurées privées, c'est qu'elles ne concernaient pas Éloi.

Sinon, Guillaume se dit qu'il s'agissait peut-être de représailles : celles d'un amoureux éconduit, rejeté, qui a voulu punir ou exprimer sa colère contre celle qui l'abandonnait. Pour se conforter dans ce raisonnement, il se dit que si aucune des réponses de Joy n'a été conservée, c'est que garder ces injures servait de preuves pour une éventuelle poursuite contre le harceleur. Et dans ce cas, c'est Éloi qui pourrait en être l'auteur… et sa duplicité serait alors digne de son frère.

« Dans le doute, abstiens-toi », il applique sagement cette devise.

## 57

Teresa Rodriguez n'est pas dupe : depuis le jour où elle a le plus délicatement possible repoussé les avances de Guillaume, celui-ci a pris ses distances. Ce qui lui semble choquant, c'est qu'il n'en est même pas conscient. Ça a été un réflexe mâle. Probablement qu'il a regretté d'avoir essayé, d'avoir mal évalué sa chance d'être accepté et que, par vanité ou par gêne, il a préféré ne plus se souvenir de ce moment désagréable. Et, pour y parvenir, il a commencé à l'éviter.

Le pire, c'est que si elle lui en avait parlé ensuite, si elle avait évoqué à voix haute la subtile distance que cette mince dérive avait provoquée, il aurait été très étonné et ensuite, pas du tout d'accord. Ça n'avait rien à voir, voyons, elle inventait, elle accordait une importance démesurée à un geste déplacé mais innocent ! Elle connaît toutes ces réponses. Elles seraient d'autant plus véhémentes que Guillaume voudrait s'en convaincre. Et, de plus, c'était un mouvement anodin, pas l'expression d'une flamme réelle ou ancienne. Pas un vrai désir. Teresa a essuyé plus d'une fois ce genre de conséquences. On ne refuse pas les avances d'un homme bien — et surtout bien intentionné — sans se faire montrer le peu d'importance qu'on a aux yeux de l'exclu.

Ce n'était pas le premier baiser qu'elle refusait. En près de vingt-cinq ans, plusieurs s'étaient approchés pour la séduire. Elle avait ses raisons pour se tenir loin, elle n'agissait jamais de façon indélicate ou avec brusquerie. Jamais dans l'intention d'humilier. Rien n'y faisait. Chaque fois, la réaction était le recul et la fuite. Personne n'a jamais demandé pourquoi. Personne n'a accueilli son refus comme acceptable ou basé sur d'autres considérations que l'attirance. Pour Teresa, apprendre à se respecter sans piquer la vanité de l'autre est un défi impossible à relever. Entretenir une amitié mâle sans qu'elle devienne une attirance basée sur un autre mode de relation semblait de la pure fantaisie. Quand elle s'inquiétait de sa fille, quand elle essayait de lui enseigner à la fois le respect de soi et celui de l'autre, c'était l'écueil qu'elle rencontrait. (« Mais maman, comment on peut savoir si on en a envie quand on n'essaye pas ? »)

Elle était curieuse, sa Sophia. Normale et curieuse. Séduisante, vivante. Elle avait tâté le terrain de la sexualité avec une candeur que Teresa avait vraiment essayé de ne pas briser à force de recommandations et de principes prudents. Et c'était la grande réussite de sa vie, cette enfant libre et sans crainte devant le désir et les hommes. Capable de goûter les joies de la sexualité sans barrières. Capable de vivre sa vie à part entière. Contrairement à elle.

L'amitié de Guillaume, la confiance qu'il lui avait témoignée, la certitude que leur rapprochement basé sur un malheur commun ne risquait pas d'évoluer vers des dérives sensuelles avaient littéralement endormi sa prudence. Il était si perdu quand elle l'avait rencontré. Si désespéré. Elle connaissait chaque marche de cet escalier qui descendait dans l'enfer du manque, du regret et de la détresse. Elle comprenait tellement.

La peine de cet homme l'extrayait de sa propre peine. Comme la panique de Brigitte la forçait à calmer ses propres angoisses pour arriver à lui être d'un secours efficace.

Et maintenant que le chagrin s'apaisait, sa peine se réveillait. L'éloignement de Guillaume confirmait l'impossibilité d'une amitié réelle, fondée sur la véritable connivence entre deux êtres humains, quel que soit leur sexe. Teresa aurait voulu revenir en arrière, retrouver les conversations, les échanges si riches, si vrais. Le groupe lui semblait bien pauvre pour la consoler, malgré la gentillesse et la compréhension dont on faisait preuve à son égard. On lui demandait même à elle ce que devenait Guillaume, ce qui le tenait éloigné en espérant que ce soit des projets stimulants, et même une amélioration de son état d'esprit. Son absence signifiait l'espoir qu'il soit sorti de l'âpreté du deuil.

Le jour où même Brigitte, toute préoccupée de ses terreurs qu'elle soit, lui demande ce qui ne va pas, comment elle peut l'aider, Teresa comprend qu'il est temps d'aller chercher du soutien. Sinon, elle risque de faire perdre à sa protégée tous ses acquis durement gagnés.

Et elle-même risque de se perdre.

« Tout ça pour un baiser refusé. »

Elle est déçue et fâchée de s'être laissé happer comme cela. D'avoir baissé la garde. De n'avoir pas compris qu'elle s'attachait à cet homme. Sans en être amoureuse, elle l'aimait beaucoup.

Tous ses beaux conseils à sa fille, tous ses beaux principes d'éducation, elle n'a pas su les appliquer dans sa propre vie.

Elle était venue au Canada parce que la violence y était tellement plus rare, parce que la sécurité régnait dans ce pays. Beaucoup plus qu'aux États-Unis.

Ce qui n'avait pas empêché sa Sophia de tomber sous les balles d'un homme qui en voulait aux femmes. Il ne les violait pas, non, il les exécutait. Les éliminait de la surface de la terre.

Comment pourrait-elle faire comprendre à Guillaume Hébert que son éloignement après un baiser refusé, sans explication, sans même un au revoir, c'était une gifle, une façon de la punir? Cet homme est tellement convaincu d'être féministe, il trouverait cette conclusion offensante. Et fausse.

Et pourtant, c'était bel et bien le refus d'un baiser — qu'il a probablement interprété comme un refus de lui-même — qui l'a éloigné. Il a respecté son refus, c'est certain, et il s'est enfui pour ne pas y faire face. Teresa se dit que c'est tout simplement le prix à payer… mais le respect est hors de prix à ses yeux.

## 58

Frustré, Éloi met son ordinateur hors circuit. Rien. Il n'a rien trouvé dans le stock de son frère qui serait passé inaperçu pour les enquêteurs. Et il a refait tous les parcours, exploré tout ce qui serait resté sur le *cloud*, même une fois soigneusement effacé.

Il s'en veut beaucoup de ne pas avoir pris en photo la page que le père de Juliette lui a montrée. C'était un courriel. L'impression d'un courriel dont l'adresse n'était pas régulière. Des chiffres… mais il n'a pas pris la peine de les regarder, trop stupéfait de lire des mots si haineux — pute, salope, *whore, horny dirty baby* — des mots vils si éloignés de Juliette. Si horribles.

À la seule pensée que son amoureuse ait pu recevoir des messages aussi infamants, aussi dégradants, tout son être se révulse. C'est exactement la crainte qu'il a nourrie toute sa vie : que ses relations soient prises en otage par son frère, qu'il se les réapproprie et qu'il les massacre. Au nom de sa possessivité.

Éloi n'a rien trouvé, aucune preuve, aucun indice, et pourtant, il est persuadé que Rock est derrière ces envois, qu'il les a sollicités à quelqu'un d'autre s'il n'en est pas l'auteur direct. Ce n'est pas pour rien qu'Éloi avait offert ce téléphone intraçable à Juliette pour leurs échanges. Il fallait éviter que Rock puisse les atteindre. Ou qu'il puisse deviner qu'une femme était dans sa vie. Et donc, qu'elle le menaçait, lui et sa sacro-sainte exclusivité gémellaire.

Éloi se rappelle exactement le moment où il a pris cette décision : c'est quand Rock lui avait envoyé un message par la poste, l'avertissant que jamais il ne se cacherait bien long-temps loin de lui, qu'ils étaient alliés à vie, alliés de sang, alliés d'esprit. En lui envoyant ce courrier, Rock lui signifiait que le secret de son adresse était découvert et que tout effort pour lui échapper serait vain.

Son premier réflexe avait été d'engueuler son frère, de l'avertir que si jamais il se montrait chez lui, si jamais il l'empêchait de vivre, ce serait la guerre et qu'il constaterait ce qu'un allié de sang pouvait faire pour se désaliéner.

Rock avait répondu par le déni, comme toujours : *Prends pas ça de même ! Penses-tu vraiment que tu gagnes de quoi en fréquentant des minables, en baisant des épaisses qui veulent juste te fourrer en te laissant les fourrer ? Une slut a toujours son prix. Toujours. Come on, Éloi, t'es mon frère, t'es pas un loser. Mon frère peut pas me crisser là ! T'es pas une salope de bitch. On est frères à la vie à la mort.*

Éloi n'avait pas répliqué parce que rien n'excitait davan-tage Rock que de prouver qu'il avait raison. Il carburait aux défis. Éloi le savait et il s'était toujours arrangé pour ne pas être sur la route de son frère quand l'envie le prenait d'étaler sa supériorité. La stratégie suprême consistait à le laisser gagner et à ne pas avoir l'air de remarquer qu'il trichait. Éloi s'en foutait : tout pour avoir la paix, c'était son mantra.

Et dans les ruses développées pour l'obtenir, cette paix, la meilleure option était de se cacher, de camoufler ce qui lui plaisait ou lui apportait du plaisir. Bref, de ne pas avoir l'air heureux.

Juliette avait été l'objet de toute sa science du secret. Pour rien au monde il ne la voulait attrapée, soupçonnée, dérangée, inquiétée ou poursuivie par son frère jaloux.

Comme un criminel en fuite ou un paranoïaque fini, Éloi surveillait ses arrières, questionnait la moindre « coïncidence », se méfiait de tout.

Un jour, en sortant d'un cinéma, ils avaient croisé Rock qui allumait un joint, l'air désinvolte. Il avait eu un sourire entendu en regardant Juliette. « J'allais aux danseuses à côté... je vois que toi aussi. »

Éloi avait tiré sur le bras d'une Juliette sidérée qui regardait son amoureux et le double de celui-ci qui exigeait des présentations. Sans un mot, Éloi avait entraîné Juliette, alors que son frère criait : « Bye ! Amuse-toi ! »

L'explication avait été longue et ardue : Juliette réclamait des détails sur cette révélation alors que lui ne voulait qu'une chose : oublier la rencontre, ne pas laisser son frère pénétrer leur bulle amoureuse et la menacer, ou pire, la détruire.

Éberluée de le découvrir aussi méfiant et aux abois, Juliette avait posé questions sur questions pour conclure, incrédule : « Pourquoi y ferait ça ?

— Parce qu'y a jamais enduré de pas être le plus important à mes yeux, le plus proche, le plus… le plus ! »

La désinvolture de Juliette, l'assurance avec laquelle elle l'avait convaincu que même trait pour trait semblables, ils étaient quasiment opposés, l'agressivité dédaigneuse de Rock s'éloignait tellement de ce que lui dégageait qu'il en devenait dissemblable. Que personne ne viendrait les séparer ou « mettre la chicane entre eux », comme il le craignait tant.

Elle ne l'avait pas accusé de rétention d'information pour lui avoir caché que le frère de sa famille était également un jumeau, elle n'avait pas porté de jugement sur sa façon de gérer ce qui était « son problème », comme il le nommait.

Elle avait seulement dit : « Éloi… as-tu déjà eu peur d'être lui ? Comme lui ? On dirait que ça te menace alors que t'es tellement, tellement pas lui ! »

Elle était si ouverte, si compréhensive. Il avait tenté de dire ce qui paraissait encore très confus pour lui. Qu'il s'en voulait. Qu'il n'avait jamais assez d'espace, assez de liberté. Qu'il avait eu l'impression d'être en prison depuis sa naissance, de ne pas exister par lui-même mais devant un miroir déformant qui lui interdisait de vivre à son gré, selon ses normes. Un miroir exigeant sa docilité, son aliénation totale et pour qui chaque geste autonome qui l'éloignait était une trahison, une violence, une tentative de destruction. Il avait toujours eu conscience de l'autre avant d'avoir conscience de lui-même. Il n'existait qu'en réaction, qu'en opposition à cet autre. Il n'était même pas certain d'exister tellement il n'avait construit que des fuites, des refus, des échappatoires. Comment expliquer qu'il avait parfois la sensation d'avoir étouffé dans le ventre étroit de sa mère, en compagnie de cet autre qui imposait la priorité de son corps, de ses mouvements, de sa vie ? Il n'a toujours eu qu'un désir et il est négatif — ne pas être lui, quitte à n'être rien.

« J'ai toujours voulu ne pas être comme lui, Juliette. J'ai toujours juste voulu ne plus être assimilé à lui, englouti par lui. Avalé et détruit. Pis je pense que j'ai fini par n'être plus rien, à peine moi, de peur d'être remarqué et éliminé. Je ne suis ni lui ni rien. Un gros vide qui y ressemble encore ! »

L'apaisement de sa main sur son front, des baisers sur son visage, la douceur miséricordieuse de l'amour de Juliette qui nomme une à une les qualités qui font de lui l'homme qu'elle aime. Un homme entier. Qu'elle ne volera jamais. Dont elle ne s'appropriera jamais la plus infime parcelle. À qui elle ne prendra pas un seul espace de liberté. Promis. Juré.

Se laisser aimer par Juliette, c'était un éblouissement.

C'est Juliette qui lui était arrivée avec une théorie, quelque temps après la rencontre avec Rock. Le jumeau premier-né n'était pas nécessairement l'aîné. Celui qui s'était placé au fond de l'utérus avait été le premier à prendre cet espace et il s'était « poussé » pour laisser de la place au second. C'est tout. Il y avait une origine unique, mais le jumeau dernier-né n'avait rien d'un second.

C'était exactement à l'image de tout ce qui avait suivi dans la vie d'Éloi. Il avait réfléchi à ce que cela changeait, croyant qu'il s'agissait d'un détail, une simple erreur d'interprétation. Cette théorie contraire au discours parental qui avait toujours placé Rock en premier changeait tout le rapport de force dans son esprit : de second, il passait à protecteur, de « suiveux », il devenait celui qui a pris la décision de s'effacer et non pas celui qui l'a été ; de victime, il devenait l'artisan de sa vie, de ses décisions, et non plus le loser dont son frère parlait constamment.

Dans les faits, aucun changement, mais dans l'interprétation de ceux-ci, Éloi parvenait enfin à se concevoir comme existant avec un libre arbitre, et même une autonomie qui lui avait dicté de s'effacer au profit du plus faible, son frère. Non le contraire. Que Rock continue de le traiter comme un avorton, que leurs parents misent sur son frère davantage que sur lui, cela lui importait peu, il pouvait vivre avec cela. Le plus dommageable, c'était quand il croyait qu'il se devait d'étouffer ses envies de fuite, ses désirs irrésistibles de paix, de silence, qu'il s'agissait de pure méchanceté et d'ingratitude de sa part de souhaiter échapper à ce milieu délétère qui le consacrait nullité.

L'amour de Juliette avait accompli beaucoup dans sa vie, mais à partir de ce moment, il avait cessé de se méfier de la possible aliénation que l'amour pouvait receler. L'aliénation vivait en nous, pas en l'autre, et c'était à lui de la contrer. Juliette l'avait ouvert et lui avait permis de découvrir l'être humain qu'il tenait en prison, tapi au fond de lui. Le véritable miracle qu'elle avait permis avec son amour, c'était que cet homme tenu sauvagement au silence, nié, ignoré, dédaigné, cet homme avait enfin pu vivre et le sauvegarder de l'amertume.

En pensant à ce que Juliette lui avait apporté, Éloi constate qu'après tout ce temps, après cette rupture brutale, après la mort, malgré tout, sa fameuse individualité qu'il voulait tant préserver avait tenu le coup. («Tu es un homme unique, Éloi, la propriété de personne… même pas de mon amour.»)

Habitué à douter, à tout remettre en question, Éloi a longtemps eu peur de s'être abusé en faisant confiance à Juliette. À cause de cette rupture abrupte, de cet adieu qui n'en était pas un, de l'indignité de la fin qui ne pouvait qu'ébranler les certitudes de ce qui avait précédé, jusqu'à celle de leur amour. Maintenant qu'il a vu le courriel menaçant que Juliette avait reçu, il peut enfin rejeter la souffrance d'avoir cru errer avec elle, d'avoir accordé une confiance si nouvelle à des mains indignes; maintenant seulement, il est libéré du poids de l'erreur. Le poids qui demeure, c'est celui de l'avoir abandonnée sans le savoir, de l'avoir laissée partir se battre seule contre un ennemi tellement pervers, tellement machiavélique qu'elle ne pouvait pas soupçonner sa puissance, encore moins s'en méfier.

Il sort le portable qu'elle lui avait remis en le quittant et le branche. Jamais il n'est retourné dans leurs échanges des temps heureux, jamais il ne s'est réexposé à ces mots amoureux, rieurs, à ces élans torrides — parce qu'il ne voulait plus les croire, parce qu'il ne voulait plus souffrir.

Maintenant qu'il devine que la rupture a été téléguidée par quelqu'un qui a pris son amoureuse en otage, il est prêt.

Mieux que ça, il le doit à Juliette.

## 59

Jules Langlois et Isabelle ont établi une règle entre eux dès le début de leur relation : pas de manifestations publiques d'affection en présence d'Éloi. Pas de côté « petit couple amoureux si touchant », pas de contemplation éperdue en se tenant la main ou de regards complices quand Éloi est dans les parages. Ils n'ont même pas eu à le formuler, ça coulait de source. Comme Isabelle l'a exprimé, c'est une question de respect, pas de secret. Éloi doit pouvoir compter sur ses amis en cette période difficile. Et Isabelle en est une, même si elle ne le connaît pas depuis des lustres.

Jules et elle discutent de tout et ne se cachent rien. Généralement, Jules et Éloi se voient seuls. Isabelle n'éprouve aucun problème avec cette exclusivité. Mais quand Jules rentre excédé par les décisions « nocives » de son ami, c'est elle qui le calme et essaie d'orienter ses réactions vers le soutien indéfectible qu'Éloi est en droit d'attendre de son ami.

« Y est parano ben raide ! Y pense que son frère a poursuivi Juliette avant d'aller la descendre à la boutique ! C'est rendu un meurtre ciblé, organisé et voulu, Isabelle. Un vrai complot. Pas le genre de tuerie dont on parlait. Pas le genre "j'haïs les femmes, pis y vont le savoir", non! Là, c'est Juliette, le *target*. Les autres, c'est rendu du collatéral, imagine-toi donc. Du "tant qu'à y être: tac-a-tac-a-tac!" Y est fou! J'ai essayé de marcher dans sa patente, mais je pense que je suis en train de l'encourager à virer aussi fou que son frère.

— Sur quoi y se base?

— Han? T'embarques pas là-dedans?

— Mon prof a toujours dit qu'avant de juger, faut analyser les éléments qu'on a. T'as raison, ça a l'air exagéré, c'est pas mal tard pour soulever une hypothèse pareille, mais ça dépend des raisons. Sur quoi y se base pour changer la donne?»

Langlois se promène dans le salon, furieux. Il ne sait pas trop. Il était si fâché qu'il n'a pas tout écouté. Le calme d'Isabelle, son côté rationnel le ramène à l'essentiel: Éloi est peut-être parti en campagne pour des mauvaises raisons, mais si c'est le cas et s'il se trompe, c'est pas le moment de le laisser tomber. S'il a raison non plus, d'ailleurs.

Jules s'assoit près d'elle, convaincu d'une chose: cette fille est extraordinaire et ne serait-ce qu'en gratitude pour l'avoir rencontrée grâce à Éloi, il va faire l'effort de réfléchir sérieusement.

«C'est un courriel, la base. Le père de Juliette refuse de lui montrer les courriels vicieux qu'elle a reçus. Éloi en a vu juste un. Ça a tout déclenché. Il dit qu'il pourrait fouiller, savoir d'où ça sort s'il les avait. Évidemment, il est convaincu que ça vient de Rock. Avec une adresse bidon, bien sûr. Mais dans les affaires de son frère, y a rien. Zéro plus zéro pour ce genre de courriels. Ça a l'air qu'y laissait pas sa place avec les célibataires frustrés par exemple, sans parler de ses opinions politiques. En tout cas, y a rien trouvé, pis je le crois.

— Si elle les a imprimés, ça veut dire qu'elle les a probablement effacés.

— On a beau effacer, on peut tout retrouver, tu sais ben... Pis Éloi prétend...

— ... Attends, attends, j'essaie de réfléchir. C'est pas les copies qui vont le renseigner, c'est l'ordinateur.

— Le père de Juliette voudra pas plus y passer ça ! Pas fou... Moi, j'ai peur que si Éloi lit ça, y fasse ni un ni deux pis qu'y aille tuer son frère. Ou le fasse tuer. Ou, je sais pas, j'aime pas ça.

— Mais ça a existé. Elle les a lus, ces courriels. Elle a rien dit ? À personne ?

— Pense pas, non... Pas à lui en tout cas. Pas à moi, évidemment. Pas à son père non plus, ça a l'air. Encore moins à sa mère qui était dans le genre fouineuse d'après ce qu'elle disait. Carolane, ça c'est probable... mais on le saura jamais : sont mortes toutes les deux.

— Bizarre... Ça se dénonce quand même, ce genre de harcèlement. Surtout maintenant. Une fille se fait plus recevoir avec des petits sourires douteux quand elle porte plainte, on se fait assez avertir à l'école de police !

— Pas le genre de Juliette pantoute. Jamais elle serait allée voir la police avec un paquet de courriels remplis de cochonneries. Jamais !

— À l'université ? Là où on offre du soutien aux étudiants ? Non ?

— Pense pas... Qu'est-ce que ça nous donnerait de le savoir ?

— Tu vas me trouver brutale, mais je le dis pareil : ça nous donnerait la preuve que ça l'inquiétait au lieu de l'exciter. »

Jules en a la bouche ouverte : « Pardon ?

— Ben quoi ? C'est pas exclu. Un petit côté tordu bien caché… non ? Je l'ai pas connue, moi.

— Crisse ! Ça serait tordu vrai ! Ça a l'air que c'tait du hard pis du vrai. Violent.

— Bon, disons que ça l'excitait pas.

— Isa, wo ! Tu dis ça comme si cinquante pour cent des possibilités étaient écartées !

— Bienvenue dans mon monde, Jules. T'as pas idée de ce que c'est devenu. Les gens te crachent des mots horribles en pleine face comme si ça faisait rien. Comme si ça blessait pas autant que les poings. Tu le sais, pourtant. Ce que ça dit d'eux autres, c'est terrifiant. Combien de fois t'as eu des messages comme *Va te faire tuer, Tu serais aussi ben mort, Ta mère aurait dû se faire avorter* ? Pour mes parents, c'est impensable de seulement formuler ou penser des insultes pareilles. Imagine s'ils lisaient ce qu'on lit à cœur de jour sur les réseaux sociaux, ou ce qu'on se fait dire en pleine rue si on a le malheur de retarder un conducteur frustré. C'est pas innocent, même si c'est des mots. Éloi a pas tort de penser que c'est lié. Recevoir pas un mais des courriels dégradants et se faire descendre dans une boutique par le frère du gars avec qui elle sortait ? Si ce gars-là avait pas plaidé coupable je serais la première à hurler que la police fait pas sa job !

— Ça serait quoi, sa job ?

— Préméditation, c't'affaire ! Il a fait quoi, tu penses ? Il l'a menacée par écrit et après, il est allé faire ce qu'il disait dans ses courriels : la tuer. Lui montrer c'est qui le maître absolu.

— Pense pas, Isa. C'était du genre je te fais mal pis t'aimes ça, ma salope.

— J'te fais mal, t'aimes ça, j'en rajoute, t'aimes encore ça. Jusqu'à la tuerie.

— Bon, O. K., mettons… ça change rien à la prison à vie, ça. On y ajoutera pas une vie pour qu'y puisse payer la préméditation.

— Non. Mais ça fait bâclé pareil. Ça m'achale. La police l'a échappé ce bout-là, me semble.

— T'es pire qu'Éloi ! Il l'haïra pas plus, son frère. Y a juré de plus jamais le revoir. Même son père trouve ça normal pis correct. Qu'est-ce que ça va lui donner de plus de savoir les détails dégueulasses ?

— Savoir, justement. En avoir le cœur net. Savoir exactement, précisément la vérité.

— Pis en crever d'avoir rien vu pis rien fait ? Pas sûr que c'est une bonne idée, moi. On pourrait pas passer à d'autre chose ?

— Nous autres, oui. Lui, non. Pis le père de Juliette non plus. Ajoute les parents des autres victimes. Tu le sais, Jules, tu les as entendus au tribunal. Ils ont droit à la vérité.

— Ah oui ? C'est un droit, ça, la vérité ? Savoir exactement jusqu'où le monde est sale, jusqu'où ça va mal, me semble que c'est un choix plus qu'un droit. Y en a que ça tuerait. La mère d'Éloi, par exemple. »

Isabelle garde pour elle le jugement intempestif qui lui est venu : si cette femme avait fréquenté davantage la vérité, peut-être qu'un de ses fils ne serait pas en prison et l'autre en enfer. Peut-être.

Jules soupire, prend la main d'Isabelle : « De toute façon, là, on n'a pas vraiment le choix. Faut l'aider. As-tu une idée, madame la justicière ? »

## 60

Guillaume se sentait bien seul à poursuivre sa mission secrète. Il ne voulait pas y associer l'ex de sa fille pour respecter sa décision de rompre à l'époque, mais il ne pouvait pas davantage se mettre à lire ce qui lui donnait la nausée à seulement regarder l'enveloppe.

Coincé, bloqué dans son tardif élan de sauvetage, il ne faisait que ruminer et négliger le reste. Il parvenait à travailler, à ne pas se tromper de date ou à alerter sa parfaite secrétaire avec ses distractions, mais le cœur n'y était plus.

Il avait vaguement songé à retourner dans le groupe de soutien, surtout pour prendre des nouvelles de Teresa, mais il préférait la laisser à sa paix retrouvée et ne pas l'associer à sa quête qui risquerait de la faire replonger dans la tristesse. Il réussissait même à se dire qu'Hélène et leurs samedis matins d'échanges — de plus en plus brefs et contraints de sa part — lui coûtaient peu pour le bien qu'ils rapportaient à la mère de sa fille.

Tout allait donc bien… sauf qu'il se sentait mal, étrangement sali par la découverte des secrets de Juliette. Comme si lui-même avait considéré et jugé sa fille négativement, comme si cette découverte d'un aspect de sa vie privée devait disparaître pour ne pas entacher son souvenir, jusque-là idéal.

La tentation de jeter l'enveloppe devenait plus pressante de jour en jour. Pour sauver sa fille de l'ignominie. Pour éviter qu'on ne soit abusé perfidement par un jeu dangereux, mais entrepris — il l'espérait — avec candeur. Si quelqu'un découvrait que sa gripette avait consenti à de tels échanges de son plein gré, il ne comprendrait pas que ce n'était pas une disposition réelle, un désir macabre et masochiste chez sa fille, mais plutôt une curiosité plus ou moins saine. Tout lecteur non averti pourrait facilement taxer Juliette d'avoir été l'artisan de son malheur. D'avoir excité un pervers à passer à l'action en le laissant lui adresser de telles saloperies. D'avoir stimulé le côté sombre et dangereux d'un désaxé jusqu'à ce qu'il débarque, armé jusqu'aux dents, et exécute le « désir secret d'être massacrée » de sa fille. Ça, c'était si les écrits avaient un lien avec la tuerie, ce qu'il ignorait mais qu'il avait tendance à rassembler dans un tout odieux.

L'idée que l'on puisse lire une contribution ou un consentement de sa fille à son destin à travers ces écrits le révoltait.

Coincé entre ce qu'il savait et son désir d'effacer de sa mémoire tout élément qui entacherait l'image de Juliette, Guillaume avait enfoui l'enveloppe au fond d'un tiroir de son bureau. Le tiroir muni d'une serrure.

C'est à partir de ce moment que la hantise de mourir en laissant cette trace est devenue obsessive. Soudain inquiet de sa santé, jusque-là florissante, Guillaume s'est soumis à des tests à l'effort pour vérifier l'état de son cœur. Et lentement, insidieusement, l'inquiétude pour la réputation de Juliette si jamais il disparaissait s'est muée en appréhension pour sa santé, sujet dont il pouvait parler, contrairement à l'objet réel de son angoisse.

Hélène avait montré fort peu de compassion : « Comment ça, un cancer du pancréas ? D'où tu sors ça ? Fais-toi examiner si ça peut te rassurer, mais invente-toi pas un cancer parce que ta fille s'est fait tuer ! Tu sais qu'y a trois semaines, tu m'as dit que t'avais des palpitations ? Que c'était nouveau et inquiétant ? Ça va s'arrêter où, tes ennuis de santé ? Tu délires, Guillaume. T'es pas malade, tu te cherches de quoi t'occuper. Je pensais jamais te dire ça, mais trouve-toi une compagne, une nouvelle histoire de cul, mais fais de quoi ! Sors-en de la maladie ! »

C'est l'expression « histoire de cul » qui avait mis le feu aux poudres. Guillaume avait osé dire tout le mépris et la condescendance qu'il y voyait en prétendant du même coup que ce n'était pas son genre. Ce qui avait provoqué la réminiscence de quelques souvenirs amers chez Hélène qui s'était empressée de citer deux ou trois exemples frappants d'un passé pas si lointain.

La rencontre s'est achevée sur un ton saumâtre où l'image « d'homme bien qui n'a jamais profité d'une femme » que Guillaume voulait se donner — selon Hélène — en avait pris un coup.

Frustré, Guillaume avait vu dans les attaques de son ex une accusation qui frôlait la perversité et s'il y avait une chose dont il ne pouvait supporter la proximité depuis les cachettes de Juliette, c'était bien la débauche sexuelle.

C'est sur un ton bref et cassant qu'il avait suggéré de prendre une pause les samedis matins. Ce à quoi Hélène avait répondu affirmativement sans se priver d'un « ça te pesait de toute façon » plutôt acerbe.

Guillaume y avait vu toutes les bonnes raisons qui avaient entraîné leur divorce.

Hélène y avait constaté que son ex, malgré les secousses bienfaisantes apportées par la mort de leur fille, reprenait le chemin de sa malhonnêteté intellectuelle coutumière, bardée de silences accommodants.

Campés sur leur position respective, ils se sont déclarés heureux de ne pas poursuivre la discussion tout en déplorant l'attitude exécrable de l'autre.

# 61

En replongeant dans les échanges de textos entre Juliette et lui, Éloi sourit et il en a les larmes aux yeux. Tellement de folie, de fantaisie et de passion dans cette avalanche de messages ! Une chance qu'ils étaient « illimités ». Du plus sérieux au plus déjanté, Éloi est presque surpris de lire ses réponses : cette femme exaltait vraiment le meilleur de lui-même.

Une chose est sûre : personne d'autre qu'eux deux n'occupait ce réseau. Le portable à carte SIM est vierge de toute autre fréquentation que la leur.

C'est Isabelle qui a une idée pour l'aider à sortir de l'impasse : si le père de Juliette refuse de lui donner accès aux courriels, Éloi pourrait quand même le revoir et, sans jamais en parler, rétablir le contact et la confiance.

« Parce que si c'était ma fille et que je découvrais quelque chose qui peut la... je sais pas trop comment dire, la déshonorer, je me dépêcherais de faire disparaître ces preuves-là. Il le sait pas, lui, que tu es de son bord, que tu veux la même chose que lui : sauvegarder le souvenir de Juliette.

Pas tout empirer et l'exposer encore à la violence. Me semble que c'est à toi de montrer que t'es pas ton frère, mais plutôt le contraire.

— Y voudra jamais me voir. Je pense qu'il me confond avec Rock.

— Essaye ! Qu'est-ce que ça coûte ? Un café ! Mais si tu veux juste le tromper pour finir par avoir les courriels, fais-le pas. Vas-y pour le voir et lui permettre de te connaître. Franchement. »

## 62

Le texto surprend Guillaume en pleine rêverie.

Éloi

*J'aimerais vous revoir. Un café ?*

Ça tombe bien parce qu'il a aussi envie de revoir la version aimable du tueur. Parce que ce jeune homme dégage tout ce qui s'éloigne de l'enveloppe maudite. Il se promet de mettre cartes sur table et d'exclure toute allusion à ces courriels.

Mais c'est la première chose qu'Éloi lui dit : il ne veut pas essayer de lui forcer la main et de ramener des sujets désagréables entre eux. Ni son frère ni les courriels ne devraient être abordés. Il s'y engage.

Guillaume sourit : « Et comment je sais que ce n'est pas une ruse pour les avoir quand même ?

— En faisant confiance à Juliette : on a quand même été ensemble quinze mois.

— Mais ma fille ne m'a jamais présenté son amoureux de quinze mois... ça veut dire que c'est en moi qu'elle n'avait pas confiance ?

— Non ! On… on voulait pas rendre notre histoire officielle… Au début, on voulait vraiment que ça reste notre secret. Ça l'est resté. Mais elle me parlait de vous. Entre nous, y avait pas de secrets. »

Éloi constate que Guillaume fait un effort de diplomatie en taisant ce à quoi ils pensent tous les deux, la cause de la rupture.

« Et ton frère, tu lui avais quand même présenté ?

— Non, pas vraiment. Il l'a vue avec moi, pas plus. Un hasard.

— Il la connaissait pas ? Excuse, je viens de piétiner l'embargo. »

Éloi hoche la tête, dérouté : « Je peux juste vous dire que Juliette a vu mon frère une fois seulement. Et il n'a pas su qui elle était pour moi. — Il hésite — Bon, je suis en plein dans l'embargo, moi aussi. Ça va être difficile de parler librement avec nos règles… On fait quoi ? »

C'est cette franchise pas du tout méfiante qui ouvre le chemin.

Les souvenirs de Juliette font le reste.

## 63

Pour Teresa, l'amélioration de l'état d'esprit de Brigitte s'accompagne d'un sentiment d'échec non seulement injustifié, mais absurde à ses yeux. Elle a même honte de l'éprouver. Mais c'est tenace et ça la hante. Ce « déni de bonheur » lui paraît si incompréhensible qu'elle demande de rencontrer la docteure Alba Frenette, la psy qui continue à suivre sa protégée en externe.

Ce n'est pas très long avant que cette femme douée d'excellentes antennes demande à Teresa si la perspective de voir Brigitte récupérer sa liberté et son autonomie lui donne un sentiment d'inutilité. Ou si elle craint une bête rechute qui la décourage d'avance.

Devant les dénégations véhémentes de Teresa, elle demande avec douceur : « C'est comme si vous perdiez encore votre enfant, peut-être ?... »

Teresa est formelle : jamais elle n'a confondu sa fille avec Brigitte. Elle l'a perdue et n'a pas fait de transfert parental ou alors elle est devenue inconsciente de ses mobiles profonds. Non, elle ne sait pas d'où vient son… elle ne trouve même pas le mot juste pour décrire son défaut d'entrain.

« En espagnol, attendre se dit *esperar*… on dirait que je n'attends plus rien, maintenant que Brigitte va mieux.

— Aucune raison d'espérer ? De se projeter dans l'avenir ?

— J'ai toujours préféré le présent.

— Et le présent sans Brigitte qui réclame votre attention, vos soins… c'est un peu vide ?

— C'est différent. »

Alba la voit s'agiter sur son siège. Elle attend patiemment pour laisser Teresa prendre la direction qu'elle désire.

Le silence dure.

Teresa soupire et finit par se lever en déclarant qu'elle ne veut pas faire perdre son temps au docteur Frenette.

« Je vais vous dire ce qui m'inquiète, Teresa. Si Brigitte ne risquait pas d'en souffrir ou d'en être affectée, vous ne vous en feriez pas avec votre absence d'espoir. Ou d'attente. Comme si vous ne valiez pas la peine. Comme si c'était secondaire. *Esperar* veut dire attendre, mais comment on dit "désespoir" ?

— *Desesperación*. Je n'en suis pas là.

— Je sais. Mais avant d'y arriver, venez me voir. Vous avez souvent pris soin des autres dans votre vie. Et je pense qu'il faut aider les aidants à l'occasion. »

Cette courte conversation laisse une impression profonde à Teresa. C'est à la fois rassurant et terrorisant. Elle ne s'est jamais considérée comme ayant besoin de secours. Même au fin fond de la *desesperación*.

## 64

Hélène n'attend pas Guillaume. Depuis plus d'un mois, c'est le silence total et elle l'a habité en remontrances plutôt acides dans un monologue intérieur que peu d'activités dérangeaient. Obnubilée par sa nouvelle détestation, elle se vautrait dans les reproches justifiés… alors que personne ne se préoccupait d'elle ou de ses états d'âme. Et surtout pas Guillaume.

Elle trouve étrange de recevoir son appel et surtout de l'entendre lui parler calmement, presque gentiment. Dans son désert confortable, elle a moussé sa guerre intérieure et lui, au contraire, semble avoir enterré la hache. Hélène en est toute déstabilisée et son ton s'en ressent : « Qu'est-ce que tu veux, Guillaume ?

— Excuse, je dérange ton feuilleton télé ? T'aimes mieux me rappeler ?

— Dis tout de suite ce que tu veux qu'on en finisse. »

Guillaume s'attendait à une entrée en matière désagréable, mais cette hostilité l'agace. Il veut passer à la maison, à l'heure où ça ne la dérangera pas, pour chercher quelque chose dans les affaires de Juliette.

« Comme quoi ? Qu'est-ce que tu cherches ? J'en ai donné une bonne partie, dernièrement. »

Un frisson de dégoût traverse Guillaume. À croire qu'elle le fait exprès ! « Dernièrement »… évidemment, leur chicane l'a précipitée dans les affaires de leur fille. Pour trier et se prouver que c'est elle, la bonne mère, le parent compétent.

« Je peux passer quand tu seras pas là, si tu préfères.

— Au contraire. J'aime mieux y être. »

Et pour y être, elle y est ! Elle s'assoit sur le lit de leur fille pendant qu'il explore le bureau et la bibliothèque. Guillaume essaie de ne pas tenir compte de cette pression et il prend le temps nécessaire pour fouiller et ramasser les travaux, quelques livres pour donner le change et ne pas laisser Hélène croire qu'il a un but précis.

« Tu sais où est l'ordinateur, toi ?

— Chez toi, non ? Dans les affaires que t'avais ramassées à l'appartement ?

— Non. Je l'avais pas trouvé. Je pensais qu'il était ici.

— Pourquoi tu veux ça ?

— Pour rien, comme ça… Pour retrouver certains échanges que j'avais pas gardés. »

Le petit rire amer en dit long sur l'opinion d'Hélène concernant les échanges père-fille. Elle ne sait pas pourquoi son envie de le blesser est si puissante, peut-être parce que c'est tout ce qu'elle peut encore faire pour l'atteindre.

« Si c'est pas toi qui l'as, alors je pense qu'il était dans son sac à dos à la boutique et que, comme tout ce qui lui appartenait, il a été criblé de balles. Vos échanges ont disparu, Guillaume. Comme le reste. Comme elle. T'as de la misère à te faire à l'idée, on dirait. »

Il s'assoit près d'elle, découragé, la colère fondue : « C'est vrai. Penses-tu qu'on s'y fait, un jour ?
— Non. »

Dans le silence enfin sans lourdeur ni reproches, il prend sa main : « Peut-être qu'il est temps de vider cette chambre, Hélène. Peut-être que c'est ça que je suis venu faire. En finir avec avant. Et pour y arriver, faudrait vider la chambre… pas toute seule, je veux dire, avec moi.
— Quand elle est morte, quand t'es venu ici et que t'es resté avec moi pour m'aider, j'ai pensé que sa mort nous rapprocherait… que nous deux, notre couple serait comme ravivé par elle…
— Comme par magie. Comme s'il fallait que sa mort serve à quelque chose. Je l'ai pensé aussi pendant les premiers mois… parce que ça ne pouvait pas être arrivé pour rien.
— Ouais… la fameuse pensée magique. Tu sais ce que Juliette en ferait ? C'est fou de céder à ça, de lui refiler la job, pratiquement.
— On était perdus en maudit pour la déguiser en pensée magique ! — Son regard fait le tour de la pièce encore si intacte et pourtant désuète — Je sais pas ce qu'elle dirait de nous voir encore ici, assis sur son lit toujours fait, dans une chambre inutile…
— Oh, moi je le sais : *get a life !* Elle me l'a assez répété quand t'es parti. *Get a life*, maman. Reviens-en !
— Elle me l'a dit aussi.

— Pourtant…

— Faut en finir avec nos vieux reproches, Hélène… pis avec la pensée magique. Faut bouger. Vivre.

— Sortir de la chambre? Vendre la maison comme Chantal arrête pas de me répéter? Ça a l'air que tout le monde va mieux depuis qu'ils sont partis d'ici. Mais ils ont deux autres filles à s'occuper. Ça aide… Quand je pense que dans le temps, c'est notre fille qui poussait sur Carolane pour qu'elle se grouille. Ça, c'en était une qui cultivait la pensée magique! Comment une lambineuse pareille pouvait être la *best* de notre fille, tu peux me le dire?

— Les contraires s'attirent. Regarde-nous! — Il profite du sourire qu'elle lui offre — On devrait fixer un jour et une heure et le faire ensemble, Hélène. Sans broncher. Et après, tu pourras décider si oui ou non tu bouges d'ici. »

## 65

Teresa n'avait aucune intention d'aborder le sujet de Guillaume quand elle s'est assise devant Alba Frenette pour « une vraie séance ». C'est avec stupéfaction qu'elle s'est entendue parler d'un détail insignifiant alors que tant de choses importantes demeuraient tues.

« Vous pensez qu'un baiser refusé poliment peut ébranler au point de perdre son équilibre et son envie de vivre ? J'ai refusé beaucoup de baisers dans ma vie, je veux dire… pas que je suis une femme fatale, mais ça m'est arrivé d'être… sollicitée ? En tout cas, de ne pas vouloir l'intimité qu'on me proposait. Ça ne m'a jamais dérangée. D'être seule. Parce que j'étais pas seule, finalement. J'avais ma fille, Sophia. Depuis sa mort, j'avais aussi Brigitte, mais j'étais quand même seule. Vraiment seule. Quand je suis arrivée ici, dans ce pays, j'étais enceinte, mais je ne le savais pas. Je viens du Honduras. J'ai quitté mon pays avec rien, en panique. Et j'avais Sophia, mais je ne le savais pas.

« Le Honduras… c'est un pays très dur. Pas comme ici. Massacré par la violence, la pauvreté et des idées, euh… particulières. Ça pourrait être un paradis tellement c'est

beau et chaud, mais… c'est un pays dangereux et c'est pour
ça que je suis partie. J'avais dix-neuf ans. Je venais de me
marier. On cultivait un petit carré, Octavio et moi. Presque
rien! Un carré de terrain légué par son père. Mais des
gens le voulaient, ce carré. Je dis des gens… disons des
hommes d'affaires pas légales, des narcotrafiquants. Des
gens qui ont du pouvoir chez nous. Qui sont partout et
qui dirigent tout le pays. Et ils l'ont pris, le carré de terre.
Quand ils sont venus le réclamer, Octavio a refusé. Parce
que son père venait de mourir et qu'il s'est mis en tête de
défendre l'héritage. C'était stupide. Et dangereux. Personne
refuse. Personne… Alors, bien sûr, ils sont revenus. Le lendemain, ils sont débarqués avec des armes, ils ont attaché
Octavio et ils ont sauté sur moi. Devant lui. Pour qu'il comprenne et qu'il dise oui, c'est correct, prenez le terrain.
C'est quand le deuxième a eu fini qu'Octavio a crié O. K.
Ils ont craché sur mon mari en disant qu'il était chanceux
de rester en vie, qu'ils étaient bons de nous laisser vingt-
quatre heures pour déguerpir. J'ai détaché Octavio. Mais
c'était fini, il ne pouvait plus me voir… c'était impossible
pour lui de me regarder sans la honte. Il a pris ses affaires
et il est parti en me disant de retourner chez moi. J'ai été
en ville, mais seulement pour trouver un endroit où aller.
Pour fuir le plus loin possible. Parce que ma famille, c'était
inutile d'y penser. Ça m'a pris deux mois pour arriver à
organiser un départ et finir par obtenir un statut de réfugiée
au Canada. Tout ce que j'ai fait! Vous ne pouvez pas imaginer… Mais j'ai fini par arriver enfin ici. En sécurité. Chez
moi, quand un narcotrafiquant nous passe dessus, c'est notre
faute. Toujours. On n'avait qu'à donner la terre sans discuter. C'était pas un viol pour eux, seulement un moyen de

pression… Vous allez me trouver bizarre, mais quand j'ai su que j'attendais un enfant, j'ai pensé que c'était celui d'Octavio. Que j'étais enceinte avant que les deux autres… avant. C'était le cadeau d'Octavio. Et c'était mille fois plus que le terrain. Quand Sophia est née, je suis devenue riche, même si on n'avait rien. C'est un bon pays, ici, un pays calme qui nous aide quand ça va pas. Un pays généreux. Je voudrais jamais quitter ce pays parce que les gens sont gentils et aidants. J'ai appris le français et l'anglais, c'était facile pour moi. Je sais pas pourquoi, mais Sophia était douée aussi pour les langues. Elle était douée pour tout. À l'école, elle apprenait tellement vite ! Je lui ai toujours dit que son papa était mort avant sa naissance. D'une crise de cœur après une grosse journée de travail au soleil. Elle voulait qu'on aille au Honduras un jour. Voir son pays d'origine. Et moi, je disais oui, mais je savais que jamais je ne retournerais là-bas. Je lui mentais et je n'en suis pas fière, même si je ne regrette pas.

« Quand elle est morte… je sais que c'est un accident, que personne ne lui en voulait personnellement, que c'est un hasard affreux, mais un hasard quand même. Quand Octavio est parti, je n'ai pas pensé que c'était ma faute, mais la sienne seulement. Quand Sophia est morte, j'ai pensé que le Honduras me rattrapait, que les hommes qui m'avaient attaquée avaient attendu tout ce temps-là pour venir chercher leur vengeance, comme si Sophia appartenait à la violence. À leurs fusils. À eux. Comme si le bonheur d'être avec Sophia, c'était me sauver encore. Échapper au malheur. Rendre beau ce qui ne devait pas l'être. Ma fille a été tout pour moi. Elle m'a permis de continuer, d'avancer, d'être bien et de ne jamais retourner dans les souvenirs épouvantables.

Quand elle est morte, je me suis convaincue que personne ne viendrait m'attaquer, me faire encore plus de mal. Que l'histoire ne se répéterait pas. Quand j'ai su que son amie Brigitte survivait et qu'elle avait la blessure de la peur, je savais ce qu'il fallait faire. J'ai pris soin de sa peur et ça faisait taire la mienne un peu. Une peur qui est idiote après toutes ces années, je sais. Je suis une femme mûre, je n'ai plus dix-neuf ans, personne ne va venir m'attaquer. Je le sais. Mais c'était plus fort que moi. La peur, ça se raisonne pas. Plus je m'occupais de Brigitte, plus ma peur se calmait. La douceur revenait. Sans Sophia, sans les rires, mais quand même mieux qu'avec la peur affreuse que des hommes se jettent sur moi. Ou sur le corps de ma fille. L'image me répugnait, mais c'était celle-là. Et j'ai compris que j'avais honte d'avoir fui pour oublier et que j'avais gardé quand même le cadeau de mon mari, ma Sophia. Honte d'avoir profité du malheur en le rendant une consolation, un pur bonheur.

— Et qu'est-ce que le baiser refusé a fait?

— Le baiser?…

— Vous avez dit que le baiser que vous avez refusé vous avait déséquilibrée. Fait perdre pied, d'une certaine façon.

— Ah… C'est drôle d'avoir dit ça. Je sais plus pourquoi je l'ai dit. C'est sans importance.

— Après le Honduras, vous n'avez jamais embrassé quelqu'un?

— Un homme? Amoureusement? Non. J'ai embrassé Sophia comme une maman embrasse son enfant. Avec du rire dans les bisous.

— Et ça ne vous manquait pas, la sexualité?

— Non. Vraiment. Du tout.

— Vous avez dit "poliment refusé"… vous avez été délicate pour éloigner la personne, c'est ça ? C'était une sorte de refus clair, mais gentil.

— Bien sûr. Ça ne sert à rien de choquer les gens.

— Les autres fois où vous avez refusé d'embrasser quelqu'un, ça ne vous a pas vraiment dérangée ?

— Je ne m'en souviens même pas !

— Mais cette fois, c'est différent… Parce que Sophia n'est plus là ?

— Peut-être… je sais pas. Ça ne peut pas être important.

— Ah non ? Pourquoi donc ?

— Parce que ça ne l'a jamais été.

— On dirait bien que celui-là, ce baiser-là précisément avait l'air plus important que les autres. Ça se pourrait, pourquoi pas ?

— Je sais pas… je… sais pas. Non…

— Après Sophia, après Brigitte qui vous ont toutes les deux aidée à traverser des temps très difficiles, peut-être que la personne qui s'intéressait à vous vous intéresse aussi ?

— Oui, bien sûr, mais pas de façon privée. Pas comme ça. Pas… intime.

— Avec Octavio, c'était comment ?

— Oh ! C'était… on était jeunes, ça devait être correct. Je ne m'en souviens plus tellement.

— Vous l'aimiez ? Avant qu'il vous abandonne, je veux dire.

— Je sais pas trop. On était très pauvres chez moi. Il fallait que je m'arrange toute seule. Que je parte.

— Vous lui en avez voulu ?

— Non. Je savais qu'il ne pourrait jamais oublier ou passer par-dessus la honte. Les narcos aussi savaient et c'est pour ça qu'ils l'ont fait. C'était plus efficace de s'attaquer à moi qu'à lui.

— Ils vous ont violée pour le forcer à céder et après, c'était à vous de vous débrouiller ? Finalement, vous vous êtes débrouillée toute votre vie. Sans rien réclamer et en aidant les autres.

— J'ai été chanceuse. Malgré tout, j'ai eu beaucoup de chance de venir ici. D'avoir Sophia. Un travail que j'aime. Je n'ai aucune raison de venir prendre votre temps.

— C'est moi qui vous ai offert mon temps, Teresa. Vous ne me volez pas. Vous avez le droit d'être ici. Vous avez même le droit de ne pas être en forme.

— Et de refuser un baiser sans qu'on en fasse toute une histoire ?

— Aussi ! Sauf…

— Sauf quoi ?

— Sauf si cette personne qui voulait vous embrasser, c'était quelqu'un qui vous avait donné envie d'être une femme. Pas seulement une mère endeuillée. Pas une amie compatissante. Pas juste une rescapée d'une violence ancienne. Celle qui est au fond de vous, intacte, et qui n'a pas eu sa chance, elle. Celle qui est aussi vous.

— Je préférerais que cette personne reste au fond de moi. Je m'en suis passée toutes ces années. Je préfère m'en passer encore.

— Je comprends que ça vous fasse peur.

— Bizarrement, ça ne me fait pas peur. Ça me choque. Ça me dérange. Et je ne suis pas comme ça, moi. Je ne me choque pas. Je ne me fâche jamais. Alors, j'aime mieux comme avant.

— Avant quoi ?

— Le mieux, c'était avant la mort de Sophia. Mais puisqu'on ne peut pas changer ça, je dirais avant lui.

— Il a un prénom, ce monsieur ?

— Oui, mais je n'ai pas envie de le dire. »

Ce qui fait sourire Alba : « Très bien ! Qu'il reste anonyme ! Vous allez revenir me voir ? Pour qu'on calme ce que l'anonyme a dérangé ? »

Le « peut-être » de Teresa est beaucoup moins sonore que ses remerciements.

## 66

Armés d'un calme et d'une détermination inébranlables, Guillaume et Hélène vident la chambre de Juliette. Le fait d'avoir fixé un jour et une heure d'avance les a d'une certaine façon préparés à passer à l'action et, même si le travail est parfois ponctué d'un rappel triste ou d'un sanglot étouffé, ce qui reste de leur fille est à la fois beau et talentueux.

Guillaume se charge d'aller porter les boîtes de vêtements, chaussures et pièces de mobilier à l'organisme de charité qui en fera bénéficier les moins privilégiés.

C'est avec douceur qu'ils referment la porte. Fatigués, mais fiers d'y être parvenus.

Hélène propose d'aller chercher à la cave le Château Pétrus acheté à la naissance de Juliette qu'ils se promettaient d'ouvrir à la naissance du premier enfant de leur enfant alors âgée de trois jours !

« On a été présomptueux ! Faut-tu être fous… ou inconscients !

— Ou confiants ! C'est mieux que d'avoir tout le temps peur que quelque chose arrive.

— Et quelque chose arrive quand même, Guillaume.

— C'est aussi bien, sans ça, on resterait figés dans notre malheur à pleurer pour que tout recommence.

— Ce que je fais !

— Oups ! T'es sûrement soûle, toi.

— Profites-en : *In vino veritas.* »

Guillaume nourrit quelques doutes concernant le proverbe. Il se souvient que la vérité du vin l'a mené à quelques erreurs regrettables et pas plus vraies que le reste.

Il pose son verre, embrasse Hélène avec douceur... ce qu'elle s'empresse d'interpréter comme une avance.

Il s'éloigne sans brusquerie : « *Get a life*, ma belle ! »

~~~~

Est-ce parce qu'il est épuisé et passablement sonné émotivement, il l'ignore. Mais en rentrant chez lui, il décide de rappeler Hélène pour s'assurer que tout va bien.

Il saisit l'appareil fixe de la maison et appuie sur la touche de composition automatique.

Une voix jeune lui répond : « Allô !... Allô ? »

Il raccroche, troublé.

Il regarde fixement l'appareil dans sa main : il ne prend presque jamais ce téléphone.

Il n'y a que deux numéros entrés dans la mémoire de cet appareil.

Deux.

Celui d'Hélène et celui du portable de leur fille, Juliette.

## 67

Quand une Chantal confuse et volubile appelle Guillaume, il devine tout de suite ce qui vient de se passer. « L'erreur » évoquée est bien peu crédible. Il est parfaitement conscient que le téléphone cellulaire de sa fille s'est retrouvé par erreur dans les affaires de Carolane. Ou tout simplement sur le comptoir de la boutique. Il se souvient aussi de ce qu'il a qualifié de « crise de croissance » de Juliette, le jour où elle avait décidé de s'occuper elle-même de son cell plutôt que de laisser la compagnie de son père payer pour elle. Elle lui avait envoyé son nouveau numéro avec un « Merci mon papa full protecteur ! Ta grande fille. » Les parents de Carolane, certains qu'il ne remarquerait pas l'absence de l'appareil et ayant encore deux filles à élever, avaient sûrement bidouillé pour changer le numéro de carte de crédit payant les cartes SIM des deux téléphones… sans se soucier d'avertir Hélène ou lui-même.

Il fait semblant de gober tout l'improbable discours de Chantal en gardant pour lui les questions qui le taraudent… et il rappelle Anaïs, la fille de Chantal, pour la rassurer et prendre rendez-vous avec elle : il lui réserve une jolie surprise, c'est promis.

Le iPhone dernier cri qu'il pose devant Anaïs est flambant neuf. La petite qui s'attendait à devoir remettre son appareil sans autre compensation esquisse un sourire ravi.

« Han ? Vous êtes pas fâché ?... Maman m'a dit...

— C'était une mauvaise idée de te l'avoir offert sans nous le dire, mais non, je ne suis pas fâché. Celui-là vient avec plus de puissance, mais pas de reproches.

— Cool ! Marie-Ève va être en maudit ! C'est ma sœur, c'est elle qui a celui de Carolane. »

Elle fait glisser l'appareil vers Guillaume... qui tente d'accéder aux données : « T'as rien effacé ? »

Anaïs fait une drôle de tête. Elle hésite, se mord la lèvre en essayant de jauger ce qu'elle peut dire : « Ben... non. Pas vraiment. J'aurais peut-être dû...

— Quoi ? T'as lu ses messages ? Ses courriels privés ? Quoi ?

— Ben non ! J'ai pas toute lu, ben que trop long... Non, mais... j'aimerais mieux que ma mère le sache pas.

— O. K., elle saura rien. Promis. C'est quoi ?

— Les vidéos. Ma sœur en a envoyé pas mal. Sont un peu... »

Elle est presque drôle avec son air de petite futée qui épargne les naïvetés des adultes. Guillaume se demande si elle est gênée ou amusée. Il se dit qu'il aura un aperçu de ce qui intéresse les filles de vingt ans : « T'as le code ?

— Le même qu'avant. C'tait trop *nice*.

— Comment tu sais ça ?

— Carolane me l'avait dit, c't'affaire !

— O. K. Je t'écoute.

— T'es top.

— Pardon ?

— Le code, c'est "t'es top" en chiffres plus un "J" majuscule à la fin, comme sur les anciens claviers de téléphone. Vous savez… les lettres écrites sur les pitons ? Juliette, c'était "t'es top" plus "J" et ma sœur Carolane c'était "t'es trop" avec un "C" majuscule à la fin. Les chiffres qui correspondent, quoi !

— Tu me niaises ? Tu parles d'un code !

— Vous allez pas regarder ça ici ?

— Non ? Pourquoi pas ?

— Parce que ! Vous verrez ben. Attendez avant de fouiller. C'est des affaires qui regardent personne. Promis que vous parlez pas de ça à mes parents ?

— Promis. Pourquoi tu les as gardés, les messages, si c'est aussi… disons privé ?

— Ben… parce que c'est ma sœur ! C'est ses secrets avec Juliette. Vous seriez capable d'effacer Juliette, vous ?

— Non. T'as raison. Alors, c'est Carolane sur les messages privés, personne d'autre ?

— C'est des vidéos, pas jusse des messages. Pis y a d'autres choses… Vous aimerez pas ça.

— J'écoute.

— Non, non, vous verrez ben tout seul. Mais j'aime autant vous avertir : Juliette, elle connaissait le tueur. Elle… elle le connaissait très bien. Y se voyaient. Pis pas pour un *nightstand*.

— C'est son jumeau. Pas le tueur. Elle voyait le frère jumeau.

— Non… je pense que c'était lui, moi.

— Ils sont identiques. Vraiment. Dans le temps, on les confondait.

— Ah ouain ? Pis là ?

— Il a le crâne rasé plus une barbe. C'est moins évident pas mal.

— Vous le connaissez ?

— Oui. Un gars pas du tout comme son frère.

— Comme Marie-Ève pis moi, finalement. Ma sœur, elle ressemble un peu à Carolane, mais en plus énervante. Bon, comment on va faire pour que je récupère mes affaires ?

— Quelles affaires ?

— Mes jeux, mes messages, mon stock ! J'ai une vie, moi. J'ai des affaires importantes, là-dedans. Pis c'est privé, je vous ferai remarquer. Pas question que j'aie pas de cell toute une journée ! Ni que je vous le laisse. Vous allez regarder mes affaires si j'efface pas.

— T'as quoi ? Douze ans ?

— Treize. Pas rapport.

— En effet. On va juste prendre rendez-vous. Quand t'auras chargé ton nouvel appareil, demain, on fera le transfert de tes messages. Je garderai ceux de ma fille. Ça te va ?

— Je garde les deux cells pis on se voit demain ? Parfait. Euh… j'aimerais ça garder la vidéo qui dit bonne fête à Juliette. Celle de ma sœur. Je peux ?

— Je te l'enverrai… Ou on la transférera.

— Pense pas, non. Pas quand vous l'aurez vue. »

Elle est drôle avec sa face de fille qui connaît les parents et leurs limites. Guillaume est certain que Chantal et Gilles sont pénibles et loin d'être cool.

Ils prennent rendez-vous : il y a un match de *gamers* en train. Anaïs ne veut rien rater. Sans compter que le téléphone est très actif et bipe sans arrêt.

Guillaume constate que la confiance d'Anaïs en la bonne foi des adultes est extrêmement limitée et qu'elle semble considérer son téléphone comme un organe vital.

## 68

« Je suis venue vous dire que je ne reviendrai pas. Ça ne sera pas nécessaire. Ça va mieux, beaucoup mieux. Je vous demanderais aussi d'oublier ce que j'ai dit du passé... là-bas. »

Teresa est restée debout dans le bureau d'Alba Frenette, pour bien marquer qu'elle n'est plus en entretien ou pour signifier qu'elle est prête à partir une fois son message livré. Elle est inquiète et rien ne sonne moins sincère que son « ça va mieux ».

Pour ne pas l'effaroucher davantage ou avoir l'air de ne pas avoir compris, Alba lui demande des nouvelles de Brigitte.

La chape de tristesse s'efface du visage de Teresa et elle se détend, le temps de parler des progrès immenses de la jeune femme qui pense maintenant faire de la traduction à partir de chez elle, ce qui lui éviterait tellement d'angoisses.

« Qui aurait dit ça il y a seulement six mois, Teresa ? C'est un vrai miracle. Ses doigts ?

— Pas rongés du tout. Les ongles sont presque rendus au bout des doigts.

— Ça s'appelle de la résilience, ça.

— Tout le monde utilise le mot, maintenant. Pour Brigitte, je me souviens que ça la fâchait beaucoup, ce mot-là. Elle voyait ça comme l'obligation de bien aller… même quand ça va mal. Un peu comme ses parents qui lui disaient d'en revenir, qu'elle s'écoutait trop.

— Elle vous doit beaucoup. Vous pouvez être fière de vous.

— Je suis fière d'elle, pas de moi. C'est Brigitte qui a tout fait. Avec vous aussi.

— Bon ! On s'entend pour dire toute l'équipe ! »

Le regard de Teresa se fait hésitant, puis elle sourit et se dirige vers la porte. Alba était en train de se dire que c'était raté quand elle la voit se retourner pour demander avec douceur : « Pourquoi vous avez dit ça ?

— Quoi ? La résilience ?

— La femme… l'autre au fond de moi qui voudrait sortir.

— C'est juste une façon de parler, pour dire qu'on n'est pas taillé d'un seul bloc, qu'on a des contradictions qui peuvent nous embêter…

— Si c'est vrai, j'aime pas cette femme-là. Je la veux pas.

— Parce qu'elle vous contrarie ? Qu'elle n'est pas vous ?

— Elle est fâchée. Je sais pas comment dire autrement… Elle n'est pas moi. J'ai discuté dans ma tête la réaction de l'ami qui voulait m'embrasser. Ça me faisait me chicaner pour prouver qu'il avait tort. Je suis pas comme ça, moi.

Je ne m'engueule avec personne. Jamais. Je ne crie pas, je ne me fâche pas. Je ne sors pas des grands raisonnements qui remettent l'autre à sa place. Pas moi !

— Vous savez, Teresa, quelqu'un m'a dit un jour qu'elle ne pleurait jamais. Et je savais qu'elle éprouvait une immense peine, même si ses yeux restaient secs. Une anorexique m'a dit mille fois qu'elle n'avait pas faim, et je sais qu'elle voulait contrôler ce qui entrait dans son corps, peu importe la douleur qu'elle ressentait. Cette douleur était toujours moins grande que celle de se sentir si peu elle-même. Vous avez parfaitement le droit de ne pas vous occuper de votre colère, Teresa, mais elle est là. Ce n'est pas nécessairement de la destruction ou quelque chose de malsain. Ça peut même être légitime, sensé. Mais, si vous l'ignorez, elle va vous dévorer. C'est toujours comme ça avec les émotions : plus on les ignore, plus elles nous dévorent.

— Et si je ne veux pas ?

— Vous en occuper, ça ne veut pas dire y céder. Ou devenir quelqu'un que vous n'aimez pas.

— Devenir ? Qu'est-ce qui vous dit que je ne le suis pas déjà ? Juste de la colère déguisée en gentillesse ?

— Brigitte. L'amour que vous lui avez donné. Sophia. Si vous ne vous aimez pas un tout petit peu, je me demande où vous auriez pris l'amour que vous avez offert sans jamais calculer, sans aucune mesquinerie. »

Elle est déroutée, Teresa… elle hoche la tête, dépassée. Incapable de faire le tri dans le tourbillon d'émotions qui l'habitent.

Elle part après avoir encore une fois remercié Alba.

## 69

La vidéo est osée. Très. Explicite. Si Carolane n'était pas si jeune et pleine de fougue, ce serait à la fois pornographique et vulgaire.

Presque nue, très exposée, elle a adapté une chanson qui était très à la mode il y a deux ans. Elle a réécrit les paroles pour exprimer à Juliette son désir, son amour, sa fidélité absolue... bref, une déclaration sans fard. Le genre de choses qu'on doit tellement regretter des années plus tard, voilà ce que pense Guillaume. Il essaie d'imaginer la réaction scandalisée qu'aurait Hélène, son incrédulité... et il comprend les réserves d'Anaïs.

Il regarde cette jeunesse dans tout l'éclat et la gaucherie de ses vingt ans ou presque. Ni elle ni celle pour qui elle exhibe ses atours ne sera plus jamais là à rire et à niaiser.

Dans les textos entre les deux filles, ce qui revient le plus souvent est le « T où ? » de Carolane. Une vraie espionne ! Toujours à vouloir savoir où est Juliette, quand elle revient, ce qu'elle fabrique...

Sa fille a des réponses laconiques : « Heu... » « Tantôt ». « Tel ».

« Heu » doit signifier qu'elle est occupée, probablement avec Éloi. Mais il ne trouve pratiquement rien concernant le jeune homme et sa fille. Ils sont discrets et même secrets en comparaison de Carolane. Ou alors, tout a été effacé.

Rien de Joy ou de Temptation.

Le dernier jour de sa vie, un échange acrimonieux entre Éloi et Juliette l'intrigue. L'amoureux de sa fille a ce petit ton menaçant des contrôlants. Comme s'il voulait reprendre leur relation en l'accusant et en faisant des reproches. Comme c'est le seul échange que sa fille a conservé… Guillaume est troublé.

E- *Menteuse! J'ai vu!*

J- *Quoi? Pas vrai! Lâche-moi!*

E- *You bet! Jamais!*

Ce n'est pas très dommageable, mais si sa fille les a gardées, ces lignes, alors qu'elle a effacé les autres… Mais peut-être qu'elle n'a pas eu le temps de les effacer parce qu'elle est tombée quoi, quelques heures après. Ça ressemble à du harcèlement qu'on fait quand on est quitté et qu'on refuse le verdict de l'autre.

Ça embête Guillaume de devoir interroger Éloi sur la cause de ce « menteuse ». Tout d'abord, il a appris à apprécier cet homme qu'il rencontre régulièrement maintenant. Et puis, s'il pose la question, Éloi saura qu'il a mis la main sur le téléphone ou l'ordinateur de sa fille… et qu'il le lui a caché puisqu'un des éléments de leur entente, c'est qu'ils se parlent amicalement, sans essayer de fouiller le passé auquel on ne peut rien changer.

Guillaume se sent perfide de dissimuler sa découverte et, puisque rien ne vient corroborer les soupçons qu'il avait sur les liens du tueur et de Juliette, il décide de jouer franc-jeu à la rencontre suivante avec Éloi.

Malgré tout, même si la confiance gagne doucement entre eux, il observe la réaction d'Éloi avec une extrême attention en lui révélant qu'il a récupéré le téléphone de Juliette.

« Quoi ? Vous l'avez ? »

Éloi tend déjà la main sur la table. Il a l'air nerveux, mais ça peut être l'excitation qu'il ne dissimule pas.

Guillaume explique qu'il ne l'a pas apporté, que sa décision de lui montrer le cellulaire n'est pas encore prise.

Éloi recule presque sous l'insulte : « Vous pensez encore que j'ai quelque chose à voir avec ce qui est arrivé ? Vous vous méfiez ?

— Non, c'est pas ça, Éloi. C'est… c'est sa vie à elle, tu comprends ? Ses affaires, ses secrets… ses rapports avec d'autres personnes que toi.

— Justement ! On va enfin savoir c'est qui le Temptation !

— Non. Y a rien d'un quelconque Temptation ou d'une Joy. Ou vice versa. Rien.

— Vous êtes sûr ? Ça se cache vous savez…

— J'ai regardé, qu'est-ce que tu penses ? J'ai fouillé… et je me suis senti indiscret. Déplacé. J'aime pas ça, Éloi.

— Et si je regardais devant vous, juste pour vérifier qu'on ne vous a pas joué un tour. Vous le reprenez tout de suite après. Je l'aurai pas une minute sans vous.

— Tu me prends vraiment pour un *low-tech*, han ?

— Ben… »

Quand Éloi sourit, Guillaume comprend tellement le charme fou que sa fille trouvait à cet homme.

« Je veux y penser encore un peu, Éloi. Ça contient quand même des secrets, c'est personnel, un téléphone. Intime... »

Éloi a l'air d'être d'accord, mais de toute évidence, il cherche de quelle intimité parle le père de son amoureuse. La nature de ce qu'il a vu. « Carolane ?

— Pardon ?

— C'est la vidéo des vœux de Carolane que vous voulez pas que je voie ? Sa déclaration d'amour limite porno ?

— Ben... c'est arrivé pas si longtemps avant votre rupture... Je savais pas du tout si Juliette avait des tendances.

— My God ! Vous pensez que Juliette est partie pour Carolane ? Ben voyons ! Jamais de la vie ! On l'a vu ensemble, son numéro d'amoureuse effeuilleuse. Juliette avait pas d'attirance, même si elle aimait son amie. C'était délicat parce qu'elle voulait pas la blesser, mais elle pouvait pas coucher avec elle pour essayer ou juste pour la consoler.

— Tu le savais ?

— Ben oui, c'est sûr. Carolane la voyait dans sa soupe, Juliette. Elle se mourait pour elle et rien que pour elle. Quand on était ensemble, Carolane finissait toujours par nous déranger à force de texter. Une insécure finie... mais sa vidéo, c'était comme se jeter à l'eau pour elle. C'était... queque chose ! Juliette m'en avait promis une pour mon anniversaire. S'cusez, vous voulez pas savoir ça.

— Disons que j'aime mieux pas l'imaginer. Mais elle l'a pas fait ?

— Ben non : on n'était plus ensemble.

— C'est pour ça que tu l'as traitée de menteuse ? »

Si Éloi fait semblant d'être incrédule, c'est un grand acteur. Il ne comprend vraiment plus de quoi parle Guillaume : « Moi, ça ? Menteuse ? Impossible ! Quand ça ?

— Le jour de sa mort. »

Il voit Éloi tenter frénétiquement d'organiser sa pensée. Il est presque paniqué. Son regard devient fou à force de chercher à donner un sens à ce qu'il apprend. Il pose ses deux mains à plat sur la table, comme pour se calmer, se forcer à rester efficace.

« O. K., le jour de sa mort, moi, j'aurais écrit... quoi ? courriel ? texto ?

— Courriel.

— O. K... pour dire à Juliette qu'elle m'a menti, c'est bien ça ?

— Oui.

— Rien d'autre ?

— Elle a répondu que non, que tu lui laisses la paix.

— Ah oui ? Et lui, il a dit quoi ?... Il a dit quelque chose, non ?

— Qui ça, lui ? C'est toi !

— Non. C'est mon frère.

— C'est ton nom, ton adresse courriel !

— Facile à tricher. Hyper facile, même. Surtout pour lui. Avez-vous bien regardé l'adresse ? Mon frère en a pris 4-5 bâties à partir de mon nom pour me faire chier. Genre : Eloinmarcoux quand j'suis parti. Ce que vous comprenez pas, c'est que j'ai jamais communiqué avec Juliette sur cet appareil. On avait le nôtre. Privé. Secret. À cartes, pour justement éviter ce qui est arrivé. On appelle ça un *burner*. Même si on se parlait plus, elle savait que je me serais pas risqué sur le courriel. Jamais.

— Pourquoi y aurait fait ça ? Y avait déjà Temptation.

— Pour la tromper, pour lui faire peur, pour me manipuler en mettant ce qu'il allait faire sur mon dos… je l'sais pas !

— Attends, je comprends rien…

— Y faut que je voie ce téléphone-là, Guillaume ! Le jour de sa mort… Ça veut dire qu'il a écrit ça, "menteuse", alors que son style à lui est pas mal plus raide, qu'elle a répondu alors qu'elle savait que ce n'était pas moi et après… après…

— Il est allé la tuer. »

## 70

Isabelle en a raté ses escalopes! Pour une fois qu'Éloi accepte de venir manger avec eux, les dernières nouvelles l'ont tenue un peu trop loin de la cuisson. Heureusement, les deux convives s'en fichent un peu — ils n'ont d'appétit que pour la vérité qui prend forme. Rock aurait harcelé Juliette avant d'aller la tuer. Ce n'est plus une tuerie sauvage contre des féministes qui pourrissent la vie des hommes, c'est une attaque ciblée qui a fait des victimes collatérales.

Jules est partisan de tout enterrer, maintenant qu'ils savent ce qui en est. Isabelle croit qu'il faut «étoffer et ajuster le dossier de Rock» avec ces données qui ne feront pas rouvrir le procès, mais qui seront essentielles à la première demande de libération conditionnelle.

Elle est convaincante: «Vous ne voulez quand même pas laisser ce gars-là venir tuer Éloi à sa première sortie de prison? Ben quoi? Y va sortir un jour! Pas maintenant, mais un jour. S'il a tué trois personnes pour se venger de toi, Éloi, si c'est toi qu'il visait en tirant, c'est sûrement pas pour venir te taper dans le dos dans vingt-cinq ans. Y est probablement fêlé, mais y est dangereux et ça devrait figurer à son dossier.»

Éloi ne dit rien. Il réfléchit furieusement depuis qu'il a eu accès au téléphone de Juliette. En cherchant, il y a débusqué trois courriels Joy/Temptation et les « faux-Éloi » que sont les dernières lignes échangées. Son frère a traqué Juliette, il l'a manipulée, harcelée, écœurée — il lui a envoyé des courriels salaces où ses fantasmes de punition des femmes s'alliaient à ceux qu'il projetait être « sa vraie envie de salope ».

Il ne comprend pas. Il ne comprend plus. Juliette a eu l'air de laisser faire, de permettre ces mascarades tordues d'une sexualité tellement masochiste qu'il en est perturbé. Jamais il n'avait soupçonné la moindre tendance déviante chez elle. Et là, il découvre un « jeu » insupportable qu'il n'a même pas pu lire en entier.

« Toi, Isabelle, t'en as vu des fêlés, des malades dans tête… comment y a fait pour que Juliette marche là-dedans ? Pour la corrompre au point qu'elle se ressemble plus du tout ? Qu'elle devienne ce qu'elle n'a jamais été, une sorte de… victime consentante qui se laisse maltraiter sans rien dire ?

— La menace. Il lui a fait peur, c'est sûr.

— Mais Juliette avait peur de rien ! Tu le sais, Jules… Notre mantra, c'était "Le magma ne me menace pas". Rien, même pas l'amour nous menaçait. Rien lui faisait peur.

— Y a raison, Isa, c'était pas le genre de fille carpette qui te laisse faire ce que tu veux. Elle avait du répondant et elle se laissait pas marcher sur les pieds.

— Attendez, les gars ! Parce que c'était pas une peureuse, y faudrait qu'elle ait dit à Rock "va te faire voir avec tes histoires de cul tout croches" ? Vous savez pas c'est quoi, le harcèlement ? Éloi ! Réveille ! C'est ton frère, combien de fois tu t'es tassé pour le laisser faire à sa tête au lieu d'argumenter ? T'es pas exactement ce qui s'appelle une carpette me semble.

— C'est pas pareil…

— C'est vingt fois plus fort, mais c'est pareil. La même base. Ton frère a jamais accepté d'être contrarié ou mal traité. C'est un pervers qui rêvait d'une seule chose : mettre les femmes à genoux devant lui, les contrôler, les humilier pour compenser ses grandes déceptions dans l'existence. C'est pas vrai, ça ?

— Isa, crisse, on parle de prendre un AK-47 et d'aller dans une boutique descendre tout le monde ! J'ai toujours pensé que si y avait eu quatre gars dans la place, il les aurait descendus aussi.

— Probablement. C'est vrai.

— Bon, alors on va arrêter sa petite imitation antiféministe à la Lépine. Ce qu'il voulait, c'est elle, mon amoureuse.

— Parce que c'était ton amoureuse ? Parce qu'elle était à toi plutôt qu'à lui ? Dans son esprit, je veux dire… »

Jules n'aime pas du tout le chemin que prend la conversation : « Isa, arrête un peu. On en a parlé mille fois de ça. C'est non. Pour la simple raison que Juliette avait rompu. Elle n'était plus avec toi, Éloi. C'était fini. »

Isabelle se tait et laisse Éloi réfléchir. Il repousse son assiette à moitié pleine et finit par dire ce que la jeune femme espérait entendre.

« Elle m'a laissé pour lui. Pour lui obéir, je veux dire. Parce que c'est ça qu'y voulait : que je me fasse humilier. Mais j'étais pas humilié. J'étais… malheureux. Juste malheureux. Pourquoi elle a fait ça au lieu de m'en parler ? »

Isabelle soupire parce qu'avoir raison ne lui plaît pas tellement : « Par amour, probablement. Pour te protéger. Il a sûrement sorti l'artillerie lourde et il l'a convaincue que la menace était réelle et que c'est toi qui souffrirais. Il l'a manipulée d'aplomb.

— O. K., disons que c'est ça. Pourquoi elle m'a rien dit ? Je le connais, moi, j'aurais pu lui expliquer la sorte de maniaque qu'il est. J'aurais fait quelque chose si elle me l'avait dit ! Si je m'étais seulement douté…

— C'est pas vous autres, tantôt, qui disaient qu'elle avait du *guts* ? Qu'elle avait peur de rien ? Ben tu l'as ta réponse : elle a pensé qu'elle avait les moyens de le bloquer toute seule.

— Pas d'allure, ça ! Elle pouvait quand même pas coucher avec lui pour m'épargner !

— Pas besoin. Tous ces courriels-là de "je te fais mal pis t'aimes ça", "j'te piétine pis t'endures !", c'est ça que ton frère voulait. Penses-tu qu'y avait envie de se retrouver devant elle en chair et en os et de pas bander ? L'insulte suprême ! Sans compter qu'elle aurait pu comparer ses talents sexuels avec les tiens. Pas le genre de comparaison que ton frère avait envie de vivre. Y est fou, mais pas assez pour risquer qu'elle l'humilie. Alors que te démontrer un jour son degré d'abjection avec sa belle collection de courriels, ça, c'était le but visé. Te montrer que tu te trompais avec elle comme avec toutes les femmes. Y a eu exactement ce qu'il cherchait.

— La torturer ?

— Je pense pas, non. Elle, c'était son vecteur vers toi. C'est toi qu'il visait avec sa collection de cochonneries. Te faire souffrir, toi. T'atteindre, te contrôler, te montrer c'est qui le maître. C'est toi son obsession, toi qu'il a visé à travers elle et rien que toi. Y s'en fichait d'elle, tu le vois pas ? Même quand il l'a tuée, je suis désolée de le dire Éloi, mais c'est encore toi qu'il voulait attaquer.

— Je pensais jamais qu'il m'haïssait autant…
— Le pire, c'est que lui doit appeler ça de l'amour.
— Charrie pas, Isabelle ! »

Éloi se tait, troublé, dérangé par l'ampleur des réactions de Rock. Il a envie de le tuer, il se demande si le confronter et lui dire à quel point il le hait, à quel point il ne lui pardonnera jamais…

Isabelle suit presque le cours de ses pensées et elle le met en garde contre une confrontation impulsive : « Oublie pas que tout ce que ce gars-là attend depuis le 21 avril, c'est ta réaction. Si tu y vas, tu lui donnes ce qu'il espère, et ce que Juliette a fait pour te protéger tombe à l'eau. Il gagnerait. Tu veux pas ça, Éloi…

— Non, évidemment… mais c'est tellement, tellement… ça me dépasse ! »

Jules est aussi soufflé que son ami : « Un petit moratoire, qu'est-ce que vous en pensez ? Le temps d'assimiler ce qui a pu se passer dans sa tête et de pas faire l'erreur de lui donner ce qu'il veut ? Disons une bonne grosse semaine ? »

Isabelle et Éloi lui accordent qu'ils ont besoin de temps.

# 71

Le jour où Guillaume a remis le cellulaire de sa fille à Éloi, un immense sentiment de soulagement l'a envahi. Il n'était plus détenteur de preuves ou d'éléments concernant la mort de Juliette. Et il ne voulait plus rien avoir à faire avec le double d'Éloi. Quand celui-ci lui a confirmé que l'échange Joy/Temptation était bel et bien en partie caché dans l'appareil, Guillaume n'avait eu qu'une question : est-ce que la petite Anaïs avait eu accès à ces mots ?

« Je pense pas, non. Fallait chercher et savoir ce qu'on cherchait. Ce qu'elle a comme problème, votre Anaïs, c'est le temps qu'elle passe à jouer, à texter, à niaiser sur le téléphone… et ses excursions du côté des *queers* et dans la *softporn* lesbienne. La vidéo de sa sœur Carolane à Juliette, elle l'a regardée pour la peine, laissez-moi vous le dire. Et c'est pas rien que ça qu'elle a regardé…

— Tu veux dire que… qu'elle est…

— Disons qu'elle aurait les mêmes tendances homosexuelles que sa sœur, oui. Ou alors, beaucoup de questions sur la sexualité. Pas facile, à treize ans ! En tout cas, si c'est pas son orientation, ça l'intéresse en maudit. Pas grand stock hétéro dans ses recherches.

— Carolane… elle savait que Juliette et elle, c'était pas possible ?

— Elle savait que tout était possible, sauf le sexe. Juliette… vous le savez comment elle était ! Jamais elle aurait fait marcher son amie, même pour lui faire plaisir.

— Y a rien qui la choquait là-dedans ?

— Non. Pourquoi ?

— Toi non plus, ça t'a pas choqué ? Dérangé un peu ? Achalé ?

— Ben non ! C'est pas comme avant, le sexe. On essaye ce qu'on veut si on en a envie, pis ça finit là.

— Excuse-moi, mais t'as tout essayé, toi ? »

Guillaume voit Éloi faire une drôle de tête. Il n'est pas gêné, plutôt indifférent.

« Moi, j'ai jamais été ben compliqué : avant Juliette, je baisais. Des filles. Juste des filles. Parce que c'est ça qui me tentait. Je veux dire, les gars, ça me dit rien sexuellement et je leur dis rien. Pour les filles, j'étais pas particulièrement gentil. Je voulais pas qu'elles s'accrochent ni qu'elles m'envahissent. J'avais un petit côté territorial aigu. Avec Juliette… quand elle est arrivée, je suppose que c'est ça, le match parfait. Après elle, j'ai jamais regardé personne d'autre parce personne d'autre aurait accoté ce qui se passait avec elle.

— Et c'était pareil pour elle…

— Exactement. Le match parfait, ça marche des deux bords. Sinon, ça existe pas.

— Et… excuse-moi, mais Carolane et ses désirs, ça la gênait pas, ma fille ? Elle l'encourageait ?

— L'encourager ? Vous voulez dire ne pas la décourager ?

— Genre…

— Tout ce qu'on voulait pour elle, c'était qu'elle trouve son match. Qu'elle soit heureuse avec ses goûts sexuels. Y avait pas juste Juliette pour ne pas la juger, mais elle avait peur de ce qu'on dirait d'elle. Tripper sur Juliette, c'était sa façon de vivre à fond ce qui l'épeurait. Carolane s'imaginait que personne pouvait surpasser Juliette ni comme amie ni comme amour. »

Guillaume a envie de lui dire que lui aussi, il semble incapable de croire que quelqu'un puisse remplacer Juliette un jour : « Y a quelqu'un dans ta vie, Éloi ? »

Le jeune homme hoche la tête, il n'a pas envie de parler de sa vie non amoureuse avec « le beau-père », et il le lui dit. Ce qui fait bien rigoler Guillaume.

« Alors, voici l'avis du beau-père, Éloi : ma fille aurait détesté être un match assez parfait pour te priver de plaisir le reste de tes jours. J'ai dit à la mère de Juliette *"get a life"* dernièrement. Fais ça : *get a life*. T'es trop jeune pour pas en avoir.

— Sauf que votre ex-femme a pas une sœur jumelle qui est venue vous descendre.

— Non, c'est vrai… Je ne connais rien aux jumeaux, mais ton frère, c'est ton frère et toi, c'est toi. Lui est en prison. Toi ? Vas-tu rester dans une sorte de prison pour expier ses erreurs à lui ? Je vais te dire quelque chose, Éloi. La première fois que je t'ai vu, j'ai eu du mal parce que j'avais l'impression d'être devant l'autre, celui que j'ai pas lâché des yeux pendant le bout de procès qu'on a eu. Puis tu t'es imposé, toi. Vraiment toi, et ça a pas été long. Je n'étais plus troublé par la ressemblance parce que plus je te connaissais, moins tu y ressemblais. Pas seulement dans ta tête, mais aussi ton allure. J'ai de l'amitié pour toi. J'aime quand on prend un café ensemble, quand on discute. Et c'est pour toi. Pas en mémoire de ce que tu as représenté pour ma fille. Pas pour rallonger la vie trop courte de Juliette. Pour toi. Alors si moi, le père de Juliette, son plus grand fan et son admirateur infini est capable de te voir toi et non pas ton tueur de frère, tu devrais y arriver. »

Stupéfait, Éloi demeure muet. La gorge nouée, il fait oui de la tête. Il n'est pas certain d'y parvenir parce que ses découvertes le remplissent d'une violente amertume. Mais cet homme qui ne lui doit rien, cet homme qui a perdu sa fille adorée aux mains de son frère, il lui montre quelque chose qu'il n'avait encore jamais rencontré : un respect affectueux et compréhensif.

## 72

Moratoire ou pas, Isabelle Faguy se donne le droit de retourner chez son mentor pour parler des informations supplémentaires qu'elle a obtenues et surtout, pour obtenir un avis éclairé sur la marche à suivre. Son ancien professeur Stéphane Grenier l'écoute avec intérêt... et comprend vite que des liens se sont tissés entre les témoins et cette jeune femme.

Elle répond franchement aux questions directes qu'il lui pose, elle ne cache rien de ses liens amoureux avec Jules, le meilleur ami du frère de l'assassin.

« Est-ce que c'est pour ça que l'affaire vous intéresse tant ? Parce que vous connaissez les gens impliqués ?

— Impliqués... je dirais pas ça. Ce sont des gens touchés par la tuerie. Pas impliqués au sens d'acteurs principaux. Ce que je comprends maintenant, c'est que le frère jumeau était la première personne visée par le tueur.

— Mais le seul épargné ?

— Oui. Je dirais que c'était pour lui faire comprendre quelque chose.

— Sacrifier trois vies humaines pour faire comprendre quelque chose à son frère ? Il n'y allait pas de main morte.

— C'est un peu comme si trois vies, ça comptait pas vraiment pour lui.

— Ça serait donc un psychopathe, vous pensez?

— C'est surtout que c'était des vies de femmes. Ce qui, à bien y penser, l'empêcherait pas d'être aussi un psychopathe. Je sais pas trop comment il a organisé ça dans sa tête. Ça vaut la peine de fouiller un peu, non?

— Il a pris quoi, votre jumeau psychopathe?

— À vie. Vingt-cinq ans avant la première demande.

— Ce qui va lui faire…

— Quarante-huit ans.»

Grenier émet un sifflement: «Pas vieux… Si y apprend rien — et un psychopathe n'apprend généralement rien, on le sait — il aurait le temps de faire encore des dégâts.

— Moi, je pense surtout à son frère Éloi sur qui il focusse pas mal. Une des filles qu'il a tuées, c'était l'amoureuse d'Éloi.

— On en avait parlé à l'enquête, non?

— Oui, mais on savait pas tout. Comme si c'était une vague amourette finie depuis un bout.

— Vous voulez faire quoi, Isabelle? Rouvrir une enquête qui a quand même été conclue par une décision équitable où on ne s'est pas trompé de coupable puisque l'accusé a changé son plaidoyer.

— Non… je voudrais visionner les interrogatoires, étudier l'affaire. Pour voir si, maintenant que je sais mieux comment il fonctionne, ça confirme ma théorie.

— Et votre théorie, ce serait…

— Que le vrai meurtre qu'il cherche à faire, c'est celui d'Éloi, son frère jumeau. Il ne veut pas qu'il ait une vie à lui.

Si son frère n'est pas avec lui, s'il ne peut pas vivre à travers son frère, alors il devient violent et préfère le détruire. Je sais pas si c'est psychopathe, mais je suis sûre que c'est malade.

— Il a quand même vingt-cinq ans pour se faire à l'idée que son frère a une vie à lui. Votre ami, le frère, il pense quoi ?

— Y a du mal à le croire.

— Cherchez-vous des preuves pour le convaincre ?

— Peut-être… c'est quand même notre devoir de protéger les gens.

— Des méfaits qui sont commis, Isabelle, pas de ceux que l'on redoute. Parce que, si on va par là, on n'a pas fini ! Vous vous rendez compte que votre affection pour cet Éloi rend votre zèle un peu suspect ? Ce qui était le cas la première fois que vous m'en avez parlé, d'ailleurs.

— Je sais ben ! »

C'est cet aveu franc et un peu découragé qui plaide en sa faveur. Grenier propose une sorte de dossier complémentaire à rédiger pour étoffer la cause et qui servira en même temps d'exercice pour l'enquêtrice qu'elle veut devenir. Le rapport écrit qu'elle lui remettra sera bien évidemment corrigé et évalué comme un stage particulier sous sa supervision.

Isabelle grimace : « Écrit ? »

Grenier ne bronche pas : « Exactement ! Et dites-vous que le rapport écrit est un des outils les plus importants du travail d'enquêteur. Je vous lis et je vous corrige, c'est le *deal*. Partez avant que je change d'idée. »

## 73

Les mercredis soirs sont mortels chez Jean-Daniel et Ginette Marcoux. La rituelle visite du mercredi à la prison n'est pas qu'épuisante physiquement. Elle sape le moral des parents pour au moins trois jours. Si Jean-Daniel ajoute à cela la nervosité qui l'étreint deux jours avant d'aller visiter leur fils, il ne reste guère que deux jours vivables dans la semaine. Il préférerait de beaucoup doubler les heures de travail supplémentaire qui lui permettent de prendre son mercredi après-midi de congé.

Mais, pour Ginette, ce pèlerinage est inaltérable et indiscutable : ils le doivent à leur fils délaissé de tous et surtout de son frère Éloi.

Petit à petit, à mesure que le temps passe et que le discours de Rock n'est contredit par personne, Ginette réécrit le passé en rendant Éloi fortement responsable des « écarts de conduite » de Rock.

Jean-Daniel ne répond pas à ses arguments, de peur de rendre leur vie intolérable. Ils se sont tellement engueulés déjà, et cela n'a servi à rien d'autre qu'à épaissir le silence entre eux. Il s'aperçoit que Ginette ne renonce pas à excuser Rock, mais du moins a-t-elle arrêté d'essayer de le convaincre.

Dans l'océan d'aigreur rentrée qu'est devenue leur vie, Jean-Daniel ne peut qu'être reconnaissant de cette trêve, si mince soit-elle.

Aussi, sa surprise est-elle totale quand Ginette, après un souper avalé en silence, lui apprend qu'elle a un plan pour aider Rock. Il n'en croit pas ses oreilles : « Aider comment ? »

En rétablissant la vérité, rien de moins. En rétablissant l'ordre et l'importance des choses. En racontant ce que Rock a enduré, souffert de la part de son frère. En donnant enfin le point de vue de Rock et en démontrant sa souffrance devant le comportement sadique de son frère qui a non seulement refusé d'assister à ses comparutions, mais qui n'est jamais allé le visiter en prison.

Jean-Daniel n'est pas loin de la syncope : « Et tu vas faire savoir tout ça comment ? »

Elle sort une carte de visite d'un tiroir de la cuisine : « Lui ! Il va écrire un livre sur Rock. Un vrai livre. Je lui ai parlé et il comprend l'intérêt, lui ! Rock va l'aider aussi. Si tu veux pas lui parler, c'est ton affaire, mais je lui ai fourni du matériel et j'ai l'intention de continuer. Je suppose que tu seras pas d'accord, mais ça empêchera rien.

— Es-tu folle, Ginette ? Tu vois pas que ce… journaliste veut exploiter notre histoire pour faire de l'argent en étalant de faux scandales privés sur la place publique ? La vérité ! C'est ça que Rock va lui dire, tu penses ? La vérité de Rock, c'est que c'est la faute de tout le monde sauf la sienne !

— Pas du tout : il m'a promis un pourcentage des ventes du livre. On va pouvoir aider Rock avec ça.

— Tu verras jamais la couleur de cet argent-là. Te rends-tu compte que tout ce que tu vas faire, c'est accuser Éloi pour soulager Rock ?

— Y avait rien qu'à aller voir son frère ! Rock demande rien que ça ! C'est rendu que demander pardon serait une mauvaise chose ? C'est tout ce qu'il demande, son pardon. Rock regrette, tu sauras. Si c'est pas une amélioration, ça, je me demande ce que ça te prend !

— On va pas recommencer, Ginette ? C'est de la grosse manipulation, son histoire de pardon. Tout ce que Rock veut, c'est qu'Éloi vienne le voir. Et ce livre-là, c'est encore un truc pour piéger son frère. La vérité ! Si tu t'intéresses à la vérité, Ginette, c'est moi qui ai demandé à Éloi de ne plus jamais approcher son frère. De partir, de s'exiler s'il le faut, mais de vivre sa vie en nous oubliant, nous autres avec nos erreurs de parents inconscients et minables.

— Ah oui ? Et depuis quand Éloi obéirait à quelqu'un ? Y s'est toujours sacré de nous autres ! Reviens-en avec notre responsabilité. C'est lui, le menteur. Et je me priverai pas de le dire. Pense ce que tu veux. Et, juste pour rester dans ta fameuse vérité, ça se pourrait aussi qu'Éloi te manipule. Faudrait peut-être que tu te poses la question. Y a pas juste un côté à une médaille. Je te laisserai pas faire de Rock le méchant. »

Inutile d'argumenter, Jean-Daniel se tait. Pour lui, cette discussion absurde fait partie des effets néfastes du véritable problème : Rock. Comme il ne peut ni interdire l'accès aux visites à Ginette ni la museler, il se tait et essaie de trouver un plan B.

En fouillant sur Internet, il découvre que Justin Levasseur est un obscur apprenti journaliste qui court les drames pour les décrire aux lecteurs assoiffés de sang — qu'il décrit plutôt de « lecteurs avides de vérité » — de son blog. En fait, en poursuivant ses recherches, Jean-Daniel s'aperçoit que le gars est blogueur plus que journaliste. La profession dont il décore pourtant sa carte de visite est une sorte d'approximation dont il semble coutumier. Il se présente aussi comme un enquêteur déterminé à « dévoiler les dessous des affaires judiciaires les plus marquantes ». Évidemment, ses prétentions ne sont prouvées par aucune appartenance à la Fédération professionnelle des journalistes du Québec, et ses méthodes pour parvenir à ses fins « journalistiques » sont aussi secrètes que les codes d'accès à Fort Knox.

« Les frères ennemis », voilà le titre alléchant qu'il donne à son prochain blog relatant une enquête menée auprès des acteurs principaux de la fusillade du 21 avril 2018.

« Du vrai. Du croustillant », voilà l'alléchante promesse qui figure à côté du titre.

Pour Jean-Daniel, ça ressemble à du sensationnalisme lié à un ramassis de demi-vérités à la Rock. Comment cet homme peut-il annoncer une telle enquête sans avoir encore parlé à quiconque ? En a-t-il seulement le droit ?

Jean-Daniel doit parler à Éloi.

## 74

Isabelle reçoit rarement des appels d'Éloi. Elle répond donc précipitamment et trouve son ton soucieux : « Je pense que le moratoire vient de finir, Isabelle. Connais-tu ça, toi, un certain Justin Levasseur ?

— Ah non ! Pas vrai ! Dis-moi pas qu'il te court après ? Chez nous, on l'appelle le mange-marde. Y se prend pour Claude Poirier ou pour Hercule Poirot, mais y a pas l'ombre d'un talent. C'est le genre qui cherche toujours la petite partie de l'histoire qui sent pas bon, le côté sordide. C'est le plus grand emprunteur de textes que je connais. Il copie des paragraphes entiers d'enquêtes sérieuses, y ajoute deux ou trois bonnes menteries qui ont l'air probables ou qui font son affaire pour épicer ça, et il présente le tout comme la vérité enfin mise à nu ! Une plaie. Y veut quoi ?

— Faire un livre sur Rock. Avec la collaboration de ma mère. Et il me court après pour avoir ma version. Je l'envoie chier ou j'essaie de le raisonner ? Mon père est pogné là-dedans. Y a l'air d'un fantôme tellement y a maigri et je pense que ce gars-là, Levasseur, va réussir à l'achever.

— Personne va éditer cet épais-là ! Y va faire son blog, mais… t'as raison, ça peut faire du tort.

— Regarde, je veux juste que mon père en crève pas. Le reste, je m'en crisse.

— Ben pas moi! On peut se voir pour en parler? Avec Jules. »

## 75

Justin Levasseur est convaincu de tenir enfin son sujet *winner*. Obtenir la confiance d'un tueur, c'est sans doute le plus difficile. Il a pris son temps, il a joué ses cartes avec patience, sans tirer ou pousser, et le temps de ramasser la cagnotte est enfin venu. S'il y a une chose qu'il est en mesure de comprendre, c'est bien l'envie de Rock Marcoux de faire la lumière sur un épisode tragique dont il est autant la victime que l'auteur. Et c'est l'aspect qu'il veut fouiller et décrire. Comment on devient un violent après avoir subi violence sur violence. Morale, cette violence.

Comment un garçon abandonné par son frère peut éprouver un désespoir si tenace qu'il en vient à confondre la compagne de ce frère avec la responsable de cet abandon impossible à digérer et à vivre.

Voilà exactement le *human interest* qui oriente chacun de ses blogs. Mais cette fois, il a pris contact avec un éditeur qui pourrait aussi lui verser une avance… si un premier chapitre alléchant lui donne le goût d'en apprendre davantage.

Alors, il le soigne, son premier chapitre. Ça fait déjà trois fois qu'il le réécrit. Il veut placer le lecteur au centre de l'action, en pleine crise du tueur, en décharge d'adrénaline. Mais il veut aussi que l'éditeur comprenne qu'il ne s'agit pas d'un film d'action à la James Bond, mais d'une étude sérieuse, d'un travail documenté qui va tellement plus loin que ce que les policiers ou le juge ont laissé filtrer. Son but n'est pas de les discréditer, mais il ne pourra pas faire l'impasse sur les raccourcis qu'ils ont pris. À commencer par ce jumeau qu'on n'a jamais vu et qui a été mystérieusement ignoré par la police et par les journalistes. Un gars protégé de tous… mais qui a ses petits côtés malsains aussi.

Justin n'a pas encore obtenu les échanges de courriels que Rock lui a promis, mais ce qu'il en dit n'est pas loin du sadisme pur. Et ce «bon garçon» aux fantasmes violents a prétendu que c'était terminé entre lui et cette fille !

Rock a les preuves. Il ne peut pas les lui fournir pour l'instant… sa mère le pourra quand il la convaincra de faire ce qu'il lui demande.

Là, pour Justin, se trouve le premier nœud de l'histoire : comment demander à une mère de choisir entre deux jumeaux ? Il ne veut pas réécrire *Le choix de Sophie*, mais il veut exploiter le filon maternel, même si cette pauvre femme est solidement éprouvée par ce qui arrive à son fils.

Justin n'est pas dupe : il devra aiguiser un peu le conflit qui n'en est pas un. De toute évidence, cette femme a choisi de croire Rock depuis longtemps et cette foi aveugle a possiblement permis au fils de se voir en sauveur. En songeant au traitement qu'il réservera à cette partie du récit, Justin croit qu'il devra saisir sa chance de prouver son objectivité journalistique, quitte à froisser une informatrice. Cette mère lui a quand même fourni du matériel très riche et la photo des jumeaux à cinq ans, si semblables, si impossibles à distinguer l'un de l'autre, est parfaite en amorce de son blog « Les frères ennemis ».

Ginette Marcoux lui a promis d'autres photos et la collaboration « discrète » de son mari. Rock a semblé mettre en doute ce revirement, mais comment saurait-il ce que ce père peut faire pour permettre au public de comprendre les vrais enjeux de cette tuerie ? Tout le monde a tellement cru à cette histoire de féminisme contrariant. Justin Levasseur commence à trouver que les femmes ont beau jeu depuis « #metoo », qu'il est temps de redresser la situation parce que, si ça continue, il ne sera plus possible de seulement faire un compliment à une fille. Surtout si elle est belle. Les moches, les stupides, c'est encore permis, mais les brillantes et belles comme cette Juliette ? Interdit sous peine de se faire soupçonner de viol. Selon Justin — et il ne s'est pas gêné pour le déclarer dans plusieurs blogs — la situation dérape et cette histoire peut illustrer les dangers d'une hyper-surveillance des rapports hommes/femmes. C'est rendu qu'on est prêt à croire n'importe quel discours post-coïtum du genre « je l'ai fait, mais dans le fin fond, je voulais pas ». Là-dessus, Justin Levasseur s'avoue entretenir un sérieux et très raisonnable doute. Et il se sent tous les courages pour illustrer son point de vue avec cette histoire de « tuerie anti-féministe » qui est beaucoup plus la croisade d'un frère pour sortir son jumeau des griffes malsaines d'une désaxée sexuelle. Évidemment, les courriels entre Éloi et cette fille seront essentiels pour étayer sa thèse, mais ça sent bon, il devrait mettre la main dessus sous peu.

Reste le frère muet… son os. S'il refuse de le voir, de parler, tout ce qu'il pourra écrire aura l'air d'être les affabulations d'un gars emprisonné qui n'a rien à perdre. Et tout son texte deviendra une théorie bancale et sans autre fondement que les dires intéressés du coupable qui veut se refaire une virginité.

Levasseur n'est pas con, il sait qu'il a besoin du deuxième élément de ce duo. Il sait que dans tout divorce, chacun dit le contraire de l'autre et il voit ces jumeaux comme un couple en instance de séparation. Il a besoin d'Éloi. Et il n'a pas encore de levier pour l'inciter à la confidence.

Bousculé par Rock, pressé par ses lecteurs et par son éditeur, Justin Levasseur agit comme il l'a toujours fait : il tourne les coins ronds et « pousse sa luck ».

Contre toute attente, alors qu'il vient d'obtenir l'adresse courriel d'Éloi — cadeau de Rock — il reçoit une mise en demeure lui enjoignant de ne pas approcher Éloi sous peine de poursuites. Ce recours judiciaire n'est pas le fait de l'intéressé, mais de son père, Jean-Daniel Marcoux.

Justin y décèle la justification qu'il attendait : cet homme n'a jamais compris qu'un seul de ses fils.

## 76

Jules est d'avis que casser la gueule de cet imbécile de faux journaliste majoritairement menteur et accessoirement blogueur est la solution idéale. Éloi ne décolère pas d'en être arrivé à se défendre des prétentions de son frère qui a quand même reconnu avoir assassiné trois personnes. Isabelle essaie de trouver une solution rapide à un problème complexe : « Si on essayait de bloquer son accès à Rock, Levasseur va jouer à la victime de harcèlement : on l'empêche de faire son travail alors qu'il allait permettre au public de connaître la vérité vraie ! Pas n'importe laquelle, la vraie ! Comme s'il pouvait faire la différence entre la vérité et un bon scoop juteux ! »

Jules est survolté : et le harcèlement du journaliste à leur égard, ça compte pour des prunes ?

Ils sont deux à discuter, Éloi se tait, prostré.

Jules n'en finit pas d'argumenter que Rock a tout ce qu'il souhaite maintenant : de l'attention, de la compréhension et, en prime, il réussit encore à atteindre Éloi !

« Veux-tu me dire ce qui y prend à ta mère de marcher là-dedans ?

— Ma mère, ça fait des années que Rock lui fait croire tout ce qu'il veut, on changera pas ça. Pensez-vous que la mise en demeure va pouvoir l'arrêter, le grand journaliste ?

— Ça va l'exciter, voyons ! À quoi y a pensé, ton père ?

— À me protéger… Il m'a dit que mon frère avait coûté une fortune en avocats, que c'était normal qu'il essaie de faire quelque chose pour moi. Il… mon père se demande si je ne devrais pas aller ailleurs. Dans l'Ouest ou aux États-Unis. Partir, un an ou deux, c'est ça, sa solution à lui.

— Je capote ! C'est Rock le tueur et il faudrait que tu t'exiles ! Isabelle, dis quelque chose ! Ça peut pas être ça, la justice ? Crisse ! Son frère a tué sa blonde, la meilleure amie de sa blonde pis une pauvre fille qui payait son kit neuf, pis là, y faudrait qu'Éloi se sauve comme si y avait organisé la tuerie ? Comme si ses mauvais traitements à son débile de frère étaient le vrai problème ? Réveillez-moi quelqu'un ! Tu t'es toujours fermé la gueule avec Rock. T'as justement rien dit, rien fait contre lui. Pis là, tu t'exilerais parce que monsieur a la vraie version de l'affaire ? Wo ! Si tu fais ça, Éloi, je te parle plus jamais.

— Pour l'instant, Jules, tout ce que je veux, c'est que mon père en crève pas.

— Ben excuse-moi de le dire, mais moi, c'est toi que j'ai pas envie de voir crever ! Ça serait ça, le vrai but de ton frère ? Que tu crèves sous prétexte qu'y est pogné en prison et qu'y a pas de vie ?

— Que je sois pas heureux, ça devrait faire l'affaire.

— On peut-tu y donner une preuve de ça ? Sans que tu lui fasses le plaisir d'aller le voir ?

— Ben oui, pas de trouble ! Je vais te signer un papier qui dit "ma vie est gâchée, je le jure", ça va sûrement le convaincre de me lâcher.

— Bon, les gars, j'aimerais ça qu'on essaie de trouver une vraie solution. »

Ils se taisent et l'observent, attendant sa proposition.

« Premièrement, on peut toujours essayer de le faire interdire de visite en prison, mais je suis même pas certaine que ça soit possible. Et puis, ce qu'il a déjà dans ses archives, on le sait pas. Penses-tu que ton frère lui a refilé ses faux courriels de cul à la Temptation en disant que c'est de toi ?

— Non. Il a aucun accès à ses comptes. À moins que... Penses-tu qu'il peut donner un lien, Jules, une sorte de code d'accès pour un serveur crypté où il aurait caché son stock ? Si c'est ça, on est faits.

— Mais non, pas si la police a vraiment vidé ses ordis. Tu les as vérifiés en plus. Deux fois plutôt qu'une. Ça va faire la parano !

— Son téléphone... je l'ai jamais trouvé. Isabelle, tu penses qu'il peut l'avoir en prison ?

— Pour pouvoir, il peut. Mais depuis tout ce temps-là ? M'étonnerait. On l'aurait saisi depuis... Un téléphone en prison, ça dure pas longtemps. Ce qui empêche pas d'en avoir un autre, pis un autre...

— T'as un moyen de le savoir ?

— Je peux essayer... L'affaire, c'est que si Levasseur a déjà les courriels, il va penser que tu te protèges de l'exposition de tes pratiques sexuelles douteuses. Avec les dates, c'est vraiment comme si tu prenais ton pied en torturant la méchante qui t'a abandonné.

— Mais la méchante a l'air de le laisser faire. »

Devant l'air dévasté de Jules et Éloi, Isabelle regrette presque sa remarque : « Hé ! Vous savez bien qu'elle a marché dans sa *game* pour éviter qu'il exécute ses menaces ! Vous allez pas croire qu'elle faisait ça en ayant du fun ? Elle les a cachés assez loin que même la petite fouineuse les a pas trouvés.

— Justement Isa, elle les a cachés au lieu d'en parler avec Éloi. C'est quand même un peu bizarre…

— Elle pouvait pas ! Rock la faisait sûrement chanter avec quelque chose qui aurait miné la réputation d'Éloi. Il détenait un élément qui lui ferait du tort. Et ça devait être pas mal fort pour qu'elle embarque. Ça devait pouvoir détruire Éloi.

— Comme quoi, Isabelle ? Ça fait depuis le début du moratoire que je cherche et que je trouve rien. Ce qu'il y a de plus osé dans ma vie, c'est Juliette, justement. J'ai jamais volé, jamais cassé la gueule à personne, j'ai rien fait qui pourrait me faire assez honte pour que Juliette décide de me protéger. Surtout à ce prix-là.

— Ton frère a pu inventer… comme y a fait avec les courriels. Te faire porter le chapeau de ses déviations, par exemple. Ou en inventer. Je sais pas, moi… Est-ce qu'il avait des tendances pédophiles ? Si y a tourné une petite vidéo de lui avec un enfant, c'est rien de se faire passer pour toi, vous êtes identiques ! Quand y reste juste à trafiquer l'adresse pour que ça ait l'air de venir de toi, disons que c'est pas trop compliqué. Surtout qu'y avait l'habitude de le faire.

— Et Juliette aurait cru ça ? Que j'étais une sorte de pervers et qu'il fallait pas que ça se sache ? C'est encore pire si elle l'a cru !

— Ben voyons donc, toi : Juliette savait à qui elle avait affaire. Y a beau avoir ta face, c'est pas toi. Elle savait que c'était archi-faux et elle voulait justement te mettre à l'abri d'un scandale. Ce qu'elle a cru, c'est que Rock était décidé à faire de la marde. Je l'ai pas connue, mais vous dites tous les deux qu'elle était brillante et pas peureuse.

— O. K., mettons. Elle m'a quand même laissé au lieu de me parler. Alors que je connais mon frère. À deux, on aurait pu...

— Moi, je pense qu'elle s'est dit qu'elle offrirait à ton frère exactement ce qu'il voulait : une apparente rupture, le temps de le piéger. Elle avait un plan, cette fille-là. Et c'est pour ça qu'elle a marché dans ses courriels pornos. Et sais-tu quoi ? Je pense que son plan a marché. Sinon, pourquoi Rock aurait pris son semi-automatique pour l'éliminer ? Tout allait bien pour lui... apparemment. Elle l'a eu, il l'a compris, pis là, y a pogné les nerfs d'aplomb. Perdre la *game* à cause d'elle, c'est le bout qu'il avait ni prévu ni supporté. Y s'est choqué. »

Les deux hommes en sont bouche bée. Isabelle n'en revient pas de leur courte analyse : pour elle, il n'y a aucun doute, cette Juliette a cru pouvoir tromper Rock, le manipuler à son tour, le neutraliser et, quand elle a effectivement réussi, Rock est devenu fou enragé et il l'a descendue.

Éloi soupire : « T'as raison, ça se peut. Ça y ressemble, même. Elle l'a eu. Elle a pas eu peur de lui, ça paraît dans son dernier message. Elle écrit "*lâche-moi*", elle supplie pas, elle prend pas de gants, se met pas à genoux... *Lâche-moi*, comme si c'était elle qui décidait. Tu sais ce que j'aime dans ce que t'as dit, Isabelle ? C'est qu'elle a fait semblant de rompre. Qu'elle… ben qu'elle pensait régler le problème pis revenir après. Elle m'a jamais dit ou écrit qu'elle ne m'aimait plus. Jamais. »

Isabelle se garde bien d'ajouter que, d'après elle, les ruptures sont rarement assez honnêtes pour qu'on avoue ne plus rien éprouver pour l'autre. On invente mille raisons avant d'admettre une sécheresse de cœur. Elle préfère aborder le problème de Justin Levasseur plutôt que de creuser les causes de cette rupture passée : « Et si j'allais le rencontrer, le grand journaliste, moi ? Pour Rock, je fais pas partie des connaissances, il a jamais parlé de moi, c'est certain. Je pourrais mettre mon uniforme, prendre mon ton officiel et le mettre en garde contre les ruses d'un manipulateur notoire. »

Ça a au moins le mérite de les faire rire.

Comme le vrai danger réside dans les courriels falsifiés et que le meilleur moyen restant à Rock pour y avoir accès est son téléphone cellulaire, Éloi applique la recette de Guillaume avec le cellulaire de Juliette pour le retracer. Il compose le numéro de Rock.

Les trois sont tendus vers le petit appareil dont le haut-parleur émet la sonnerie.

Après quelques coups, une voix de femme répond, et son « allô » est essoufflé, comme si elle avait couru.

Éloi raccroche précipitamment : « Évidemment ! Ma mère. »

Son téléphone sonne. Il le tend à Isabelle : « Dis que c'est une erreur, tu t'es trompée. Elle a pas mon numéro. »

Isabelle s'exécute avec un naturel confondant et rend l'appareil à Éloi : « Elle te le donnera jamais, tu t'en doutes.

— Et je ne lui demanderai jamais. Mon père va nous aider. Faut juste qu'on trouve sur le Net le dernier modèle vendu en 2018 pour faire le remplacement. C'était le genre de bebelle que mon frère achetait tout de suite. »

Jules est déjà en train de chercher.

## 77

Jean-Daniel n'a aucun scrupule à substituer le nouveau cellulaire à l'ancien. S'il pouvait en faire davantage pour stopper le délire de Ginette, il n'hésiterait pas.

En remettant l'appareil à son fils, il lui répète son meilleur conseil : s'il y a une façon de mettre fin à toutes les entreprises malfaisantes de Rock, c'est en se mettant à l'abri de lui en s'éloignant.

Le temps que Jules effectue le transfert des données essentielles, Éloi essaie d'expliquer à son père que les distances n'existent plus avec Internet et les réseaux sociaux. On peut atteindre le monde entier, on peut prétendre que le faux est vrai, on peut clamer son innocence, fabriquer des preuves bidon : ça prendrait des *hackers* partout dans la police pour seulement faire le tri entre le fabriqué et le réel. Les grands dictateurs de ce monde l'ont compris et ils ont mis l'Internet à leur service pour falsifier les messages.

« Partir changera rien, papa. Faut juste que Rock arrête. Ou qu'on lui enlève ses armes. Tu viens de m'aider beaucoup. »

Jean-Daniel hoche la tête, peu convaincu, parce que rien ne fera cesser Rock.

« Comment on en est arrivés là ? Tu le savais, toi, que ton frère était si malade ? »

Éloi ne veut plus essayer d'analyser, de supputer grâce aux indices semés depuis leur petite enfance. Il veut vraiment en finir avec l'acharnement tortionnaire de Rock.

« Cette question-là, papa, je ne veux plus jamais qu'on se la pose, ni toi ni moi. Rock peut exhiber ses preuves tant qu'il veut, ça m'intéresse pas. Y aura toujours quelqu'un pour l'écouter délirer et je veux pas savoir combien il va arriver à en convaincre. Rock est mort pour moi le jour où y a tué trois femmes en criant que c'était leur faute si y devait les tuer. Point à la ligne. Fou, conscient, vengeur, enragé, y peut avoir été n'importe quoi, y sera plus jamais mon frère.

— Mais si y peut encore t'attaquer ? Si y a d'autres preuves cachées ailleurs que dans ce téléphone-là ?

— Il les sortira, papa. Et on va se défendre. Mais on va pas vivre en attendant son prochain mauvais coup, c'est pas vrai. On va arrêter d'y donner du pouvoir. C'est fini.

— Si y t'entendait !

— Toi aussi, tu devrais arrêter d'y donner du pouvoir. T'as tellement maigri…

— Pis lui, y engraisse ! Il dit qu'y a rien de bon à manger pis y engraisse sans arrêt. Toi… c'est pas juste les cheveux rasés pis la barbe, tu… t'es différent. Je veux dire partout.

— Le gym, papa ! Je m'entraîne. C'est juste une façon de faire sortir le méchant. Tu devrais essayer !

— Y est un peu tard pour moi. Ta mère te reconnaîtrait pas… mais comme elle te connaissait pas… Je voudrais te demander quelque chose, Éloi. »

Il se tait, malgré l'air bienveillant de son fils, cette ouverture dont il fait preuve et qui le sidère toujours autant.

« Je veux te demander pardon. Non ! Dis rien, écoute-moi, s'il te plaît. Ça fait longtemps que je veux le faire. Ça remonte à avant ton départ de la maison. J'ai vu ton frère exagérer, gagner sur toi mille fois. Je t'ai vu te taire et endurer, endurer… mille fois. On savait que c'était pas bien de laisser Rock te traiter comme ça. Mais c'était plus simple pour avoir la paix. On l'a eue, mais c'est toi qui as payé pour notre paix. Ça change rien de demander pardon, ça change pas ta vie, ton passé, nos torts. Mais… je pense que je veux surtout que tu saches que je savais et que j'ai laissé faire. C'était pas de l'innocence, Éloi, c'était de la négligence et tu aurais tellement le droit de nous haïr. Parce qu'on l'a jamais arrêté. Et ça a dépassé notre famille. Ça a brisé d'autres familles. Ça t'a brisé toi, alors que t'étais enfin libéré, enfin heureux. Rock… c'était trop, on comprenait rien à ses problèmes. Mais on t'a laissé t'en occuper alors qu'on y arrivait pas nous autres, les parents. Ça me torture quand j'y pense. Et j'y pense tout le temps. »

Sa main tremblante fouille dans la poche de son veston élimé. Éloi se demande depuis quand son père tremble autant. Il le voit poser trois enveloppes devant lui.

« J'ai écrit aux parents de ces filles… Tu m'as dit que tu vois le père de celle que tu aimais, le père de Juliette. Les autres… il les connaît peut-être, je sais pas. Je veux te confier les lettres. Il y a probablement moyen de retrouver ces gens-là en fouillant les avis de décès ou les articles à l'époque des évènements. Je sais pas, mais toi tu sauras sûrement, t'es tellement fort en informatique. J'ai pas cacheté les enveloppes, tu pourras lire avant de les donner. Pour être sûr que mon inconscience a pas encore fait des siennes.

— Papa...

— J'espère que tu vas me pardonner un jour, Éloi. Tout ce que tu comprendras de mon attitude est vrai. Je t'ai abandonné. Et je voudrais avoir écrit une lettre pour toi, c'est tellement épouvantable ce qui nous est arrivé... Et dis-toi une chose : si je vais m'asseoir dans cette prison tous les mercredis, c'est pour le garder à l'œil, pour le surveiller, l'écouter délirer et essayer de le raisonner. Pas parce que je l'aime ou que je veux le comprendre. »

Éloi sourit : son père pense encore que ce qu'il donne à l'un doit être égal et juste pour l'autre.

« C'est O. K., papa. Je calcule pas ça. Même si tu voulais comprendre Rock, ça m'enlèverait rien. Je veux que t'arrêtes de t'en faire, que tu te reposes un peu.

— Comment ça se fait que t'es si différent de lui ? Vous étiez tellement pareils...

— Je sais pas, peut-être par réaction. Ce qui est certain, c'est qu'aujourd'hui, je suis bien content d'être moi et pas lui ! »

Il ne veut pas parler de Juliette à son père. Ce soleil qui l'a fait devenir l'homme qu'il est. L'homme le plus éloigné que possible de son agresseur.

L'homme qui a la même structure physique, le même ADN, la même voix qu'un autre homme, mais qui ne sera jamais lui.

## 78

Les rendez-vous avec Guillaume sont de plus en plus légers, mais la rencontre où Éloi explique le problème soulevé par le blogueur et la course aux courriels de Joy/Temptation encore stockés dans le téléphone introuvable de Rock vire presque au drame. Éloi a beau jurer que le cellulaire de Rock est retrouvé, qu'il est en sa possession, vidé, nettoyé, littéralement passé à l'eau de Javel, Guillaume craint toujours que des traces des échanges vicieux surgissent au grand jour parce que stockés quelque part d'insoupçonnable. Et il est furieux. Éloi explique qu'il a gardé sur un disque à part un exemplaire qui démontre clairement le subterfuge de Rock qui transitait par une fausse adresse courriel en espérant sans doute lui mettre cet échange sur le dos. Écœuré, Guillaume trouve inutile cette sécurité qui laisse une trace passablement dangereuse pour tout le monde. Il a l'intention de détruire ce qu'il possède et demande à Éloi de tout effacer de son côté. Quand Éloi l'informe qu'un blogueur en quête de sensationnalisme projette de faire un livre sur la tuerie avec l'aide de Rock, Guillaume n'en croit pas ses oreilles.

«Un livre là-dessus? Quel éditeur pourri veut embarquer là-dedans? Tu le sais? Ça se joue à deux, ces petites *games* là. Attends, Éloi, tu te rends pas compte? Les autres parents ont le droit d'avoir la paix après tout ce qu'ils ont enduré. Toi aussi! C'est pas vrai qu'un blogueur directement inspiré et nourri par le tueur va venir nous expliquer les bonnes raisons qu'on aurait de croire que le coupable est une victime!»

Et c'est parti! Jamais Éloi ne l'a vu aussi déchaîné. Il note les noms, le site et promet de se charger de cet incompétent plus affamé de notoriété que de vérité: «J'en ai jusque-là de ces génies méconnus qui prennent les gens pour des imbéciles. Un blogueur! Jusqu'où il va nous écœurer avec ses théories fumeuses? Jusqu'à ce qu'il y en ait un de nous autres qui se tue pour avoir enfin la paix? Et après, on va déplorer le manque d'empathie pour les victimes d'actes criminels? T'as vu l'importance qu'on donne au tueur? On fouille son passé, ses relations, ses raisons qui excusent des actes inqualifiables. Et hop, on balance le tout dans la stratosphère pour donner des idées à tous les frustrés qui savent pas comment diminuer leur stress! Non! Y a des maudites limites! Y a une chose qui s'appelle la décence et monsieur le blogueur en passe d'être écrivain va l'apprendre, tu peux me croire. Personne, personne dans cette histoire-là l'a eu facile. Hélène commence à aller mieux. Même les sœurs de Carolane y arrivent difficilement. On n'aura peut-être jamais sa sympathie à cet homme-là, mais on a des droits et on va les défendre. Et sa sympathie pour le tueur, il peut se la fourrer dans le vase d'argent!»

Guillaume ne laisse pas à Éloi la moindre chance de le calmer. Leur rencontre s'achève et il n'aura jamais pu aborder la question des lettres de son père. « Monsieur le journaliste-blogueur », comme l'appelle Guillaume avec mépris, a monopolisé tout leur temps.

En rentrant, Éloi se demande pourquoi ce « prédateur de haut niveau » le laisse indifférent, pourquoi il ne s'en fait pas autant que Guillaume. Maintenant qu'il a éliminé les délires obscènes du cellulaire de Rock, il s'en fout un peu. En écoutant Guillaume se débattre et se fâcher, il comprend vaguement que c'est une santé retrouvée, un instinct de vie solide qui excitent la colère du beau-père. Une sorte de retour à la vie après la perte de Juliette.

Il se demande s'il aura jamais ce réflexe rageur de se défendre. Cette montée d'adrénaline qu'il n'a éprouvée que pour Juliette du temps qu'ils s'aimaient et aussi après sa mort, pour protéger sa réputation.

La sienne… il s'en fiche tellement. Il le reconnaît sans état d'âme, il se contrebalance de ce que les gens pourraient dire de lui. La seule chose qui lui importe, maintenant que Juliette ne sera plus jamais dans sa vie, c'est de la mettre à l'abri d'une possible récupération par son frère. Et à l'abri de ses mensonges.

## 79

Jules allait s'étirer pour reprendre Isabelle dans ses bras, quand il la sent bouger, s'éloigner subrepticement.

« Va-t'en pas !... Dix minutes ! »

Elle pose un baiser sur sa bouche pour le faire taire : « Tu dors. Je suis pas loin. J'étudie... dors ! »

Ça y est, il est réveillé. L'instant magique de la détente totale d'après l'amour est passé. Il se soulève et l'observe en train de rouvrir ses dossiers.

« Je suis pas sûr que c'est une bonne idée, Isa. Si jamais Éloi apprend que tu lis tout ce que son frère a dit en interrogatoire, il va avoir l'impression qu'on le trahit.

— C'est pour ça qu'on y dit pas.

— J'aime pas ça.

— Ça, tu l'as déjà dit. »

Jules soupire. Ils se sont chicanés une seule fois depuis qu'ils sont ensemble, et c'est Rock qui a tout provoqué. Qu'Isabelle fasse ses preuves de future enquêtrice sur le cas de Rock Marcoux est stupide à ses yeux. Et ce n'est pas pour rien : il connaît le personnage, sa perfidie et son absolue incapacité à considérer autre chose que ses désirs. Il est toxique, c'est la définition de Jules, et tout ce qu'il a fait jusque-là lui donne raison. Jules n'est pas chevaleresque, mais voir sa blonde s'approcher — même théoriquement — d'un monstre qui a éliminé une Juliette autrement plus solide qu'elle, ça le dérange.

Évidemment, elle l'avait traité de paternaliste. Il ne sait même pas si elle a raison. C'est le genre d'analyse féministe à laquelle il ne se livre pas. Il l'aime et il a vu ce que la mort de Juliette a fait à Éloi. Il est peut-être seulement égoïste, mais il ne veut pas passer par là où Éloi est passé. Il ne veut pas la perdre.

«Tu pourrais pas faire tes preuves sur un vol de banque très réussi? Le genre d'affaire qui implique pas un fou maniaque qui haït les femmes?»

Elle pose son stylo, revient vers le lit: «Devine combien de fois le nom de Juliette revient dans les trois premières heures d'interrogatoire?

— Vois-tu, je parlais justement d'un vol de banque…

— Zéro.

— Comment, zéro?

— Zéro fois, Jules! Et il parle d'Éloi vingt-huit fois jusqu'à maintenant.

— Je te l'ai dit: c'est un malade qui fait une fixation sur son frère. Ça confirme.

— Si Juliette avait pas été la compagne d'Éloi, elle serait encore en vie. Les autres filles aussi.

— Ça, ça va faire du bien à Éloi! Exactement ce que ça y prend pour le remonter et le pousser à sortir avec des filles. Surtout qu'y se doute pas du tout de ta belle théorie! Voyons,

Isa, c'est tellement primaire que même sa mère s'en doute et trouve que c'est la faute de la fille qu'Éloi a aimée et que son frère a voulue. Si c'est tout ce que tu découvres, tu seras jamais enquêtrice.

— Pourquoi y s'est pas attaqué à toi ? T'étais l'ami d'Éloi depuis longtemps. Pourquoi y t'a jamais écœuré ? »

Là, Jules avoue qu'elle a un point. Quoique, longtemps Éloi l'a tenu loin de chez lui. Sans vraiment le désirer, sans se poser de questions, il s'en tenait à ce qu'Éloi préférait et c'était ne pas être chez lui. Quand il l'a connu, Rock l'a traité d'épais, de stupide, de crétin, mais il ne l'a jamais menacé. Les plus gros efforts de Rock contre lui se sont concentrés au moment où Éloi a trouvé un appartement et en a caché l'adresse à sa famille. Là, Rock s'est déchaîné pour forcer Jules à révéler ce qu'il savait. Comme il a cessé son harcèlement au bout de deux semaines, Jules ne s'en est plus inquiété.

Isabelle conclut que Rock s'était sans doute débrouillé autrement pour l'apprendre.

« Alors, pourquoi t'as été épargné par le possessif jaloux, toi ?

— Je le sais-tu, moi ! Parce qu'on n'a jamais baisé ensemble, parce que j'étais dans le décor depuis trop longtemps, parce que je suis trop insignifiant pour qu'y se donne la peine de me tasser, choisis !

— O. K., j'ai une théorie…

— Tu m'étonnes.

— Fâche-toi pas, j'ai besoin de tes lumières. Pousse-toi un peu, j'ai froid aux pieds. »

Elle s'installe dans le lit et Jules devine que ses sparages de frileuse vont encore le faire craquer. Isabelle obtient ce qu'elle veut de lui, même quand il est décidé à changer de sujet.

« Quand est-ce que t'as su que Juliette était dans sa vie ?

— J'sais pas… Ça faisait un bon bout de temps qu'y se voyaient. Je savais qu'y avait quelqu'un, mais rien d'autre. C'était hyper super secret.

— Ça je le sais. Mais toi… O. K., je reprends ma question : comment t'as su que Juliette était là ?

— Éloi me l'a dit !

— Comme ça ? Un jour, il te l'a présentée et il t'annonce qu'y est amoureux ?

— Non… Je sais pas trop. C'tait secret, mais je l'ai deviné à force de le voir… comme changer…

— Ma théorie, c'est ça : Éloi changeait avec elle. Il devenait… lui. Au lieu du secret discret qui dit jamais un mot, y est devenu plus ouvert, plus drôle, plus détendu.

— Ben : amoureux ! Un gars heureux. Ça fait ça, l'amour, t'as pas remarqué ?

— Oui, arrête ! Toi, t'as pas changé, mais Éloi, oui. Et beaucoup.

— Mettons que ça y faisait du bien. Mettons qu'y s'est mis à *glower*. C'était pas difficile d'être transformé : déjà, quand y a décidé de partir en appart, y était plus drôle, plus relax. Je pensais que c'était juste ça. Mais y était déjà avec elle… c'était tout un numéro cette fille-là. Une vraie bombe.

— Elle lui faisait du bien, d'après toi ?

— Ben là ! Pose-moi une vraie question. C'est évident !

— Et son frère pouvait le voir, ça…

— Non! Quand Éloi est parti de chez lui, y a refusé d'aller les voir pendant… un bon bout de temps. Pis je le comprends. C'était *heavy* dans maison. Plate pour crever. Dans ce temps-là, Rock savait rien de ce qui arrivait avec son frère. Pis y cherchait son adresse. Y avait pas perdu le contact, par exemple: les textos, les messages, devine si ça rentrait? À la tonne. Éloi a tout changé pour avoir la paix. Téléphone, courriel, numéros: toute! Pis les réseaux sociaux, c'était out. Terminé. Paf! Y a coupé les ponts. Pis après un certain temps, y répondait même plus à Rock.

— Dirais-tu que Rock le prenait mal? Qu'y devenait plus qu'achalant? Genre insistant malade?

— Rock le prenait pas, point. C'tait pas nouveau. C'est le contraire qui nous aurait jetés à terre. Si c'est le gros de ta théorie, Isa, c'est pas ce qui va te donner un "A".

— Non, pas seulement ça. Disons que les jumeaux sont comme programmés: un se tient tranquille, l'autre s'agite. On peut pas les différencier, alors celui qui fait les mauvais coups, Rock, fait porter le chapeau à celui qui achète la paix sans rien dire, Éloi. Ça marche bien. L'effréné gagne en audace, et le silencieux se referme de plus en plus… en rêvant à sa libération sans jamais l'évoquer. Premier coup pour Rock, le départ de son frère qu'il croyait complice à vie et qui s'affiche pas mal plus détaché qu'il l'imaginait. Deuxième coup dur: Rock a moins de fun, beaucoup moins de fun si son frère n'est pas là. Il se pensait très fort, baveux, capable d'écœurer le monde entier, il se retrouve en manque de sa seule obsession, c'est-à-dire dominer son frère, se mesurer à lui. Là, panique. Il se jette à sa recherche, il faut le retrouver et reprendre sa vie comme il l'aimait, avec son esclave consentant et muet. C'est là que ça commence à se déglinguer dans sa tête. Il a l'impression que ce qu'il perd en autonomie, c'est Éloi qui le gagne, le sape, le vole. Théorie des vases communicants : ce qui va à l'autre vient de lui et vice versa. Je pense que cette période-là a dû être hyper névrosée et que Rock a cherché à prouver à son frère que lui aussi, il avait une vie, des fréquentations, des filles à ses pieds. Je serais curieuse de retrouver les filles qui ont couché avec Éloi avant Juliette. Je suis à peu près certaine que Rock les a baisées. Sur toute la ligne, je veux dire : en leur faisant accroire qu'il était son frère. Puis, il s'est isolé dans son sous-sol à regarder des sites pornos, à se masturber en accusant Éloi de le réduire à ce genre d'activités indignes de lui.

— Wo ! C'est un ou l'autre, Isa : tu baises pas les filles qui sortent avec ton frère en l'accusant de te priver de sexe et en te branlant devant de la *porn*. Ça marche pas, ton affaire. Rock a toujours été aux danseuses ou y appelait des escortes. Le sexe, ça se payait et c'était parfait de même. Y m'a assez écœuré en m'envoyant les sites les plus cochons, les filles les plus hot, selon lui. Pour que je les refile à Éloi, évidemment. Jamais ce gars-là aurait baisé une fille normale. Je veux dire de façon normale, sans payer.

— Parfait. Ça me convient aussi. Ma théorie, c'est que Rock a jamais lâché son frère et qu'il l'a vu changer dès qu'y a mis les pieds en dehors de la maison. Changer dans le sens de lui échapper. De se ficher de lui. De refuser d'être son double. Pire : de refuser même de lui ressembler. Et là, Juliette arrive. Elle le fait *glower* comme tu dis. Tellement que tu t'aperçois aussi que quelque chose de fondamental et d'heureux est arrivé. Éloi devient Éloi. Plus drôle, plus ouvert, plus léger. Et amoureux.

— Juste heureux, Isa. Libéré. Et tellement, tellement facile à vivre.

— Ça, ça a tué son frère. Quand y a vu le changement, il l'a interprété comme un désaveu et une violence à son égard. Une sorte de rupture définitive qui brisait toute sa vie. Sans son frère, Rock devenait personne. Je te jure que c'est comme ça qu'y voyait ça : son frère l'assassinait.

— Pis ça y donnait le droit de tuer Juliette ?

— Et comment ! C'est elle, la salope qui le rend heureux, la vénale, la *slut* qui fait pas payer pour rendre son frère esclave d'elle au lieu de lui. Avec le sexe, principalement. La seule chose qu'il n'a pas partagée avec son frère. Parce que, à ses yeux, Éloi est esclave en partant. Si c'est pas de lui, le dominant exemplaire, ça sera de quelqu'un d'autre. Pas de volonté propre, pas de caractère, Éloi est une cible selon lui. Et la responsable du désastre, c'est la fille qui l'a séduit. Tout le "Joy/Temptation", c'est son effort pour dompter le monstre méprisable qui lui enlève son jumeau, mais surtout qui l'empêche de vivre comme avant, lui. Toute la substance de l'échange, c'est "je t'écrase pis tu vas aimer ça. Lâche ceux que j'écrasais avant toi". Changer Éloi, c'est l'attaquer lui. Le détruire, lui. Et c'est une femme ! Double bénéfice puisqu'il peut réaffirmer sa supériorité devant ces *bitchs* supposément libres qui le refusent sur Tinder ou d'autres sites. Parce que c'est sûr que c'est moins compliqué de payer, d'obliger la fille à faire ce que tu veux, mais y aurait pas détesté être choisi. Un peu comme son frère a l'air de l'être. Pas pour rien qu'il s'est retrouvé avec les *incels* qui estiment que les "féminazies" qui les refusent méritent de crever.

— Dans ta théorie, y a-tu un bout où on comprend pourquoi Juliette a marché dans le plan plate de Rock ?

— Il l'a fait chanter.

— Avec quoi ? Éloi ?

— Non… je pense pas. Parce qu'Éloi pouvait se protéger tout seul depuis le temps. Ça enrageait Rock, d'ailleurs. Non… Y m'en manque un bout pour cet aspect-là. Tu la connaissais, toi…

— Regarde, compte pas sur moi, j'ai fait ce que j'ai pu avec Éloi, pis on n'a rien trouvé. Jamais le plus minuscule indice. Pis à part de ça, pourquoi il l'a tuée si elle a fait ce qu'il voulait ? Tu vas pas me dire qu'il trouvait ça moins le fun que quand Éloi était son esclave ?

— La *game* a changé, Jules, je te l'ai dit. C'est elle qui l'a eu, mais je sais pas comment. Pis y a pogné les nerfs.

— Ben là… c'est pas fort comme théorie. On arrivait à la même place avec Éloi y a pas si longtemps. En tout cas, pas loin de ça…

— Y a quelqu'un qui le sait.

— Oui, pis y s'appelle Rock. Pis y est en prison. Pis tu vas pas le voir. Parce que le malade mental a déjà tout arrangé un autre *storyboard* dans sa tête de fêlé. As-tu compris, c'est non !

— O. K., O. K., du calme !

— Tu sais que t'es évidente, là ? Pire que ça, t'es transparente. Tu vas pas là, Isa !

— J'ai compris… Mais l'autre, l'épais qui se prend pour un journaliste… je pourrais le rencontrer… juste pour jaser en me faisant passer pour une amie de Juliette.

— *Good !* De mieux en mieux ! Et devine qui va dire au blogueur que sa belle source est un virus qui va faire planter son beau livre ? Le gars qui sait tout sur Juliette Hébert. Rock, le malade mental. Ça fait que non, tu vas pas là non plus. Ton analyse est ben bonne, écris ton rapport et laisse faire les détails. Pis surtout, arrête de donner de l'importance à un craqué du cerveau qui a vraiment fait assez de mal comme ça. Je pense que tu peux triturer l'histoire autant que tu veux, ça va toujours finir que c'est arrivé parce qu'Éloi est le frère jumeau de l'autre, et que si y était resté sagement dans le sous-sol à se faire écœurer, ça serait jamais arrivé. Pis ça, c'est exactement ce que j'ai pas envie qu'on lui dise. »

## 80

Pour Teresa, se retrouver assise au café en face de Guillaume représente une amélioration notable. Et tout un défi. Elle ne lui a pas écrit dans le but de le relancer, même si son travail sur elle-même avec Alba l'a aidée à comprendre — et à excuser — le désir et la peur combinés qui avaient provoqué son refus poli. Pour l'instant, Guillaume semble avoir oublié l'incident.

Heureux de la revoir, enthousiaste, ravi de la trouver en bonne forme, il raconte avec sa verve habituelle les derniers développements de sa vie, la distance que prend enfin son ex, le fameux temps du deuil qui, au lieu d'effacer les souvenirs, les remet à leur place et arrondit l'acuité de la souffrance.

« On aura toujours un couteau dans le cœur, mais y est moins aiguisé. »

Il sourit et la considère un moment, en silence : « Comment va ta protégée ? Béatrice…

— Brigitte.

— Excuse.

— Non, non, c'est normal, ça fait longtemps… Mieux. Beaucoup mieux. Elle reprend pied et elle travaille de chez elle, maintenant. Traduction.

— Ah oui? C'est bon, ça. Ça va te donner du temps pour toi.

— Oh, elle n'est pas du tout dérangeante. Ni exigeante, d'ailleurs. »

Le silence dure. Intrigué, Guillaume essaie de savoir ce qui lui vaut cette rencontre. Teresa ne veut pas dire qu'elle a sauté sur la première occasion pour le revoir et tester ses véritables désirs qu'elle espère rendus bien obsolètes.

Elle aborde donc l'évènement qui a provoqué son courriel: un homme a tenté d'entrer en contact avec Brigitte. Pour vérifier ses déclarations lors des évènements qui remontent à presque deux ans, maintenant. Selon cet homme, ce qu'elle a raconté aux journalistes à l'époque contient des incohérences.

« C'est évident qu'elle était sous le choc. Je pense qu'elle a dit ce qu'on voulait entendre, quand c'est arrivé. Personne savait qu'elle était en choc post-traumatique. Ça prend du temps, des fois, à se manifester franchement.

— Évidemment! Le monsieur, c'est un certain Levasseur? Justin?

— Oui, exactement! Tu le connais?

— Pourrais-tu demander à Brigitte de ne plus prendre ses appels et de me transférer ses courriels ou textos?

— Bien sûr. Tu m'inquiètes… tu sais c'est qui?

— Oui. Pis là, je pense qu'en plus d'être idiot, il est dangereux.

— Il t'a contacté, toi aussi ?

— Pas encore… mais moi, je vais le faire. C'est un petit profiteur qui cherche le gros lot. Toi ? Il t'a appelée ? »

Elle hoche la tête négativement, étonnée de voir Guillaume aussi contrarié : « Je m'excuse, je ne pensais pas…

— Non, non : c'est pas toi qui m'agaces, c'est lui ! S'il essaie de te contacter, tu veux bien ?…

— Je réponds pas aux appels et je te fais suivre les messages. Comme Brigitte. »

Il est vraiment tendu, différent. Quand il prend la peine de lui demander si cet intrus risque de faire retomber Brigitte dans une crise d'anxiété, Teresa retrouve l'homme sensé qu'elle a toujours connu.

« Je pense que Brigitte est vraiment plus solide qu'avant. Ce qui peut la déranger, c'est d'être en contradiction avec ce qu'elle sent. Ça, c'est toujours troublant et pas seulement pour elle, trouves-tu ? S'apercevoir qu'on a dit ou fait le contraire de ce qu'on voulait.

— Comment veux-tu que la pauvre fille soit pas troublée si cet idiot lui a sorti ce qu'elle a dit tout de suite après l'horreur qu'elle a vécue ? Qu'est-ce qu'elle a dit, d'ailleurs, je ne m'en souviens même pas. Disons que j'ai pas lu les journaux, à l'époque.

— Elle a dit… qu'elle avait eu très peur et que c'était un cauchemar de sang et de violence.

— Pas trop surprenant comme déclaration ! Y fera pas beaucoup de beurre avec ça, le grand journaliste.

— Non, c'est juste qu'elle a rien vu ! C'est ça qui la trouble. Rien vu, rien entendu vraiment ou alors, c'est qu'elle a tout oublié. Black-out. Tu sais, dans les films, c'est le tueur qui fait un black-out. Là, c'est elle. Et comme elle était la seule témoin survivante, elle s'est sentie obligée de dire quelque chose.

— Tu sais ce qui m'enrage, Teresa? C'est de voir ce salaud-là courir après une victime, la seule qui a été épargnée, et essayer de la rendre coupable.

— Coupable de quoi? Elle a rien fait, la pauvre.

— Justement! Dans l'esprit tordu du gars, elle s'est pas défendue, elle n'a pas défendu ta fille, n'a pas composé le 9-1-1 pendant que ça se passait, comme dans les films d'action où les héros sont tellement efficaces. C'est le genre de chose qui va intéresser monsieur Levasseur. Le genre de chose qui va faire mal à Brigitte. Parce que nos réflexes en cas de danger, on les connaît juste dans le danger. On peut s'imaginer ce qu'on veut, on sait rien de nos dispositions à l'héroïsme. C'est de ça que Brigitte pourrait se sentir coupable.

— L'arme qu'il avait tirait neuf balles à la seconde, Guillaume! À la seconde! Le temps de prononcer ces trois mots, il y a neuf balles de tirées. En une seule minute, le temps de composer le 9-1-1 sans dire quoi que ce soit, il avait déjà détruit tout ce qu'il y avait à détruire. Il avait tiré cinq cents balles.

— Tu sais ça, toi?

— On retient ce qu'on peut, han? Ça, c'est une interview donnée par le chef de la police, le lendemain de la fusillade. J'étais assise à la morgue, j'attendais mon tour pour voir une dernière fois Sophia et la radio était ouverte dans un bureau. C'est ce que le chef de police disait. Je me souviens d'avoir regardé le visage blanc de ma fille en me disant : neuf balles à la seconde… et je murmurais "mille et un" pour bien estimer ce que c'était, une seconde. Je n'ai jamais oublié. »

Guillaume frissonne en revoyant l'endroit où il était quand il avait vu Juliette une dernière fois.

Il soupire : « Des fois, Teresa, j'ai envie de prendre le couteau qu'on a dans le cœur et de l'enfoncer dans celui du gars qui nous a fait ça.

— Je pense pas que tu le trouverais. Ces gens-là ont pas de cœur. »

Il sourit, admiratif de la voir toujours aussi peu revancharde : « Comment va le groupe ? »

Elle le surprend beaucoup en lui révélant qu'elle n'y va plus, qu'elle y a trouvé le soutien et l'humanité dont elle avait tant besoin au moment de la mort de Sophia, mais qu'elle doit avancer toute seule, maintenant.

« Quand t'as arrêté de venir, je trouvais que c'était trop tôt, je me mêlais de te juger, comme si tu me devais quelque chose ! C'était ridicule. J'étais en train de devenir dépendante, je pense. Notre rapprochement était lié à nos enfants disparues, mais je ne le voyais pas clairement.

— Me semble qu'on s'épaulait dans ce qui nous écrasait. Tu n'as jamais eu l'agressivité que je ressentais… y avait jamais de violence avec toi, et ça me faisait du bien.

— J'aurais pu ou dû crier un peu plus, mais c'est pas dans ma nature.

— Ça donne rien ! Regarde-moi : je m'excite encore à l'idée de secouer l'imbécile de Levasseur, mais ça va servir à quoi? À me libérer d'un sentiment d'impuissance? Y a dix autres blogueurs qui vont prendre la place de ce trou de cul là dans le mois qui va suivre.

— Mais y en aura un de moins à venir nous tourner le couteau dans la plaie. »

## 81

Jules Langlois est intraitable : cette année, l'anniversaire d'Éloi se passe avec lui ! Au gym, dans un bar, un resto branché, en gang, comme il voudra, mais avec lui.

« Ça fait deux ans que tu te défiles, Éloi, là c'est fini. T'auras pas vingt-quatre ans tout seul, certain ! »

Éloi a toujours détesté son anniversaire, détesté les festivités familiales aux cadeaux en double, avec les gâteaux en double décorés de chandelles à souffler en même temps. Sans compter la maudite carte pareille, signée des mêmes *« papa et maman »* par sa mère.

Les photos qui témoignent de ces moments sont restées gravées dans sa mémoire comme les témoins de l'ennui suprême d'être célébré parce qu'on est la copie conforme d'un autre.

Seule Juliette avait su rendre ce moment de célébration unique et festif. Éloi doit admettre que Jules aussi... grâce à la découverte de cocktails au gin particulièrement réussis pour ses vingt ans.

Le programme sera donc le gym suivi de sushis et de *games* solides arrosées du meilleur gin en ville... jusqu'à plus soif ou plus de forces. Jules exulte : « Yes ! »

Pas d'invités, juste eux deux, comme dans le bon vieux temps… Éloi ajoute : « Si Isabelle peut accepter d'être tenue à l'écart sans se froisser. » Jules ne voit aucun problème : sa blonde a quand même une vie en dehors de lui et elle n'est pas du genre agrippée.

À une heure du matin, battu à plates coutures par Éloi, Jules prend le shaker pour une tournée d'honneur et il suggère d'aller finir la soirée au karaoké.

À la fin de la nuit, après avoir hurlé en chœur *Don't Stop Me Now*, quand le grand succès de Queen *Bohemian Rhapsody* commence, Éloi décide qu'il n'a pas envie de chanter « *Mama, just killed a man* » et qu'il est trop soûl pour seulement l'entendre.

Affalé dans le salon de Jules, un « coup de l'étrier » dans les mains, Éloi remercie son ami d'avoir insisté pour cette célébration.

Jules lève son verre : « *Anytime*, man ! Les amis, c'est là pour ça. Tu pourrais me laisser gagner de temps en temps, remarque. Fait longtemps que je t'ai pas battu…

— Tu m'as jamais battu, Jules ! T'hallucines.

— Wo ! Une fois en… 2017.

— J'étais soûl ? Affamé ? J'avais pas dormi ? Malade ?

— Tu relevais d'une fin de semaine d'orgie, mon gars. Tu marchais croche et t'étais tellement pas là que j'ai compris qu'il y en avait une capable dans le secteur.

— Ça !… Pour être capable…

— T'as jamais voulu me dire c'était qui.

— Des fois, le secret, c'est ben le fun… Juliette était comme moi, là-dessus. J'avais trouvé mon match.

— Ça m'a donné une victoire. Ah non ! Faux ! J'en ai eu une autre. »

Il se lève et lui tend le cellulaire de Rock : « Vérifié et contre-vérifié. C'est clean et eau-de-javellisé. T'as quand même raté la vidéo de Carolane qui était super bien cachée, je te l'accorde. »

Éloi fronce les sourcils sans prendre l'appareil.

Jules se méprend : « Excuse, c'est ta fête, ça peut attendre à demain.

— Non, c'est pas ça... tu t'es pas trompé de cell ?

— Ben non : celui de Juliette, tu l'as repris... Pourquoi ?

— Qu'est-ce que Carolane fait sur le cell de Rock ?

— J'sais-tu, moi ? Y était pas sur le tien ? Si Rock voulait, y a pu...

— Non Jules. C'était pas sur mon cell. C'était sur le jetable, celui réservé à nos rapports à nous deux, justement. Nos "cells de paranos", comme disait Juliette.

— Ben là ! Faut aller voir la source. Écoute, y est tard en crisse pour réfléchir... Mettons : Carolane l'envoie à Juliette qui te l'envoie sur le cell pas traçable. Mais elle, elle l'a sur son cell ordinaire. Ton frère pouvait *hacker* ça facile. Y l'a assez prouvé.

— M'étonnerait, Jules.

— O. K. Quoi, d'abord ?

— Ça veut dire que Rock les espionnait aussi, Carolane et elle. Pas juste notre couple. Pis Carolane, elle était pas mal moins prudente et moins techno que Juliette. Rien que d'envoyer une vidéo aussi compromettante de même, pas de code pour l'ouvrir... Ah ! J'aimerais ça être moins soûl. On capote pour rien ou c'est génial ?

— Génial ? Où ça, génial ?

— Attends, laisse-moi essayer de penser. La vidéo de Carolane, c'était pour l'anniversaire de Juliette, fin décembre. Fin janvier, paf, elle m'annonce qu'elle a fait le tour de notre histoire. Pis après, on se rend compte que Rock, en passant par une adresse bidon, l'embarque dans une sorte de cochonnerie qui est pas du tout Juliette. Et je suis certain qu'elle sait que c'est pas moi, même si ça veut en avoir l'air, parce que c'est pas sur notre ligne de paranos. Pis la veille de sa mort, elle lui écrit un *lâche-moi* pas si épeuré que ça. Peut-être qu'elle a compris que c'est Carolane qui le fait flipper ? Que c'est ce couple-là qu'il visait finalement ? C'est peut-être même juste Carolane qu'il voulait tuer… parce qu'elle aimait pas les hommes ? Parce qu'elle s'en passait ?

— Euh… non ! C'est toutes les femmes, si on croit ce qu'il disait. Toutes, incluant Carolane… qui s'est pas toujours passée des hommes d'ailleurs. Qu'est-ce que ça donne de savoir ça ?

— Je sais pas. Je sais plus ce que je trouvais génial là-dedans. O. K. je couche ici ? Sors le sleeping. »

## 82

Le plus compliqué pour Jules, c'est d'essayer de raconter à Isabelle ce qui était si génial dans leurs élucubrations de fin de soirée à Éloi et à lui. Plus elle pose de questions précises, plus il s'embourbe et se mélange.

Finalement, sa réponse la plus sensée est qu'ils étaient soûls.

Trop content d'avoir réussi à sortir Éloi de sa solitude, il se fiche pas mal du pourquoi du comment et il l'avoue candidement à une Isabelle déçue.

« On s'en fout pas mal de son frère, tu comprends ? Qu'y reste de son bord avec ses secrets et ses idées tordues. Nous autres, on aime les femmes pis on leur veut du bien.

— J'avais compris, oui. Finalement, tout ce qui change dans vos découvertes, c'est que le tueur avait la vidéo de la fille amoureuse de Juliette.

— Ça paraît que t'as pas vu ça, toi ! C'est pas juste "coucou, ma cocotte, je t'aime", c'est… c'est explicite, comme on dit, "pour adultes seulement".

— Ah oui ? Tant que ça ?

— Le genre d'affaires que tu mets pas en ligne, mettons.

— Tu l'as ?

— Ah ben! Je te savais pas ces penchants-là. Dans le broyeur, ma fille. Je l'ai eue, mais je l'ai plus. Tu peux demander à Éloi qui a sûrement une trace parce qu'y garde tout sur un périphérique sécuritaire.

— Ben oui! J'y demande ça tout simplement: ah oui! la vidéo cochonne de l'amie de ta blonde, je peux-tu la voir? Pas pour me rincer l'œil, juste pour vérifier de quoi...

— Y va se demander si t'es pas en train de me jouer dans le dos.

— Y a jamais pensé ça de Carolane et Juliette? Une petite aventure, vite faite?

— Tu vois ce que ça donne de lire les interrogatoires de Rock? Ça te rend bizarre avec des idées toutes croches. J'ai hâte que tu le lâches, lui, avec ses perversités. Pour répondre à ta question, y aurait rien dit si Juliette avait voulu... disons faire plaisir à Carolane. Éloi est vraiment pas comme son frère, y veut pas posséder l'autre. Y est allergique à ça, la possession.

— Quand même! On parle d'un méchant partage.

— Tout ce que je peux te dire, c'est qu'y aimait Juliette. Et que Carolane aimait Juliette. Jusqu'où ça les a menés, ça ne nous regarde tellement pas! T'aimerais ça, toi, qu'on sache comment on est nous deux dans notre intimité? Pas moi.

— C'est quand même un peu fort comme tolérance... Je pourrais pas, moi.

— Ben, on te le demande pas! Aucun risque de mon bord. Pis fais pas comme si Éloi avait "toléré" des affaires impossibles. Ce gars-là était pas torturé pour cinq cennes avec Juliette. Pis Carolane se rongeait d'amour. Pas compliqué, ça.

— Sauf si Carolane trouvait ça trop dur à vivre.

— Bon, je te laisse à tes enquêtes pas le fun. Faut que je travaille, moi. Disons que j'ai eu une matinée un peu molle. Merci pour le lunch ! »

Il s'enfuit avant qu'Isabelle lui demande s'il a couché avec Carolane.

Il n'aime pas mentir. Et c'était plus pour dépanner que par désir.

## 83

Guillaume prend son temps avant de coincer le blogueur aux aspirations journalistiques. Tout d'abord, il veut laisser passer le deuxième anniversaire de la mort de Juliette et ensuite, il enverra un texto à tous ceux qui ont perdu quelqu'un dans cette tuerie pour s'assurer qu'il couvre tous les angles.

Il a avancé dans ses recherches et connaît maintenant l'éditeur qui « considère » favorablement la proposition de Levasseur. Un bel épais, tant qu'à lui.

Son plan est mis en échec par le faux journaliste lui-même qui, sans s'en rendre compte ou en s'en fichant éperdument, envoie un courriel à tout le monde… le 21 avril, en plein le jour anniversaire de la fusillade et sans en faire mention.

En sortant d'une réunion au bureau, Guillaume remet son cellulaire en mode sonore et les messages se mettent à entrer en rafale : Teresa, Hélène, Chantal, Gilles et même Anaïs, la sœur de Carolane qui avait hérité du téléphone de Juliette. Tous ont reçu le courriel en même temps et se demandent quoi faire, paniqués.

Chacun a une réaction violente, surtout à cause de la date choisie par l'expéditeur.

La plus drôle, c'est Anaïs qui lui transfère le courriel avec un gros point d'interrogation et des émojis d'un tas de merde suivi d'une face verte au bord du vomissement.
*Pas pour moi, certain!*

Guillaume constate qu'il n'a pas été négligé non plus par le vautour : son invitation à « le contacter le plus rapidement possible » est aussi arrivée.

Anaïs n'aime pas le silence : son second texto entre et lui donne une piste de solution.
*Ma sœur l'a eu. Jeté. Je jette?*
Et c'est accompagné d'une face grimaçante, cette fois.
Cette petite de treize ans a l'aplomb qu'il faut pour l'aider et Guillaume la rencontre pour mettre au point une stratégie.

Brillante, allumée, elle devine tout de suite où il veut en venir : « Tu veux le faire passer pour un vieux pédo? Parce qu'y veut faire de la marde avec ta fille pis ma sœur morte, genre?
— Genre… Juste le piéger pour qu'il ait l'air d'abuser. Mais y faut que tu me transfères chaque message. Tu fais rien que je ne vois pas. C'est moi qui décide.
— On commence? »

Déjà, ses pouces volent sur le clavier à une vitesse effarante. Et elle réussit à parler en même temps : « Ma sœur répondra pas. Mes parents… y vont dire qu'y veulent pas en parler. *Anyway*, c'est défendu d'en parler à maison. Ça? »

Elle lui tend l'appareil où elle a écrit : *Q info ? École ou juicy ? Rencontre ou texto ?*

« Est-ce que j'ajoute *gratis ou payant* ? Ça ferait plus vrai…

— Non, on commence avec ça. »

Le texto est à peine expédié que la réponse du prédateur entre déjà : *Rencontre. Juicy si possible. Tout m'intéresse.*

Elle jubile : « On pousse un peu ?

— Attends ! Attends ! Pas une rencontre, par exemple. T'as pas peur de lui ? »

Elle hausse ses jolies épaules : « Y est fucké si y pense que je vas y parler des goûts sexuels de ma sœur ! »

Encore une fois, ses doigts dansent sur le clavier : *bcp à dire. Quand ? Hâte.*

Avec Anaïs, rien ne traîne. Elle siphonne son chaï et indique le chocolat resté dans la soucoupe du café de Guillaume : « Tu le veux pas ? »

Il pousse l'assiette vers elle : « Faudrait que t'enregistres la rencontre. Tu peux absolument pas être toute seule.

— Évidemment ! T'aimerais mieux des preuves écrites, j'ai compris… — un texto entre, elle lui tend l'appareil — Comme ça ! »

*Très hâte aussi. Demain ? Tu finis à quelle heure ?*

« Attends, on va le faire jaser… »
*Very juicy. C pas un ange.*
Réponse encore plus rapide, le blogueur ne se peut plus, apparemment : *Capable d'en prendre. T. formidable.*

En montrant sa réponse — *Tu viens me chercher à l'école?* — Anaïs rigole: «J'ai fait exprès de le dire de même. On écrit jamais comme ça par texto. Y va s'en douter, tu penses?»

La réponse qui arrive prouve que non: *Quelle heure? J'ai l'adresse.*

Elle est ravie: «Tchèque ça!»

*3 h 30. Cb d'argent?*

Le texto part avant que Guillaume puisse émettre son avis.

La réponse est parfaite: *Possible. Selon les infos que tu apportes. À demain.*

Elle ajoute un *weh!* avec un pouce en l'air et envoie.

«On va venir ici, le chaï est écœurant. Pas toi, par exemple, y connaît sûrement ta face. T'es le père de Juliette!

— Toi non plus tu y seras pas, Anaïs. J'ai tout ce qu'il me faut avec les textos.

— *No way!* T'as jusse à demander à quelqu'un de surveiller...»

C'est comme si elle était toujours en avance sur lui. Il est stupéfait, tenté et hésitant.

«Tu devrais demander au gars qui a fait le transfert de mon téléphone de venir prendre un café dans le coin... C'pas toi, han? Y est cool. Y m'a laissé full émojis.»

Au lieu de répondre, Guillaume préfère la surprendre avec l'idée qui lui est venue. C'est au tour d'Anaïs d'être ébahie: le frère du tueur! Tout son rythme intérieur si trépidant se calme soudain, elle réfléchit sérieusement avant de parler.

« Comment y a fait pour tenir ça mort ? On l'a jamais vu. Jamais su… wow ! Y est génial. »

Elle est vraiment impressionnée. Ses doigts travaillent encore avec frénésie sur l'appareil qu'elle ne lâche jamais. Elle montre le résultat de sa recherche : les parents de Rock Marcoux en cour ou à la sortie du palais de justice, des portraits sans fin de Rock lui-même, mais nulle part n'apparaît le frère de celui-ci. Et quand elle tape Éloi Marcoux à la demande de Guillaume, rien le concernant n'apparaît. Seul un gars de France a un Facebook à ce nom.

« Arrête un peu, Anaïs, c'est son métier, l'informatique et il voulait rester incognito.

— Mais sais-tu ce que ça veut dire ? Y est nulle part ! Comme si y existait pas ! C'est ben *weird*… »

Guillaume se demande ce qui est le plus capoté entre échapper à la broyeuse d'intimité ou paraître sans existence si on n'y figure pas.

Il sourit en payant leurs consommations : « Tu le laisses payer, demain, et t'es super prudente… »

Son : « Ah ouin ? Sérieux ? » est exactement chargé de l'humour qu'il adore.

# 84

Installé au fond du café, dos aux gens, mais avec une vue parfaite sur ce qui se passe grâce à l'un des miroirs qui ornent les murs, Éloi travaille vaguement sur son ordinateur portable quand la mini Anaïs s'installe en compagnie du faux journaliste à quelques tables de lui.

Moins jeune qu'il n'aurait pensé, ce Levasseur, il a un début d'embonpoint et de calvitie qui semblent avancer de pair. C'est d'ailleurs la seule harmonie chez cet homme un peu lourd.

Guillaume s'est montré très persuasif pour convaincre Éloi de remplir cette mission. Il n'y a pas si longtemps, Éloi a entendu le résumé du témoignage impertinent d'Anaïs aux représentations sur sentence et l'idée de rencontrer la petite qu'il connaît en ayant analysé le contenu de « son » téléphone emprunté à Juliette ne lui déplaît pas.

De toute évidence, c'est elle qui mène le bal avec Levasseur.

Il la voit pépier, s'amuser, et s'agiter sans réserve. Pas mal plus dégourdie que sa sœur Carolane, cela ne fait aucun doute. Une coupe de cheveux impossible, à la garçonne, comme volontairement ratée. Anaïs fait apparemment peu de cas de l'opinion des autres, mais il a lu ses échanges et ses recherches sur le cellulaire et cette belle assurance affichée repose sur des bases pas mal moins solides qu'il n'y paraît.

Pour l'instant, elle s'amuse ferme et Éloi ne doute pas que le blogueur est aux anges : quoi qu'il sache sur Carolane et Juliette, il a l'air persuadé que cette enfant naïve va pouvoir le confirmer… sauf que c'est lui, le naïf. Cette jeune fille est beaucoup plus allumée qu'on peut le croire.

Au bout d'une heure, ils se lèvent et l'effrontée lui envoie un de ces regards complices, sourcils levés, l'air ravi ! Éloi aurait éclaté de rire.

Il les voit se séparer sur le trottoir et Anaïs prend apparemment sa place dans la file à l'arrêt du bus pendant que l'autre rejoint sa voiture. Dès qu'il est parti, elle se rue dans le café et s'assoit en face d'Éloi.

« Pas dangereux pantoute. Y est vraiment cave. Cerveau *smashé*. Tu t'appelles Éloi et t'es le frère de Rock Marcoux. Jumeau. »

Éloi est certain d'une chose : quoi qu'elle ait envie de savoir ou de dire, il n'est pas là pour l'éclairer. Il ferme son ordinateur et l'avise de raconter tout ce qu'elle sait à Guillaume. En ce qui le concerne, sa mission est terminée… à moins qu'elle ait besoin qu'il la raccompagne chez elle ?

Son calme et une sorte de douceur déterminée ébranlent l'assurance d'Anaïs.

Penaude, elle se tait, signe indéniable d'un malaise.

Ses yeux bruns foncés se plantent dans ceux d'Éloi : « Excuse. Sérieux. »

Éloi est déjà debout, prêt à partir : « C'est O. K. Viens. »

Elle n'en revient pas : « Tu veux pas savoir ?

— Non. Je veux rien savoir de ça. Tu le diras à Guillaume, c'est son affaire. C'est pas personnel. C'est de même, c'est tout. »

Il attend, patient, sans témoigner du moindre agacement. Anaïs est déroutée, elle a l'habitude de susciter des réactions, pas ce calme : « T'es quoi ? Tanné ? Me suis excusée.

— J'ai compris. C'est rien de personnel, j'te dis.

— Ben là !… On peut pas parler un peu ? Être polis… »

S'il y a une chose dont elle se fiche, c'est bien de la politesse, Éloi en jurerait. Tout comme il la trouve futée de ne rien ajouter. Pour une verbomotrice comme elle, le silence est une arme puissante.

Déçue, elle se lève à contrecœur et passe les courroies de son sac à dos.

« Moi qui pensais que tu parlerais de ma sœur… t'es comme les autres, finalement.

— Je la connaissais presque pas.

— T'a connaissais mieux que mes parents ! Eux autres, y se doutent de rien de ce qui se passait, pis y se taisent. Savais-tu ça qu'y ont failli divorcer quand elle est morte pis que finalement y sont restés ensemble à condition qu'on parle jamais d'elle ? Ben… pas à condition, mais c'est ça que ça a donné, pareil.

— J'suis désolé.

— C'est ça. Tout le monde est ben désolé ! Même l'épais de tantôt était désolé, imagine si c'est spécial de vous entendre me sortir ça. »

Elle le devance et marche vers la sortie. Éloi se rassoit, même s'il ne sait ni quoi dire ni comment. Elle s'aperçoit qu'il ne l'a pas suivie alors qu'elle allait passer la porte. Elle revient à la table, fait glisser son sac à dos et s'assoit en silence. Déçue.

« Tu protèges mal tes données. Veux-tu que je te montre des trucs pour sécuriser tes envois et bloquer des accès ? Carolane non plus savait pas comment. Elle avait pas le tour. »

Le cellulaire d'Anaïs est déjà sur la table.

## 85

Après la réponse enthousiaste d'Anaïs, Guillaume s'est présenté comme solution au problème que Justin Levasseur représentait pour chacun.

Les questions, même posées en tout respect comme le prétendait le blogueur, risquaient de pourrir la vie à peu près revenue au calme des familles victimes de Rock. Chacun à sa manière réagissait à ce retour inopiné d'un souvenir déchirant.

Guillaume estime d'ailleurs que son éloignement des parents Rioux-Thériault est amplement justifié, et ce, dès le premier appel de Chantal. Affolée, presque hystérique, elle ne fait que répéter qu'il faut que ça cesse, qu'elle a sauvé sa famille d'une tragédie, mais qu'elle ne fera pas un deuxième miracle, qu'elle est déterminée à ne plus jamais revenir sur ce drame et que ce n'est pas Gilles qui peut l'aider dans cette tâche.

À l'entendre, Gilles a fait des progrès de sobriété, mais la bataille est toujours d'actualité, la tentation demeurant brûlante, et les filles sont des ados fragiles qui auront toujours le sommeil léger. En se référant à Anaïs et à sa vitalité exubérante, Guillaume a tendance à diviser par dix les propos dramatiques de Chantal.

Quand il lui demande comment elle arrive à vivre avec tout ça, il détecte dans sa réponse le ton de la martyre consentante qu'il a en horreur. C'est vraiment exaspérant à ses yeux ce côté « oh ! moi, je n'ai plus de vie, je me contente de sauver celle des gens que j'aime ».

Il note en passant que sa remarque « si les filles peuvent arriver à l'âge de Carolane et le dépasser, je pourrai dire "mission accomplie" ! » signifie que Gilles a démérité et a migré de « gens aimés » vers le « boulet à traîner ».

Il raccroche en se jurant de limiter les communications à l'essentiel. Cette femme est une catastrophe de gémissements et de lamentations. Il ne comprend même pas qu'Anaïs soit si résistante aux forces négatives de sa famille. C'est une insatiable curieuse qui, comme les plantes en santé, se tourne vers la lumière pour grandir. Elle réclame d'ailleurs une participation plus intense à la manipulation du « débile ». Elle a adoré son expérience et offre au moins un nouvel angle d'attaque chaque jour. Guillaume a du mal à la contenir.

Son ex, Hélène, est ulcérée par l'effronterie du blogueur et rien ne semble entamer sa détermination à ne pas revenir sur le passé… sauf en ce qui le concerne. Guillaume se méfie de son admiration un peu langoureuse, cette note d'exclusivité qu'elle finit toujours par faire entendre comme si personne mieux que lui ne saurait la protéger de tous les dangers. Elle reprend légèrement ses tentatives de rapprochement en essayant de ranimer leur entente comme il y a deux ans, à la mort de Juliette. Et Guillaume résiste parce qu'il connaît les limites de son affection qui ne passera plus jamais d'amicale à maritale. Il ne s'estime pas le champion de la lucidité, mais ce qu'il sait, il essaie de s'en souvenir.

Le côté paisible d'Éloi et leur entente improbable mais solide l'aident à ne pas s'égarer dans une guerre inutile. Éloi le ramène à l'essentiel dans ce magma — c'est son mot — qu'est la vengeance qui s'allie à un légitime désir de paix. Il l'interroge souvent sur le but recherché : écraser Levasseur ou seulement l'empêcher de nuire. Leurs discussions s'étendent souvent bien au-delà de ces sujets et Guillaume les recherche pour le pur plaisir qu'il y trouve.

Éloi l'a d'ailleurs surpris en passant la remarque que jamais, quand il était avec Juliette, il n'avait été question de rencontrer les parents de l'un ou de l'autre. « Quand même bizarre de constater qu'on est si capables de s'entendre, maintenant qu'elle n'est plus là. »

Guillaume prétend que ce n'est pas pour éviter les conflits que Juliette les gardait dans leur monde respectif, mais pour éviter « qu'on se ligue contre elle quand elle décide de faire à sa tête contre tout bon sens ».
— Faux. Juliette avait toujours du bon sens. Des fois, elle oubliait d'expliquer son raisonnement, mais c'était sensé. »

Guillaume adore le parti pris favorable qu'Éloi ne cache pas : ils ont avant tout en commun d'avoir aimé profondément Juliette. Et maintenant qu'il aime l'homme que sa fille a aimé, il ne veut pas que le souvenir de celle-ci ruine la vie d'Éloi.

En dehors d'Éloi, la seule personne qu'il revoit avec plaisir dans cette entreprise de découragement du blogueur, c'est Teresa.

À ses yeux, cette femme est exceptionnelle ; elle possède un calme et une douceur indéniables.

Même quand elle s'inquiète des insistances de Levasseur auprès de Brigitte ou d'elle-même, elle réussit à rester lucide, à ne pas paniquer et à se soucier des autres. C'est peut-être sa plus grande qualité, cet oubli de ses soucis au profit du bien-être d'autrui.

À deux reprises, il l'a invitée à manger pour « discuter du problème », mais ils n'en sont jamais restés à ce pénible sujet.

C'est à elle qu'il a parlé de son insolite rapprochement avec Éloi. Comme pour la plupart des gens, le frère jumeau qui avait eu une relation avec une des victimes s'était effacé de sa mémoire des évènements. Teresa avait trop d'émotions personnelles à gérer pour accorder de l'importance à la famille du tueur.

« Ça doit être épouvantable à vivre... le pauvre, comment il peut s'en sortir ? C'est pas lui qui est tué, mais quand même un peu... D'un côté, c'est sa famille, mais de l'autre, c'est celle qu'il aime. Comment il s'en sort, s'il s'en sort ? »

Voilà exactement ce que Guillaume aime chez Teresa : elle ne juge pas, ne condamne pas et elle réagit avec une humanité réconfortante.

« Il s'en sort parce qu'il a des amis et qu'il avait fait du ménage dans sa tête avant que son frère décide de s'armer et d'aller punir les femmes d'exister.

— Et maintenant, il t'a comme ami. C'est tellement précieux. Pourquoi on n'en fait jamais de cas, tu penses ? Combien de fois on parle de l'amour sans jamais mentionner l'amitié ?

— À cause du sexe ! Dans l'amour, c'est fondamental. Et ça, ça intéresse les gens.

— L'amour sans le sexe, c'est l'amitié ?

— Un peu… non ?

— Et le sexe sans amour, ça a un nom ?

— Le sexe !… ou peut-être la génitalité. Pas mal moins le fun.

— J'ai toujours pensé que ça arrivait seulement aux hommes.

— Pense pas, moi. Pas de nos jours, en tout cas. Je dis pas que c'est facile de séparer la curiosité ou le désir brut des émotions, mais les femmes aussi peuvent être menées par leur sexualité. J'ai pas dit leurs hormones, c'est plus que ça. C'est ce qui m'a fait peur avec ma fille : sa tendance à vouloir explorer certains secteurs… sans amour.

— Tu penses qu'elle l'a fait ?

— Sûrement ! Je le sais. C'était tout un numéro… Sophia ?

— L'exploration pure ? Aucune idée. Elle me l'aurait pas dit. Ta fille te l'a dit ?

— Pas franchement, mais je l'ai consolée de quitter un homme qu'elle aimait sans le désirer. C'était un dur apprentissage pour elle de respecter ses envies folles et de se respecter de les éprouver.

— T'as été capable de l'aider là-dedans, toi ?

— L'aider… je sais pas, mais la pousser à tester sa vraie nature, ça oui.

— Elle a été chanceuse de t'avoir !

— Laisse-moi te dire que, là-dessus, la rencontre avec Éloi a été plus déterminante que mes efforts.

— J'aurais jamais eu une réaction aussi… libre, si Sophia m'avait parlé comme ta fille l'a fait.

— Tu dis ça, mais t'es tellement capable de comprendre les autres, t'aurais voulu que ta fille soit heureuse et t'aurais fait ton possible pour l'aider.

— J'aurais pas compris, Guillaume. Et j'aurais eu peur. Pour elle.

— Peur qu'elle se perde dans le plaisir brut?

— Jamais de la vie! Si seulement c'était ça! Non, peur qu'elle soit abusée, qu'on profite d'elle et de sa curiosité.

— L'inverse se peut pas?

— Quel inverse?

— Qu'une femme abuse d'un homme, qu'elle profite de lui sans l'aimer. Qu'elle le réduise à ce qu'il peut offrir de plaisir… Disons, pas l'homme objet, mais l'homme étalon.

— Tu le croiras pas, Guillaume, mais j'ai jamais pensé à ça. J'ai pas été élevée comme ça. Ça se peut sûrement mais ce serait pas avouable dans ma famille. Et des parents permissifs comme toi, ça se pourrait pas non plus, ou alors c'est rare. Dans l'esprit de mon éducation, ça serait encourager une fille à trop de liberté avouée.

— Tu viens du Mexique, c'est ça?

— Honduras.

— C'est bizarre qu'on n'en ait jamais parlé, que je ne sache pas d'où tu viens.

— On avait des problèmes plus urgents, non? D'ailleurs, je suis étonnée qu'on en ait parlé. Me semble que c'était l'amitié, notre sujet?

— Ah oui : l'amour sans le sexe ! »

Le silence n'est pas lourd entre eux. Teresa prend le courage que toutes ses rencontres avec Alba lui ont donné : « Tu te souviens de ce qui a provoqué une pause entre nous ? »

Guillaume hoche la tête en souriant : « J'ai arrêté d'aller au groupe de soutien, non ?

— Oui, mais avant, il s'est passé quelque chose entre nous.

— Ah oui ? Ah bon… excuse, j'ai oublié, je crois.

— Tu as voulu m'embrasser et j'ai dit non. »

Elle le voit reculer de surprise, légèrement incrédule, mais absolument pas choqué. Il ne se rappelle pas, c'est clair.

Teresa continue : « Le plus drôle, c'est que ça s'est très bien passé. Tu as compris et tu n'as pas insisté. Et après, on ne s'est plus vus. Du tout. Et… disons que ça m'a forcée à considérer beaucoup de choses que j'avais oubliées. À faire du ménage. »

Il ne dit rien, il attend sa conclusion puisqu'il ne se souvient ni du baiser ni de l'élan qui l'avait provoqué. À ses yeux, Teresa est une amie, pas l'objet d'un désir refoulé ou contraint.

« Au début, ça m'a choquée. Que ça finisse comme ça, que ma confiance soit comme trompée. Surtout que tu te taises et disparaisses. Non, attends, c'est plus du tout ça, t'as pas à t'excuser. Mais je voulais te dire merci. Parce que, sans tout ce qui s'est passé ou plutôt pas passé, jamais j'aurais été voir ce qui m'habitait vraiment, ce que mon éducation, la culture de mon pays, certains évènements me forçaient à penser de moi. Bon, j'essaie de te dire que ce qui avait l'air de rien m'a fait beaucoup de bien. Et qu'on puisse encore parler ensemble, en toute confiance, c'est un cadeau que je n'osais même pas imaginer.

— J'ai plutôt l'impression d'être un "grossier personnage" comme dirait ma mère. D'avoir mal agi.

— Si je m'arrêtais à ce que j'ai senti en surface sur le coup, je serais d'accord avec ton analyse. Mais finalement, mon interprétation venait de ma peur, pas de ton geste. C'est difficile à expliquer sans te donner des détails, mais crois-moi, c'était mon problème, pas le tien.

— Je vais te croire, mais la prochaine fois, essaie de m'avertir sans laisser passer trop de temps. C'est un peu troublant quand même que je ne me souvienne pas.

— Juste comme ça : as-tu un chiffre pour le nombre de baisers que tu as donnés dans ta vie ?

— Aucune idée !

— Beaucoup ? Bon... Combien de baisers on t'a refusés ?

— J'en sais rien. T'es drôle, toi ! Je tiens pas le compte.

— C'est juste pour te montrer que t'es parfaitement normal de pas t'en souvenir. C'était rien d'autre qu'un baiser. Et si un homme comme toi, qui aimait sa fille, peut devenir ami avec son amoureux qui fait pourtant partie de la famille du tueur, dis-toi que devenir un "grossier personnage" est pas vraiment une grosse menace dans ta vie.

— Parle pas trop vite : y en a un avec qui j'ai très envie de devenir grossier, et c'est Justin Levasseur.

— Ça, tu peux y aller et foncer, Guillaume ! On le veut pas comme ami. Personne. »

## 86

Comme deux excellents *gamers*, Jules et Éloi se livrent à une bataille sans merci quand les bips de notifications ne cessent de se faire entendre. Jules enrage : c'est sur le téléphone d'Éloi et c'est lui que ça distrait ! Quand son ami gagne encore avec tous les honneurs, Jules est frustré à l'os : « Tu sonnes donc ben ! Pourquoi t'as pas éteint ton cell ? C'est super dérangeant ! C'est qui, cet énervé-là ? »

Éloi sourit en regardant l'écran : « Miss Snapchat qui veut pas que je manque son dernier coup de génie sur TikTok.

— Encore elle ? Elle décolle jamais de son téléphone, coutdonc ?

— C'est samedi, Jules ! Elle a rien que ça à faire. Regarde. »

Les « *snaps* sont malades », comme le dirait Anaïs. Les pouces d'Éloi manœuvrent rapidement pour la féliciter et, ça ne manque pas le coup, une pluie de commentaires suivent.

Snapchat est l'instrument de prédilection d'Anaïs. Elle y est depuis un an, alors qu'elle n'avait pas l'âge requis. Elle a triché et est arrivée à ses fins, comme toujours.

Jules est dubitatif : « Fais attention à toi avec elle : elle pourrait te piéger.

— Je lui ai même montré comment ! Oublie pas qu'on lui a demandé de nous aider à coincer le blogueur.

— Justement ! Ça peut se revirer contre toi. Si jamais tu lui refuses de quoi, elle va se choquer et ça pourrait faire mal. Treize ans, man, c'est jeune en crisse. Pis elle est pas mal plus allumée que sa sœur Carolane. — Un nouveau message entre qui fait rire Éloi — Hé ! Tu m'écoutes pas ? »

Éloi lui tend l'écran où elle a inscrit : *Piège-moi !*

« Quoi ? Elle veut que tu la pièges ? C'est quoi, votre *game* ? »

Éloi explique le début de leur entente quand il a montré à cette championne du numérique comment se protéger. Depuis, de temps en temps, elle lui fait tester ses nouvelles forces.

Comme Jules est le plus calé en détection de sécurité informatique, Éloi lui tend son appareil pour qu'il analyse les progrès de la petite. Est-elle traçable, copiable ou facile à manipuler avec ses envois supposément anonymes ?

Jules relève le défi avec la même intensité qu'il joue. En dix minutes, il ne trouve qu'une seule faille, et elle est minime.

« C'est ce que je te disais, Éloi : elle est déjà très forte et le jour où elle t'aime plus, ça va faire mal ! »

Éloi le traite de vieux cynique revenu de tout et incapable de faire confiance : « Te souviens-tu comme Carolane était heureuse d'être sortie de chez elle ? De plus vivre avec sa famille ? La petite est pareille. Elle rêve du jour où elle va enfin vivre sa vie. Pis sais-tu quoi ? Je la comprends.

— Y a pas juste là-dessus qu'elle ressemble à sa sœur. Penses-tu qu'à treize ans on peut être sûr de son orientation sexuelle?

— T'es drôle, toi: avais-tu des doutes à treize ans sur ce qui te faisait vraiment envie? Ben c'est pareil pour elle. C'est pas juste sur Snapchat qu'elle est allumée.

— Carolane était plus vieille, mais elle était pas sûre.

— Tu dis ça parce que t'as couché avec elle une fois! On peut pas appeler ça une preuve. Plutôt un hasard, non?

— Peut-être, mais c'est une sorte d'hésitation… ou une question qu'elle se posait.

— Je vais le dire et tu vas me trouver biaisé, mais tant pis: Carolane était amoureuse de Juliette, point. Les autres filles l'intéressaient pas. Ni du cœur ni du cul.

— J'ai l'air de quoi, moi, là-dedans?

— Tu fais partie du groupe "essais et erreurs" de Carolane. Vous avez baisé "pour voir", pis vous avez vu que c'était pas ça.

— Tu règles ça vite!

— C'est pas vrai?

— Oh toi! Si on t'écoutait, tout le monde était amoureux de Juliette!

— Sais-tu quoi? Je le pense encore… tout le monde capotait sur elle. Moi, le premier. Toi, le deuxième, avoue.

— Wo! Jamais été chasser sur tes plates-bandes!

— C'est comme les *games*: tu sais que tu vas perdre, mais tu joues pareil. Avec elle, t'as jamais essayé, mais t'étais quand même sous le charme.

— Bon, O. K., les rares fois où je l'ai vue, c'est vrai. Ça, c'est quand je pouvais rester dix minutes sans que tu me dises d'aller voir ailleurs.

— C'est vrai que j'étais pas du monde !

— Heureux de te l'entendre dire. Grouille que j'essaye de te battre avant que la petite délurée nous envahisse encore. »

## 87

La rencontre entre Guillaume et Justin Levasseur a lieu dans un endroit neutre, un restaurant du Plateau plutôt désert le matin.

Ce qui frappe Guillaume chez le faux journaliste, c'est son assurance d'être sur une bonne piste, sa détermination à exploiter son filon sans égards pour les conséquences sur les victimes. Il a même l'insolence de croire qu'il faut parfois bousculer les gens dans le but de faire évoluer les pensées.

Son angle d'approche est la rédemption. Rien de moins.

Prolixe, il s'explique et essaie de démontrer sa théorie en s'appuyant sur ses propres émotions. Au début, quand il a commenté les meurtres, il jugeait sévèrement le tueur. Comme tout le monde. Puis, à force de s'entretenir avec lui et avec sa pauvre mère, il s'est dit que chacune des personnes dans ce drame avait une mère et que c'était le chemin de leur rédemption.

Guillaume écoute le paquet de poncifs et de lieux communs que cet homme émet sans rien remettre en question, mais sa patience est durement éprouvée et la rédemption est pas mal loin dans ses pensées. Avec les émotions, grâce à celles-ci, Justin Levasseur ferait passer un monstre pour un ange blessé. Il manipule tout ce qui est rationnel en le soumettant à l'émotif, ce concept à la mode qui semble en voie de remplacer la pensée brute et non affectée par les jeux de lumière que l'émotion produit.

Il appelle le tueur « Rock », comme s'il s'agissait d'un intime. Il ne juge pas. Il se contente d'écouter, d'accueillir ses témoignages sans le soupçonner du pire, sans l'enfermer dans des préjugés. Bien sûr, Rock a tué. Bien sûr, il a avoué, les preuves sont indubitables, nettes. Bien sûr, la justice a tranché son sort. Mais au-delà, n'est-ce pas, au-delà de ces faits bruts, il y a un jeune homme brisé qui n'a pas planifié ou organisé la tuerie, mais qui a plutôt réagi à une désorganisation psychologique intérieure qui avait commencé bien avant le 21 avril fatidique.

Rendu là, Guillaume sent que sa salive devient acide et qu'il va vomir. Les dents serrées, le souffle court, il se demande combien de temps encore il pourra tolérer d'entendre autant de bêtises lénifiantes sans sauter à la gorge de cet inconscient crasse. Oser lui parler à lui, le père de Juliette, des difficultés psychologiques du tueur, de sa désorganisation passagère ! Réduire un carnage qui a détruit quatre jeunes femmes en droit d'avoir un avenir à l'expression du passé douloureux du tueur, c'est de la pure provocation. Il l'interrompt : « Vous avez choisi votre angle, comme vous dites, vous avez de la sympathie pour le tueur et vous comprenez ses crimes, tant mieux pour vous. Peut-être même tant mieux pour lui. Pourquoi avez-vous besoin des familles des victimes ? Pour vous rassurer ou prouver encore quelque chose ? Votre ami Rock vous a privé d'un point de vue objectif, peut-être ? Vous avez un petit doute que vous voulez écarter en nous ramenant tous en enfer ? Sans égard pour notre passé à nous ?

— Pas du tout ! Pas du tout ! Ce serait cruel et c'est à l'opposé de mes intentions. Je me suis fait mal comprendre.

— Je ne suis pas certain d'avoir le temps que ça me prendrait pour bien vous comprendre. Ni d'en avoir envie, d'ailleurs.

— Attendez. Écoutez-moi. La rédemption, ça marche des deux côtés. Vous ne pensez plus comme vous pensiez il y a deux ans, quand c'est arrivé. Ça s'est déposé. Les émotions qui vous envahissaient ont pu se calmer. Vous ne regardez plus votre perte de la même façon. Je veux dire, ça a pu être vécu comme un échec en tant que parent, une sorte de désillusion sur votre capacité à protéger votre enfant. La mère de Rock, pensez-vous qu'elle a vécu autre chose ? Non. La même désillusion, même si ce n'est pas le même côté du prisme.

— Monsieur Levasseur, faites attention. Vous mélangez beaucoup de choses… Vous êtes dangereux d'inconscience.

— Non ! J'essaie de vous faire voir qu'il n'y a pas que votre réalité, mais celle de chacune des personnes impliquées.

— Très bien, je vais donc être clair : les personnes impliquées, comme vous nous appelez, font partie de deux camps opposés. Celui du tueur et celui des victimes. Dans votre miséricorde infinie, qui n'est pas à ma portée, vous souhaitez réunir les deux camps, les présenter comme un front uni de souffrances et de rédemption. Ça marche pas de même. Si je peux témoigner pour moi, ça produit l'inverse.

J'ai très envie de vous mettre mon poing dans la figure parce que vous ne savez pas à quoi vous jouez ni avec quoi vous jouez. La vie de votre Rock, ses intuitions, ses émotions, ses théories si jamais ça lui arrive de penser, je m'en tape. Vous comprenez ? Je m'en fous, m'en contrecrisse. Je vais penser de lui ce que je veux. Et je n'écrirai pas de livre là-dessus. Mais si vous venez associer mes pensées aux siennes, à celles de sa mère ou à celles de n'importe qui d'autre, je vous poursuis. Et je vous détruis du mieux que je peux avec les moyens légaux qui sont à ma disposition. Exactement comme votre ami Rock a détruit nos vies en tuant nos enfants, ce qui était pas mal moins légal. Et comme vous-même avez l'air de vouloir le faire en jumelant nos "rédemptions" avec celle du tueur.

— Tout n'est pas si tranché, voyons. Je n'ai pas l'intention de vous détruire. Au contraire.

— Disons que les apparences sont contre vous.

— Écoutez, j'ai tout de même une distance que vous n'avez pas. Ça, vous pouvez l'admettre. »

Devant le silence rageur de Guillaume, il hésite : « Je… je n'ai aucune implication personnelle, aucun lien avec la famille Marcoux… Mon objectivité est garantie.

— Vous avez rencontré le tueur.

— Rock ? Évidemment. Et sa mère aussi. C'est elle qui m'a ému, sa souffrance, sa condamnation. Parce que c'est ça aussi : y a pas que Rock en prison à vie, y a sa famille aussi.

— Ça vous a ému ? Et ça vous a permis de construire une théorie à partir de votre flash émouvant ? La Vierge Marie au pied de la croix qui reçoit le corps de son fils, c'est ça ?

La maman du tueur qui s'effondre de chagrin ? Accablée à jamais ? Effondrée mais tout de même capable de vous demander de blanchir le C. V. sanglant de son fils.

— Vous ramenez tout à un aspect ridicule. Vous réduisez mes efforts à de la soupe émotive dégueulasse.

— Parce que c'est dégueulasse ! Je ne dis pas que c'est illégal d'exploiter le *human interest*, mais si la mère du tueur vous a ému, vous auriez dû écouter les autres pietà aux représentations sur sentence, quand elles ont parlé de leur prison à vie à elles. La mère du tueur a un autre fils toujours vivant, ne l'oubliez jamais.

— Je les ai écoutées. Je les ai entendues. Elles m'ont ému aussi.

— Voyez-vous, monsieur Levasseur, votre fameuse émotion, votre *human interest* à vous, je trouve ça aussi dangereux qu'un AK-47. Ça empêche de penser d'être aussi émotif. Tout le monde a des émotions, comme tout le monde a un trou de cul. Y a rien de plus répandu que les émotions ! C'est la pensée qui est rare de nos jours. Ça, tout le monde en a pas. Et c'est pas à la mode. Pas d'argent à faire avec la pensée brute. Brutale, même. L'émotion, c'est tellement pratique, on peut taponner ça comme on veut, on lui fait dire ce qu'on veut et on ne se trompe jamais. Alors, gardez vos émotions pour vous et surtout, essayez pas de me comprendre. Je ne veux vous être associé d'aucune façon. Je me sentirais sali d'être des vôtres. Restez avec le tueur et régalez-vous du sordide qui veut tout à coup se vautrer dans la rédemption et bonne chance !

— Vous vous méprenez.

— Tant pis pour moi. Je vais me pardonner.

— Savez-vous seulement que la base du geste du tueur, c'est l'amour ? Que son frère est un jumeau et que Rock a tout fait pour lui éviter certaines erreurs ? Je ne justifie pas son geste, mais c'est avant tout un geste de désespoir. Pour protéger son jumeau. Le mettre à l'abri de certaines tendances extrêmes qui risquaient de le détruire. Savez-vous que ce frère l'a abandonné ? Que si on l'a jamais vu au procès, jamais entendu, c'est qu'il a ses torts dans cette histoire ? Sinon, pourquoi se cacher comme ça ? »

Guillaume est stupéfait et Levasseur s'y trompe en croyant enfin gagner son attention et sa reddition. Il continue d'essayer d'ébranler Guillaume qui n'en croit pas ses oreilles : comment un journaliste digne de ce nom peut-il ignorer ce qu'Éloi est devenu ?

« C'est Rock qui a tué, c'est entendu. Mais ce frère et ses traitements ont une grande part dans cette tuerie. C'est pas pour rien qu'il a disparu. Son père prétend qu'il est à l'étranger. Il ne laisse aucune trace, c'est certain. Un vrai pro. Un spécialiste informatique et il n'est nulle part sur les réseaux sociaux. Introuvable. Rock en a long à dire sur lui. Et il a des preuves. Pensez-vous que je m'avancerais si je n'avais pas de preuves ? J'aurai bientôt des échanges que Rock a interceptés et qu'il va me remettre pour le livre. Rien d'anodin : des courriels cruels qui démontrent que ce jumeau méprisait les femmes pas mal plus que son frère. Ça ne l'excuse pas, et ce n'est pas ce qu'il cherche, il est conscient d'avoir commis l'irréparable pour faire cesser ce qu'il trouvait pire : la destruction de son frère par une femme. Vous voyez comment on peut se tromper parfois ?

— Vous ne les avez pas, ces courriels incriminants qui font de votre misogyne un sauveur ?

— Pas encore. Rock les a promis.

— Vous croyez un tueur ? Ah oui ! la rédemption, excusez… Et le frère, l'imbécile vraiment hostile aux femmes, le cruel, vous comptez le rencontrer ou ce que vous raconte le tueur vous suffit ?

— Bon, je vois que je vous ai mal présenté les faits. En deux ans, il y a tout de même une réhabilitation possible, non ? Un début du moins…

— Possible.

— Il a pu regretter. Il l'a même dit quand il s'est excusé devant la cour.

— J'étais là. Et je n'ai pas été très ébranlé. Pour tout vous dire, les autres parents non plus. On doit avoir le cœur plus dur que le vôtre.

— On vous en demande beaucoup et j'en suis conscient.

— On ?

— La société.

— J'ai cru un instant que vous faisiez front commun de rédemption avec le tueur.

— Vous ne le croyez pas du tout, je comprends. Vous ne l'avez pas rencontré privément. Démuni.

— Ça ne risque pas d'arriver.

— Je comprends. C'est trop tôt. J'aurais dû attendre…

— … mais le public risque d'oublier, c'est ça ? Faut battre le fer quand il est chaud. Votre projet est déjà un peu tard, les évènements disparaissent vite de nos jours, poussés par de nouveaux drames, de nouvelles tueries provoquées par l'amour. Encore une notion puissante… dont le public est friand. Comme l'argent…

— C'est pas l'argent qui m'intéresse.

— La vérité, alors? La vérité nuancée par la réhabilitation? La rédemption? Vous croyez-vous? Avez-vous pensé que ce gars-là est en train de vous avoir jusqu'au trognon? Que quand vous aurez fait la job à sa place, quand vous aurez sali publiquement le frère ou n'importe qui d'autre qui l'aura approché, c'est sa tuerie que vous aurez continuée en toute bonne foi, comme un épais qui croit tout ce qu'on lui dit si on ajoute une larme? Alors, je vais vous épargner l'humiliation publique que vous risquez. Ce gars-là a peut-être tué à cause de son frère, mais il se sert de vous pour l'atteindre encore. Vos courriels, vous allez les attendre parce qu'il ne les a pas. De la frime! Comme le reste. Le respect des femmes? Vous êtes tombé en amour avec lui ou quoi? Votre sens critique de journaliste-blogueur est complètement disparu ou ça aussi c'est de la frime? Si vous pensez un instant qu'on va vous suivre sur le chemin de l'œcuménisme émotionnel, c'est que vous êtes complètement fou. Oui, je parle de nous, les parents des victimes de l'amour du tueur. — Il sort une feuille où figurent des signatures et un court texte — Ils ont tous signé pour que je représente leurs intérêts… et parmi ceux-ci, ils ont placé en premier la paix. Ils vous demandent donc de les laisser chercher leur rédemption en privé et sans votre soutien. Et de ne plus jamais tenter de les associer à vos démarches. J'ai ici également un échange entre vous et une fillette de treize ans qui ressemble à un début de rapprochement pas très net.

— Où avez-vous eu ça?

— Vous n'êtes pas tout seul à avoir des sources. Faudrait apprendre à vous méfier. Les émotions, ça peut pousser les gens à voir du mal là où il n'y en a pas. Et vice versa. Comme ici, dans le texto où apparaît votre appétit pour le *juicy*. Il s'agit bien de ce petit côté non orthodoxe de la sexualité ?

— Ben voyons ! J'ai jamais voulu… J'ai aucune intention malveillante ou sexuelle. Je suis marié !

— Mais ça garantit pas tout, le mariage. Comme la prêtrise. Vous le savez, puisque vous êtes un homme qu'on ne berne pas facilement. Treize ans, je le répète. Votre éthique professionnelle en prendrait un coup… Comme on dit "y a apparence de"…

— C'est dégueulasse !

— Vous trouvez ? Vous comprenez un peu comment on peut se sentir, alors. "On" étant les parents des victimes. J'ai ici autre chose… Un échange très courtois avec votre éditeur en puissance… qui ne rigole pas avec le sérieux d'un essai sur la rédemption. Devant vos méthodes, il a eu des doutes. Disons que ce n'est pas un intrépide et qu'il préfère ne pas prêter flanc au scandale. Il publie beaucoup de politiciens et, c'est bien connu, les politiciens ont horreur des scandales. Je ne peux pas vous empêcher de bloguer, tout le monde en a le droit, les bouffons comme les sérieux. Mais je vous lirai, monsieur Levasseur, attentivement. Et au moindre propos diffamatoire pour les gens que je représente, je vous poursuivrai. Jusqu'à vous faire taire. Disons que mon amour pour ces gens ne me mènera pas au meurtre, mais mon amour pour ma fille morte et sa réputation est très, très puissant. Vous avez l'air de comprendre les excès auxquels nous mène l'amour, je vous laisse deviner jusqu'où ira le mien.

— Mais!… c'est complètement disproportionné! Vous avez contacté mon éditeur? Vous n'avez pas le droit! Vous avez dit n'importe quoi. C'est vous qui faites de la diffamation!

— Non monsieur. J'ai seulement montré vos méthodes d'enquête qui sont bien illustrées dans l'échange avec Anaïs et vos questions aux parents. Ça a suffi. On est peu de choses, trouvez-vous? Une réputation, ça prend une vie à construire et ça se perd en deux textos. Même pas besoin de photo!»

Livide, Levasseur repousse les copies de textos vers Guillaume, les mains tremblantes. Il se lève, il a l'air assommé, hagard. Il regarde autour de lui comme s'il ne reconnaissait pas les lieux.

Ce n'est pas pour l'achever que Guillaume ajoute: «On fait tous des erreurs, vous savez. Y en a qui ont des conséquences épouvantables. D'autres qui restent mineures parce qu'on a été chanceux. Je sais que c'est pas comme ça que vous voyez ce qui vient de se passer. Mais notre entretien, c'est une chance. Une vraie.»

Dans sa précipitation, Levasseur oublie de payer.
Guillaume se fait un plaisir d'offrir aussi un café au blogueur.

## 88

« Quoi ? C'est fini ? Déjà ? »

Parmi tous ceux qui étaient touchés par le projet de Levasseur, Anaïs est bien la seule à être déçue.

Guillaume et Éloi ont beau la remercier, lui répéter qu'elle a joué un rôle primordial dans l'entreprise, elle estime que c'est trop court pour le plaisir qu'elle en retirait.

Même si elle invente encore mille possibilités de méchancetés que peut trouver le blogueur pour reprendre ses activités, les deux hommes refusent son aide et surtout lui interdisent d'entrer en contact avec lui. Ce qu'elle finit par accepter en précisant qu'elle n'est pas conne et qu'elle voit très bien les dangers.

Elle n'est pas convaincue et elle est dépitée. Pour bien les punir, elle refuse d'être raccompagnée et les plante là sans même finir son chaï.

Éloi prend une photo des trois chocolats encore sur les soucoupes et lui envoie un texto… auquel elle répond immédiatement. En souriant, il dépose son cellulaire sur la table : « Elle va s'en remettre. Elle voulait qu'on se sente mal ! »

Guillaume a marché à fond. S'il fallait qu'elle raconte à sa mère dans quelle aventure il l'avait entraînée, il est mort!

Éloi hoche la tête: «Aucune chance! Sa confiance dans le monde des adultes est très limitée. Dans son esprit, on est pas mal tous des épais et des losers.

— Ayoye la crise d'adolescence!

— Vous les connaissez, ses parents? Ils sont sévères ou ce sont des gens... bien, sympathiques?

— Non. Si j'étais mal élevé, je reprendrais ses propos: des épais!

— On la comprend d'être déçue alors.»

Guillaume tourne la cuillère dans son café presque froid: «Je voudrais m'assurer d'une chose avant de clore le dossier: es-tu sûr et certain que les échanges Joy/Temptation sont impossibles à retrouver pour le tueur?»

Éloi lui est toujours reconnaissant de ne pas appeler Rock «ton frère».

Il soupire: «Impossible... je peux pas le jurer. Mais quand il va aller dans la cachette qu'il avait prévue, il trouvera rien. Et il va savoir que c'est pas sa mère qui a nettoyé son téléphone. Trop compliqué pour elle et trop bien fait pour que ce soit un accident. Jules, mon ami qui en connaît un bout en espionnage informatique, a tout vérifié. L'appareil est clean. Est-ce que Rock a envoyé ça ailleurs, à un ami sûr? Non, parce que personne dans sa vie ne répond à ce terme-là. Pourquoi? Vous êtes inquiet?

— C'est quand même arrangé pour avoir l'air de venir de toi... et les derniers messages t'incriminent.

— Apparemment. Mais c'est du bricolage. On le voit clairement. Ça passait par des détours, une sorte de tricot.

Bref, on peut pas savoir la source véritable, on sait juste la source "officielle", qui est mon courriel à première vue. Mais pas si on regarde bien. Avez-vous des doutes en ce qui me concerne?

— Non! Évidemment... Mais... je peux poser une question?»

Le sourire d'Éloi est tout sauf choqué. Il est amusé, attendri: «Vous venez de faire exactement comme Juliette quand elle voulait mettre le nez où j'aimais pas. C'est quoi, la question?

— Rock. Il peut avoir voulu te protéger de quelque chose? De quelqu'un?

— Non. Rock protège une seule personne. Lui-même. Toujours.

— Sa mère?

— Pas plus. Elle est là pour le protéger comme tout le monde, c'est tout. Il a dit ça?

— Le blogueur prétend que c'est par amour pour toi...

— Impossible! Il s'est fait avoir.

— Pour te protéger contre Juliette... comment, pourquoi Juliette pouvait te menacer... en supposant que sa menterie s'appuie sur quelque chose? Vous n'étiez même plus ensemble!

— Depuis trois mois.

— Je me suis demandé...

— Oui?

— Peut-être qu'elle voulait revenir? Avec toi. Qu'elle s'est tannée des cochonneries, des menaces de Rock et qu'elle avait l'intention de revenir? Ça l'aurait probablement fâché pour la peine, Rock?

— Sûrement. C'est quelque chose qu'il aurait vraiment mal pris. Mais c'est pas ça. Je le saurais.

— Y a pas eu de signe ?

— Rien… Juliette était partie pour de bon. Même si ce serait agréable d'imaginer le contraire, même si ça aurait provoqué une vraie rage chez Rock et que ça expliquerait tant de choses… c'est non.

— En autant que tu le saches.

— Mais je le sais, Guillaume !

— Et si elle te l'avait caché jusqu'à tant d'être sûre et certaine ? Pour pas te blesser ? »

Éloi le considère, indécis. Son assurance vacille, la tentation est grande de s'engouffrer dans cette réconfortante perspective. Il se connaît : rien de bon ne peut résulter du mélange de ses désirs et de la réalité.

« Alors, la seule personne qui pourrait le savoir, c'est son amie, Carolane. Et elle est morte. On le saura jamais, Guillaume… même si c'est le fun de le croire.

— Bon, bon, j'arrête ! C'est juste que c'est dur de penser qu'elle s'est livrée à ce genre de choses avec un tueur qui te ressemble physiquement mais qui ne sera jamais toi. Sans se défendre. Sans rouspéter. C'est tellement pas ma fille !

— Mais elle l'a fait. Ça veut dire qu'elle avait ses raisons. On les comprend pas. On les devine pas. Mais faut lui faire confiance : Juliette avait pas changé, et elle a essayé de bluffer un pervers pas mal plus fort qu'elle.

— T'as jamais douté ?

— Non. Et je douterai jamais. Même si on m'apporte des preuves irréfutables. Même si tout. C'est non.

— Seigneur ! J'ai l'air de quoi, moi, avec mes doutes ?

— D'un père inquiet… Vous la connaissiez pas autant que moi.

— Mais t'étais amoureux. Ça aussi ça brouille la vue.

— C'est pour ça que je ne veux pas croire qu'elle pensait revenir. Ça brouillerait ma vue d'aplomb. Ça ferait trop mon affaire. »

Guillaume le regarde un long moment en silence. Il n'en revient pas de la différence entre cet homme et son frère.

Éloi fronce les sourcils : « Quoi ?

— Ce qui te sauve, c'est de t'être sauvé de ta famille, c'est ça ? — Éloi fait un oui pensif ; il attend la suite, indécis — Tu deales jamais avec le faux, tu te racontes pas d'histoires. C'est pour ça que ma fille t'aimait. C'est bizarre parce que j'ai souvent envie de me croire quand je me mens. Et ça la choquait. Mais c'est toi qui as raison : tu sais à qui faire confiance et de qui te méfier. Juliette avait un plan comme tu dis et on ne saura jamais lequel.

— Mais n'oubliez pas qu'elle m'avait laissé et que, là aussi, il faut lui faire confiance. Elle ne l'a pas fait pour autre chose que par honnêteté. Juliette ne m'aimait plus.

— Tu l'as crue ?

— Non. J'ai juste accepté. Mais j'ai fait ce que tout le monde fait : j'ai cru qu'elle m'aimait mais qu'elle me quittait quand même. Qu'elle avait ses raisons.

— Lesquelles ?

— Je sais pas. Vraiment. J'ai juste espéré qu'elle me les dise un jour. En lui gardant ma confiance.

— Et elle n'est pas revenue.

— Quand Rock l'a tuée, j'ai jamais cru que c'était un hasard. Pas une seconde. Tout est lié, Guillaume, mais on le saura pas. À moins d'aller en prison essayer de le savoir. Et je peux vous dire tout de suite que même Rock le sait plus. Il a réussi à transformer tout ce qui est arrivé, et dans sa tête, il est devenu le héros de l'histoire. Le bout où il est le trou de cul de l'histoire, il l'a effacé. Ma belle intégrité qui vous impressionne, c'est ça qui m'a sauvé dans le fond. Surtout ne jamais me raconter d'histoires. Coller au réel, même si ça t'arrache la face, c'est mon mantra. Sacrer mon camp, c'était la deuxième étape, la plus facile.»

Son cellulaire vibre sur la table. Il jette un coup d'œil.

«Anaïs! Elle reste pas fâchée longtemps, celle-là!

— Elle aussi va falloir qu'elle sacre son camp de sa famille qui négocie mal avec le réel…

— Exact! Et on va l'aider. Parce qu'on lui fait confiance.

— Tu sais quoi? Ça ne me déplaît pas d'être associé à ce sauvetage-là. C'est pas mal mieux que la rédemption à la sauce Levasseur!»

## 89

En rentrant chez lui, Éloi reçoit un appel de son père. C'est contraire à ses habitudes, il n'envoie que des textos ou des courriels. Soupçonnant une urgence, il répond.

La voix qu'il entend est hystérique et elle hurle des horreurs sur lui et ses manigances pour achever son frère. C'est sa mère, mais elle est méconnaissable tellement le ton est aigu et la haine palpable.

« Un salaud, un jaloux, un assassin ! C'est toi, le tueur, avec tes airs de petit parfait ! Qu'est-ce que ça t'enlevait, qu'est-ce que tu pouvais pas supporter encore ? Qu'il ait une chance ? Juste une petite chance de s'expliquer ? De faire comprendre qu'il a essayé de te sauver ? Il aurait dû te laisser crever comme un rat ! Parce que t'es un rat, un écœurant de jaloux qui peut pas endurer qu'on ait une chance. Je te le pardonnerai jamais, tu m'entends ? Jamais ! T'es exactement ce qu'il dit : t'as jamais pu arrêter d'être jaloux, de vouloir être lui, d'avoir ses talents à lui ! Toute ta vie, tu nous as tassés, tu nous as reniés, t'as faite celui qui était au-dessus, le savant qui passait ses examens quand son frère pochait. Sais-tu ce qu'y faisait au lieu d'étudier ? Il cassait la gueule à ceux qui voulaient te la casser avec ton air de chien savant. Y t'a toujours protégé, toujours défendu. Et la seule fois où quelqu'un veut l'aider, tu t'arranges pour le bloquer. Ben moi aussi, je vais te bloquer ! Je veux plus jamais entendre parler de toi. Jamais ! Ton frère aura beau supplier, réclamer, pleurer, y en aura pas de nouvelles. Faut qu'y arrête de s'en faire pour un salaud qui a pas de cœur. T'es en train de me tuer, Éloi ! Et personne va t'accuser et tu feras pas de prison parce que t'es un rusé qui sait comment s'y prendre pour tuer le monde sans te faire pogner. Tu voulais achever ton frère ? Ben c'est fait ! Tu voulais me tuer ? Ça s'en vient, tu vas gagner. T'as pas de cœur, t'en as jamais eu ! Je l'ai dit à Rock pis y va te bloquer lui avec. Même si c'est dur pour lui, même si toute sa vie a tourné autour de toi, y va le faire, y va te tuer dans sa tête pis dans son cœur. Pis moi avec je vais te tuer. On a compris, là, on a compris : t'es rien d'autre qu'un monstre qui sait cacher son jeu. Un menteur, un égoïste… lâche-moi ! Laisse-moi tranquille ! J'ai pas fini, laisse-moi parler… lâche-moi !… »

Les derniers mots sont à la fois hurlés et éloignés. Éloi devine que son père vient d'intervenir et qu'il essaie d'arracher son téléphone à Ginette.

Éloi coupe son cellulaire et le désactive. Il n'a pas envie d'entendre les explications qui vont suivre. Il sait déjà que la défection de Justin Levasseur vient d'abolir les espoirs fous de sa mère et de Rock. Il sait déjà qu'encore une fois la faute lui en incombera. Il n'est ni surpris ni déprimé par la réaction de sa mère — il est épuisé.

La haine, ça épuise.

Un instant, malgré tout son bon sens et sa rationalité, peut-être parce qu'il en a parlé avec Guillaume, il se demande si, effectivement, il ne sait pas que détruire. Ce qu'il aime et ce qu'il déteste. Tout.

## 90

Jean-Daniel n'a rien pu faire d'autre qu'appeler l'ambulance. Ginette était incontrôlable. Elle se débattait, hurlait et frappait sur les murs avec une telle férocité que les cadres en étaient tombés.

Après Éloi, c'est lui qui en a pris plein la gueule. Il était responsable de tous les échecs et ses manigances privaient son fils — son fils à elle puisqu'il a toujours pris pour l'autre — du moindre espoir. S'il se tuait, comme elle savait qu'il le ferait, ce serait sa faute à lui. À lui et à l'autre. Elle n'arrivait même plus à dire le prénom d'Éloi et elle lui vomissait ses ordres en lui hurlant de partir, de s'exiler pendant qu'il le pouvait encore. Parce qu'elle avait envie de le tuer. Lui, pis son fils, le rat d'égout, le traître, le salaud! Elle s'était effondrée en hoquetant qu'elle voulait mourir.

Et Jean-Daniel a bien cru que c'est ce qui risquait d'arriver.

Il avait accepté les conseils des ambulanciers et il avait attendu des heures à l'urgence pendant qu'elle dormait sur une civière, assommée par les tranquillisants. Quand quelqu'un avait enfin pu l'examiner, la crise était passée et, munis d'ordonnances diverses, ils étaient rentrés.

La somnambule qu'était devenue Ginette s'était laissé mettre au lit sans un mot et sans souvenir apparent de ce qui venait de se passer. Son « Rock ? » sonnait comme l'ancienne litanie du temps où il habitait avec eux et qu'elle ignorait ce qu'il fricotait.

« Y est correct. Y dort. Dors, Ginette. » Cette réponse, aussi ancienne que l'inquiétude de cette mère obsédée, l'avait rassurée.

En écrivant à Éloi, il ne sait même plus ce qu'elle a eu le temps de lui dire avant qu'il ne lui arrache l'appareil. Il lui avait écrit de l'hôpital pour l'informer et expliquer qu'il le contacterait une fois rentré.

Que dire ? Comment excuser l'inexcusable ? Expliquer l'inexplicable ? Il baigne depuis si longtemps dans cette atmosphère délétère, ce milieu hostile où chaque vérité est scrutée comme un virus mortel et chaque mensonge accueilli comme une promesse. Il ne sait plus comment ils en sont venus là, à cette extrême limite de la suspicion, du rejet et de la détestation. Il n'était pas né pour tant d'adversité, il n'est pas armé comme ce fils haineux, rancunier, possessif et vindicatif. Il ne sait que faire de cette escalade de furie toujours dirigée vers les autres, contre les autres. Il a cette impression d'un bélier de la haine sans cesse projeté contre l'autre sous prétexte qu'il n'est pas assez aimant, pas convenable, pas suffisant. Devenir sourd ne rend pas les autres muets. La rage de sa femme, cette inconnue soudainement devenue furie, le spectacle de son absence totale d'amour, justifiée par la défense absolue d'un enfant criminel, manipulateur, méprisant, tout cela le dépasse et l'écrase.

Il est prêt à assumer sa responsabilité, son impuissance même. Mais accompagner Ginette dans son délire de vengeance ? Dans son déni de justice parce qu'un blogueur est prêt à endosser son réflexe parental qui serait de troquer un jumeau pour l'autre, de défendre l'un en chargeant l'autre ?

Il ne peut pas.

Il arrive même à toucher du bout des doigts cette zone dangereuse de l'exaspération : l'envie de tuer. L'envie d'en finir avec la haine quotidienne devenue un mur intérieur, un mur qui étouffe et obstrue la moindre vision, la plus faible lueur d'espoir.

Il écrit seulement un laconique : *À la maison. Elle dort. Oublie tout.*

## 91

Éloi a marché des heures, comme au temps maudit de la mort de Juliette.

Il sait tout ce qu'il pourrait répliquer à ce qu'il a entendu, mais il se concentre sur ce que Juliette lui dirait. Parce que, avec elle, les attaques du « magma familial » restaient miraculeusement sans effet. Le rire de Juliette… un baume sur la brûlure de l'exclusion et du mépris.

Le rire, pour sauver ce qui reste : lui.

Il arrive chez Jules sans avertir. Depuis qu'Isabelle est dans la vie de son ami, c'est quand même inhabituel cette visite intempestive, et ils sont presque trop attentifs pour leur cacher son désarroi. Isabelle déclare qu'elle peut les laisser discuter en paix entre eux, mais Éloi répète qu'il n'y a rien à discuter, sa mère a pété sa coche parce qu'il a privé le fils bien-aimé de son salut. C'est tout. Depuis que la tuerie a eu lieu, sa mère a perdu le léger vernis qui cachait son entière dévotion à son aîné.

Éloi n'est pas du tout catastrophé, il savait que l'action à l'encontre du blogueur serait attribuée à de la malveillance envers Rock et qu'elle provoquerait une réaction désespérée.

Il s'inquiète de la santé mentale de sa mère et de son père qui doit la soutenir, mais lui, il est comme imperméable à toute la charge de dynamite qu'il vient de recevoir.

Isabelle est catastrophée : « Wo ! Ta mère te traite de rat et ça te dérange pas ? Tu me niaises ?

— Disons que ça confirme ce que je savais déjà. Ça soulage presque de l'entendre quand c'est aussi clair. C'est pas le fun, mais c'est la vérité. Ma mère était faite pour un seul enfant. Deux, c'était trop.

— Mais toi, tu l'aimes ?

— Non.

— T'aimes pas du tout ta mère ? Parce qu'elle t'aime pas ?

— Non. Ça serait juste plus compliqué si elle m'aimait.

— Isa, lâche-le un peu, tu trouves pas qu'y a eu son char de marde pour aujourd'hui ?

— Excuse… c'est juste que… ça surprend. »

Éloi sourit. Il sait à quel point ça fait anormal, presque schizophrène, d'admettre aussi platement une sécheresse de cœur. On doit montrer plus de détresse quand on n'éprouve pas d'amour. Les gens s'attendent à des larmes quand quelque chose d'aussi fondamental meurt au fond de soi. Il n'a pas de larmes. Il n'a plus de détresse. Le fond du baril, c'était de rester enfermé dans ce sous-sol en compagnie des délires de Rock qui traquait ses opposants comme il jouait à abattre ses ennemis dans ses *games* vidéo. L'écran devenait plus vrai que le reste du monde. L'écran, c'était sa vérité où se jouaient les vrais enjeux, les vrais défis. Et le reste du monde, aux yeux de Rock, c'était du chiqué, de la grosse menterie inventée pour le faire chier. Pas étonnant qu'il ait confondu le réel et les jeux cruels auxquels il s'adonnait. À force d'échanger en circuit fermé avec ses semblables, ceux qui refusent le jugement implacable des femmes qui les rejettent, les condamnent, les ignorent même, il a pris un vrai fusil d'assaut pour sauver le monde de ce qui le pourrit. Ça aurait pu être des Juifs, des Noirs, des Autochtones ou des vieux, des musulmans, des cathos, peu importe la nature ou l'appellation. L'important, c'est d'être vainqueur et non pas le minable que ces gens pensent et prétendent qu'il est.

« Un autre jour, j'essaierai de t'expliquer ça, Isabelle. Pas là. »

Jules tente de changer de sujet et demande à Éloi comment Anaïs a pris la fin de son mandat.

La diversion est bienvenue et Isabelle en profite pour s'éclipser et les laisser entre eux.

Sans un mot, Jules sort le shaker et prépare son super cocktail gin-canneberges et ingrédients magiques.

Ils boivent en silence, sans éprouver le besoin de discuter les évènements ou d'épiloguer.

« Isabelle a fini de fouiller le cas de Rock ? Elle a pas trouvé le petit quelque chose qui donnerait du sens à son acte d'héroïsme ?

— Si elle savait que je t'ai dit ça, elle me tuerait !

— Elle va avoir de quoi s'amuser avec la sortie de ma mère.

— C'est juste impossible à imaginer pour elle.

— Tant mieux.

— Tu trouves ?

— Ça veut dire qu'elle vient d'un milieu normal, avec des affections normales pis des crises normales. Fait du bien, non ?

— Moi aussi, je viens d'un milieu de même.

— Mais t'as été habitué tranquillement au poison. Ça t'a pas tué.

— Pour être franc, j'ai jamais aimé aller chez toi. J'aimais mieux chez mes parents. T'as jamais insisté pour qu'on reste chez vous, d'ailleurs. C'était… c'était lourd, non ?

— (Il sourit) T'es poli !

— Avec Rock qui nous regardait faire, qui voulait toujours gagner quand on jouait, qui voulait toujours nous suivre quand on se sauvait… maudit pot de colle !

— Tu t'es jamais trompé. Tu m'as jamais pris pour lui, même de loin, même dans la cour d'école. Tout le monde nous confondait. Pas toi.

— J'vas te dire queque chose que je comprends pas moi-même : c'est à cause de l'énergie que vous dégagez, tu sais ? Comme une sorte d'aura… ben, pas ça vraiment, c'est pas ésotérique ni *weird*, c'est… bon, je vais le dire, comme une couleur autour de toi. Toi, c'est calme pis lui, c'est criard. Enragé, même quand y était pas fâché. Té cas…

— C'est la première chose que Juliette m'a sortie quand on a croisé Rock : jamais elle nous confondrait parce qu'on dégageait pas la même énergie. Tu sais que t'es rare, Jules ?

— Pas tant que ça! As-tu pensé à Guillaume? Crisse… devenir ami avec le frère jumeau du gars qui a tué ta fille! Méchant karma. Ça s'appelle un gars qui se laisse pas avoir par les apparences. Faut dire que t'as changé de tête, mais quand même… c'est cool!

— Ce qui me surprend le plus, c'est qu'y ait du monde aussi fantastique encore, que tout soit pas complètement pourri.

— Es-tu en train de me dire que je suis fantastique, Éloi?

— Si tu shakes une autre tournée, je te dis ce que tu veux! »

Jules s'exécute avec dextérité. Il tend un verre à Éloi : « O. K., jusse de même… je peux poser une question? — Éloi attend sans rien dire — Si t'avais su que Juliette te laissait pour aller avec Rock… ben pas aller, mais disons fréquenter… t'aurais réagi comment? »

Éloi réfléchit sérieusement à l'hypothèse. Honnêtement. Il finit par soupirer : « Je pense que je serais en prison. Que trois filles seraient encore vivantes. Et que Rock serait mort.

— Wo! Sérieux?

— Je me serais battu, Jules, t'as pas idée. Laisse-moi te dire que mon aura aurait changé de couleur! Je l'aurais suivi, traqué, espionné. Je l'aurais pas lâché d'une semelle.

— Ben là! C'est exactement ce que lui faisait avec toi! Y voulait jamais nous lâcher. Y nous suivait partout.

— Pourquoi tu penses que j'avais pris des cellulaires jetables pour elle et moi?

— Juliette devait tellement te trouver parano…

— Mets-en! J'aurais dû l'être encore plus.

— Ah, les "j'aurais dû"… on fait ce qu'on veut avec ça!

— Elle s'est pas méfiée assez. Elle savait la différence entre lui et moi, mais elle pensait pas comme lui pense. Elle pouvait même pas imaginer comment il pense.

— Comme Isa qui en revient pas que ta mère soit si injuste. Ça se peut pas pour elle.

— Elle est pas injuste, elle aime Rock. Pis avec Rock, faut être exclusif. C'est lui pis c'est toute. Sinon, t'es out.

— O. K. pour ta mère, c'est pas la plus brillante en ville. Mais Juliette…

— On en vient toujours là : c'est pas possible qu'une fille aussi… hostie, Jules, je vois pas le jour où je vais arrêter de l'aimer !

— C'est ben pour ça que je comprendrai jamais que t'ailles pas voir Rock pour y demander ce qui y a pris de sortir son gun.

— Ça y ferait tellement plaisir ! Y serait tellement heureux… Ça serait le triomphe total pis j'y donnerai jamais ce plaisir-là. Jamais !

— Quitte à pas comprendre ce qui est arrivé ?

— Rock le sait même pas lui-même, gages-tu ? Tout ce qu'y veut, c'est m'atteindre. Alors, oublie ça, la visite en prison. En tuant ces filles-là, y a signé l'arrêt de mort de son jumeau. Y me reverra plus jamais. Tu sais, dans l'église catho, tu peux demander d'être exclu, de plus appartenir à cette foi-là même si t'es baptisé. Ben moi, je veux être excommunié de ma famille.

— Même de ton père ?

— Lui, y s'est exclu lui-même. Y m'a supplié de couper les ponts.

— Enfin quelqu'un de raisonnable. Crisse, c'est le monde à l'envers, man! Applaudir parce que ton père te dit de l'oublier!»

Éloi allume son téléphone pour voir si, justement, son père a donné des nouvelles. Il montre le texto à Jules qui émet un long sifflement: «Oublie tout! Facile, d'abord…»

Il se lève et va chercher le shaker: «M'as t'aider, moi! Un chum, c't'un chum…»

## 92

C'est une bien étrange pensée qui habite Jean-Daniel, assis dans la chambre à coucher à veiller le sommeil pesant de Ginette.

« Si elle pouvait mourir… »

Il est seul et il n'a pas à s'excuser auprès de quiconque. D'ailleurs, ce n'est pas si exact comme pensée. Ce qu'il voudrait vraiment, c'est disparaître. Que Rock et sa mère en fassent autant. Et que le chemin soit enfin libre pour Éloi. À cette heure de la nuit, après tous les mots affreux qui ont été hurlés, sa pensée assassine ne lui semble même pas méprisable. Il n'en peut plus et il le sait.

Ce fils tant redouté, ce meurtrier sauvage, Jean-Daniel détecte maintenant au fond de son propre cœur la racine du mal qui l'habite. Lui aussi voudrait bien éliminer quelques éléments gênants, ne plus avoir à composer avec l'horrible, l'hideux. Lui aussi pourrait se croire justifié de tuer.

Il n'est pas mieux que Rock. Pas mieux qu'elle qui croit tout ce que son fils si victime lui dit. Il est lâche et se l'avouer n'y change rien, ne lui apporte aucun courage.

Il tâte les bouteilles de médicaments dans ses poches de veston : à gauche les antidépresseurs, à droite les anxiolytiques qu'on lui a recommandé de mettre en sécurité pour éviter « tout accident regrettable ». Il accueillerait volontiers un accident regrettable, mais il ne le provoquera pas. Pas par égard à la vie d'autrui, mais par apathie. Cette nuit, il comprend parfaitement les suicides de gens âgés qui décident de tirer leur révérence par lassitude ou ennui.

Lui, ce serait par dégoût. Il n'a pas envie de mourir, il a envie que ça cesse. « Ça » étant la chute irréversible, la débandade effrénée, le résultat de toutes ses lâchetés accumulées. Il se dégoûte même jusqu'à cette absence de courage qui le paralyse avec ses pensées sombres.

Il se lève péniblement et va ouvrir l'ordinateur où, dans un dossier, il a archivé les portraits des victimes de Rock. Ces trois femmes rieuses ou sages, belles ou seulement jeunes, ces trois femmes sont celles auprès de qui il raffermit son défaillant courage.

Tuer en leur nom serait le sommet de l'abjection. Il le sait et se le répète : il voudrait tuer au nom de son incompétence à vivre. Comme Rock. Pas mieux que Rock.

Il pose ses doigts tremblants sur l'écran pour toucher les visages qu'il connaît sans les connaître. Aussi stupide que cela puisse sembler, ce sont elles maintenant qui le guident. Elles, son dernier recours au mot « humanité ». Elles, sa honte et son désir de réparation. Ces éclats de vie fauchés par lui, indirectement.

En les touchant, il a cette impression apaisante qu'elles lui pardonnent.

Il éteint et va s'étendre sur le sofa du salon.

## 93

Pour Guillaume, annoncer la nouvelle du retrait définitif de Justin Levasseur aux parents concernés par son indéfendable projet constitue une grande satisfaction.

Il a gardé Teresa pour la fin. Chantal et Gilles sont soulagés et semblent en voie de demander sa béatification. Hélène s'empresse de l'inviter pour célébrer entre eux la fin de cette menace et, quand il décline, il se promet de célébrer plutôt avec Teresa. La réaction d'Hélène possède ce zeste d'amertume qui appartient aux temps anciens où ils étaient ensemble et qu'il la trompait. Il lui rappelle son conseil de vivre et de trouver des amis pour fêter au lieu de vouloir réanimer un passé bel et bien mort.

Et il se répète le même conseil en appelant Teresa… qui accepte de venir partager son repas de célébration.

~~~~

Pour Teresa, cette fête représente un défi. Elle est tellement soulagée de savoir que le blogueur n'écrira rien pour sauver la réputation d'un tueur qu'elle aurait dit oui à tout.

Fébrile, elle se prépare en essayant encore de mettre son excitation sur le compte du soulagement. Mais c'est avec Guillaume qu'elle va célébrer. Et c'est avec lui que c'est important à ses yeux.

Brigitte qui vient la saluer ne s'y trompe pas. L'air moqueur, elle trouve que sa protectrice a le regard bien brillant : « C'est Guillaume qui te rend de si bonne humeur ? »

Teresa ne lui a jamais confié que Justin Levasseur risquait de remuer des cendres dangereuses, elle va donc dans le sens suggéré par Brigitte et avoue que la soirée lui fait plaisir.

Brigitte murmure : « C'est bon. Y est temps.

— Y est temps de quoi, madame la philosophe ?

— D'avancer. D'effacer. De vivre. »

Teresa la considère en silence. Elle ? Elle devrait vivre alors que Brigitte qui n'a pas encore vingt-cinq ans est toujours cloîtrée, alors qu'elle-même n'a plus vingt ans et que son corps est loin de ce qu'il était ?

« Tu vas avancer, toi ?

— À mon rythme, Teresa, certainement. Y a un an, je supportais pas que tu rentres deux minutes plus tard que l'heure prévue. Regarde-moi aller, tu vas voir. De toute façon, ce soir, c'est pas de moi qu'il est question, c'est de toi.

— Quand même…

— T'es pas ma mère, tu sais. Même si tu as pris la job pendant un bon bout de temps.

— Je suis quoi ?

— La mère de Sophia qui était mon amie… tu es mon alliée la plus sûre, la plus constante. Même si on n'a pas le même âge, un jour, tu vas être mon amie.

— Je le suis déjà, Brigitte !

— Non, tant qu'on s'occupe rien que de moi, c'est pas ça. Faut que ça marche des deux bords. »

Teresa peut lui dire que, pour la première fois ce soir, son sourire amical est totalement réciproque.

~~~~

C'est le sujet de Brigitte et de son rétablissement qui occupe le début du repas avec Guillaume.

Il est détendu, joyeux, et il l'écoute avec attention raconter les progrès immenses de Brigitte qui s'incarnent dans ce nouveau souci du bien-être de sa bienfaitrice.

« Elle a raison, faudrait pas que tu te prennes pour mère Teresa… qui était plutôt dangereuse à mon avis avec ses principes anti-avortement. Non ? Elle s'occupait des gens, mais il fallait qu'ils marchent avec sa morale catholique. Ça m'a toujours agacé, la charité autoritaire. Pas toi ?

— J'ai jamais pensé critiquer la charité.

— T'es pratiquante, toi ? Je te scandalise ?

— Du tout ! Mais j'ai été élevée dans l'obéissance absolue. Surtout avec les Évangélistes.

— T'as élevé ta fille comme ça ?

— Non, non ! Je la voulais libre et j'ai réussi.

— Et toi ?

— C'est long se libérer… quand c'est pas juste des mots.

— Le père de Sophia, c'est un gars de chez vous ? Tu le revois encore ?

— … Il est sûrement mort. »

Devant l'air ébahi de Guillaume, elle essaie d'expliquer, s'embourbe et se tait.

Guillaume l'assure qu'il ne voulait pas être indiscret, que la question lui est venue comme ça : « Dans le groupe, tout le monde parle du conjoint quand il témoigne. Pas toi. Jamais un mot. J'ai compris qu'il n'était plus dans le portrait, mais je savais pas ce que ça te faisait, si c'était un deuil supplémentaire…

— Je suis arrivée ici enceinte de Sophia.

— O. K… pis ton mari est resté là-bas ? Ça marchait pas, c'est ça ? On est pas obligés d'en parler si tu préfères.

— Je me suis sauvée, Guillaume. Je suis partie parce que j'aurais jamais eu de vie là-bas.

— T'étais pas mariée ? Enceinte sans être mariée, et c'est le genre de chose qui se vit mal dans ton pays ? »

Il est tellement ouvert, tellement compréhensif qu'elle lui raconte exactement ce qui s'est passé. Sans pathos, sans même s'appesantir, juste les faits bruts. Le viol, la répudiation et la fuite.

Guillaume, au lieu de s'éloigner et de mettre un terme hâtif à la soirée comme elle le redoutait, va dans son sens : « T'as raison, c'est un autre monde. Inimaginable pour moi… insupportable, en fait.

— Macho. Le monde des hommes tout-puissants.

— Je vais te dire, Teresa, des fois je ne comprends pas que les femmes ne se soient pas armées et n'aient pas fait un carnage. Rien qu'un. Mais tout un. T'as jamais eu envie de les descendre ces deux-là, je sais pas, moi, de les voir morts ? Anéantis ?

— Jamais. C'est le problème, d'ailleurs… je veux dire que j'ai réagi comme j'ai été élevée : j'ai rien dit, rien répliqué et j'ai obéi aux ordres parce que ça se discutait pas. Mais je suis quand même partie. Et ça, ça m'a sauvée. Sophia a fait le reste.

— Tu l'as jamais regardée comme le résultat d'un… drame ? D'un viol.

— Jamais. C'était quelqu'un à protéger. Ce que je ne faisais pas pour moi, c'était facile de le faire pour elle. C'est elle qui m'a appris à être forte. Elle qui m'a appris à rire, à vivre autrement. Sans avoir peur.

— Et c'est elle qui se fait descendre par un fou furieux qui veut tuer les féministes ! Ça se peut pas !

— Je pense même pas qu'elle l'était. Féministe. Elle était libre, elle n'avait pas à se battre pour l'être. C'était gagné.

— Tu l'es devenue ? Libre…

— Non, je pense pas. Pas complètement. Je dis ça parce que je me suis tenue loin des hommes… c'était plus simple que devenir libre.

— Tu veux dire que… tout ce temps-là ?…

— C'est ça. Pas de bataille, pas de discussion. Sophia et moi, on s'entendait très bien dans notre bulle.

— Mais elle sortait, elle voyait des copains ? Elle a eu des amoureux ?

— Évidemment ! Je l'ai pas enfermée. Et j'ai jamais dit un mot contre les hommes.

— Elle savait pour son père ?

— Non. Je lui ai dit qu'il était mort. C'est vraiment ce qu'il était pour moi. Et c'est ce qu'il aurait voulu être pour elle. Une sorte de vérité, quoi !

— C'est fou… c'est tellement effrayant que ça soit arrivé à Sophia… à toi. Après tout ce que tu avais traversé.

— Je vais te dire ce qui est encore plus fou, Guillaume : dans le monde, dans mon pays, mais ailleurs aussi, les viols continuent, les femmes se taisent et les hommes les méprisent. Ils les méprisent en les violant, ils les méprisent d'avoir pu les violer et, si elles parlent, ils les méprisent encore plus. Peut-être que l'armée dont tu parlais serait une solution, mais jamais les femmes ne vont se défendre en tuant. C'est pas dans notre nature. Ici, malgré tout, c'est vraiment plus calme. Ça empêche pas des gars comme le tueur de nos filles d'exister, mais ils sont moins nombreux et plus punis que chez nous. On le sait comment ça marche dans le monde : dès qu'il y a une guerre ou un conflit, on vise les femmes pour atteindre les hommes. L'honneur des hommes. Comme si on leur appartenait.

— Tais-toi, c'est décourageant.

— Je savais même pas que j'en avais si long à dire là-dessus !

— T'es féministe sans le savoir. Dans tes actes en tout cas.

— Tant que ça m'oblige pas à prendre des armes.

— Ton arme à toi, c'est protéger… ta fille, Brigitte, même les gens du groupe. Tu protèges. Même moi.

— Toi ? Je pense pas, non.

— Tu m'as écouté, soutenu. T'as été là pour moi.

— Comme toi pour moi.

— Vraiment ? Me semble que non. Tu te laisses pas aider, toi. T'attends pas ça des autres, on dirait. C'est assez séduisant, d'ailleurs. Ou, je sais pas… différent, presque reposant…

— Attends : Levasseur ? Ce qu'on fête ce soir ! Tu peux pas dire le contraire ?

— C'est un peu loin et un peu large comme soutien… T'as pas envie d'avoir un protecteur et je te comprends. Tu te défends toute seule. Et tu fais bien.

— Es-tu protecteur, toi ?

— Non, j'pense pas. Si je me réfère aux reproches de mes ex-compagnes, je ne le suis pas assez.

— Avec Juliette, tu l'étais ?

— Encore moins ! Sa mère l'était pour deux. De toute façon, j'avais tellement confiance en elle, en sa force, en ses capacités de se défendre toute seule…

— C'est le plus beau cadeau que tu pouvais lui faire ! Elle avait moins besoin de protection que de confiance, non ?

— Je l'ai perdue pareil…

— Ça a rien à voir et tu le sais. Te sentir coupable, c'est juste une façon de t'imaginer que tu pouvais y changer quelque chose. Tu y pouvais rien.

— Elle connaissait le tueur. C'est contre elle qu'il en avait.

— Tu crois ça, toi ? Ça serait arrivé avec une autre fille deux semaines plus tard. C'est pas la personne qui l'enrageait, c'est qu'on lui dise non. Qu'une femme lui dise non.

— Je sais même pas si elle lui a dit non.

— Elle s'est sûrement opposée d'une manière ou d'une autre. Ça changera quoi de savoir ce qui a permis à cet homme-là d'agir comme il a agi ? Il n'existera jamais une raison suffisante pour justifier ce qu'il a fait. Et nous, on va toujours trouver qu'il fallait être fou ou je ne sais pas trop quoi… Le blogueur, c'était quoi, sa théorie ? »

Il la considère un instant, muet. La rédemption d'un enragé de vingt-cinq ans lui apparaît un scandale après ce que lui a révélé Teresa : « Devine si je l'ai laissé s'expliquer ? C'était du genre psycho-pop à cinq cennes, tu sais bien, l'excuse de l'enfance difficile, du martyr devenu despote de plein droit.

— Y aura ni livre ni blog ? C'est sûr ?

— Rien ! Et je le surveille, son blog… Pour l'instant, il se tient tranquille. D'après moi, il va y penser deux fois avant de remettre ça… »

Elle lève son verre, ravie : « Merci beaucoup, monsieur le protecteur… pas si protecteur ! »

Il grimace, il n'a pas envie d'endosser le rôle et elle le sait : « À moins que tu préfères "grossier personnage" ?

— Absolument ! Tellement plus cool. »

La soirée se termine en toute amitié.

~ ~ ~ ~

En se couchant, Guillaume se répète que toute forme de curiosité serait probablement mal interprétée, mais il voudrait bien savoir comment cette belle femme dans la quarantaine s'arrange avec le désir charnel. S'il croit le discours qu'elle lui a tenu dernièrement sur l'amitié qu'elle définit comme de l'amour sans le sexe, il ne peut toutefois pas concevoir qu'on puisse traverser la vie sans cette explosion jouissive entre deux personnes que représente le sexe réussi.

Dans sa vie, il n'a jamais été l'ami d'une femme susceptible de devenir une amante.

Et, quand elle rit, même et surtout quand elle se moque de lui, Teresa devient une sérieuse candidate à ce statut.

Il se demande si c'est macho de sa part de ne pas s'exclure d'un projet sexuel avec elle.

Et il s'endort sans trouver de réponse.

# 94

Quand elle remet son travail à monsieur Grenier, Isabelle confirme que le « cas Marcoux » demeure un mystère qu'elle n'a pas réussi à élucider.

Tous les interrogatoires qu'elle a relus ont été menés avec doigté et conduisent à la même conclusion : cet homme est profondément dérangé par une obsession sur les femmes qui deviennent dans sa bouche des menaces et des ennemies à abattre en légitime défense puisqu'elles visent la destruction des hommes. Rien de sensé n'émane de ses réponses triviales et crues. Il se présente comme une victime et, surtout, il se montre préoccupé uniquement par l'effet de ses actions sur son frère jumeau. La haine est partout dans ses réponses et la conspiration des femmes, le complot de son frère avec elles viennent brouiller les plus petits éclairs de lucidité qui traversent son discours décousu.

Isabelle s'avoue vaincue par le tueur : « Ça ressemble à un paranoïaque fini plus qu'à un tueur organisé qui a un but précis et un plan méticuleux. On dirait qu'il a tué pour se venger parce qu'on lui résistait. "On" étant les femmes et surtout son frère. Rien de bien nouveau, quoi ! »

Grenier sourit : il s'attend à plus de transparence de la part de son équipe d'enquêteurs. Cette jeune femme ne joue pas franc-jeu et il le lui dit. Quand on cherche la vérité on doit l'établir partout, sur tout. Son exercice, elle l'a fait par fascination personnelle non pas du tueur, ce qui serait dangereux, mais d'un proche du tueur. Cet élément aurait dû figurer en amorce de son travail. Pas pour le discréditer, mais pour le rendre encore plus valable. Pour que l'éclairage soit partout, même dans les coins sombres. Les enquêteurs sont des êtres humains avec des réactions humaines. Plusieurs sont touchés et pratiquement hantés par ce qu'ils voient, mais surtout par ce qu'ils perçoivent dans les pires comportements haineux. Souvent, ils sont blessés non par les balles, mais par la violence des sentiments qui les accompagnent : la haine pure, les mots obscènes, dégoûtants, les insultes, l'ostracisme, l'arbitraire… un cocktail de plus en plus brutal qu'ils doivent entendre et noter jusqu'à en vomir. Un enquêteur se sert de ses propres émotions pour saisir ce qui a poussé un être humain au meurtre et ça signifie souvent d'entrer dans les zones les plus répugnantes de l'humanité.

« La première fois que vous êtes venue ici, c'était par sympathie pour le frère du tueur. Je crois que vous m'avez proposé ce travail pour apprendre quelque chose sur lui, et non pas sur le tueur. Si vous êtes charmée ou fascinée par votre sujet, votre premier travail d'enquête, c'est sur vous que vous devez le faire. Et il n'y en a aucune trace dans votre rapport. »

Isabelle se défend d'avoir la moindre attirance pour Éloi… tout en admettant sa relation intime avec son meilleur ami. Elle justifie l'impasse qu'elle a faite en faisant valoir que cela lui paraissait un avantage indu.

Grenier sourit : tous les avantages sont à saisir dans leur travail, indus ou justifiés.

« Mais vous n'avez rien appris qui éclaire la tuerie ou les mobiles de cet homme ?

— En dehors du fait qu'il est un jaloux compulsif dont même son frère se méfiait, non. Un malade mental à mon avis. Protégé par une mère qui voyait les deux enfants comme une seule entité. Et qui s'est mise à haïr Éloi quand il a voulu s'éloigner, devenir une entité à lui seul, quoi !

— Éloi ?

— Le jumeau. L'ami de mon chum.

— Et il a une théorie, cet Éloi ?

— Rien. Il n'en parle pas. Tout ce qu'il dit c'est que jamais il ne donnera à son frère le plaisir de le revoir.

— Vous ? Vous voulez le voir ? »

Isabelle recule presque devant la proposition : « Non, je pense que si je fais ça, mon amoureux va me laisser. Je ne mettrai plus d'énergie là-dessus. Mon rapport est complet et inutile. J'ai rien !

— Je ne dirais pas ça… — Il feuillette le rapport qu'il a généreusement annoté lors de sa première lecture — Ici, dans la partie sur les petits cracks en informatique, là où vous notez la défiance du frère qui va jusqu'à l'achat de *burners*, vous soulevez un point intéressant sur le contenu des archives informatiques du tueur.

— L'échange avec une des victimes ? Le côté sado-maso ?

— Non. Plus loin. La vidéo osée de la fille amoureuse.

— Ah! Vous pensez que le tueur en voulait aux lesbiennes?

— Non, du tout. Mais l'esprit tordu du tueur qui force une fille que vous qualifiez de plutôt saine et d'amoureuse sans histoires à se soumettre à des fantasmes de sévices sexuels… ces deux choses vous semblent compatibles?

— Ben… non! C'est tordu comme lui…

— Ou on croit notre source privilégiée, et c'est une fille amoureuse, ou on révise ce qu'on sait d'elle, non?

— Ouais…

— C'est quoi? On a le choix: une lesbienne non assumée, une amoureuse hétéro ou une maso qui se découvre dans un échange assez vicieux.

— Sûrement pas la dernière option parce qu'elle l'envoie chier dans son dernier texto. Avant d'être tuée.

— Homo?

— Ben… Je sais pas jusqu'où on peut faire semblant d'aimer ça avec un gars quand c'est pas le cas… »

Ce qui fait bien rire Grenier: «Ce qui vous honore, mais on peut, croyez-moi!

— Même si c'est le cas, qu'est-ce que ça change?

— Il tue les deux, non?

— O. K…

— Il a déjà eu connaissance de cet amour lesbien — à sens unique ou pas — et… il tue les deux. Parce qu'elle ne renonce pas à sa petite amie alors qu'elle a laissé son frère jumeau et que c'est un jaloux compulsif qui confond son frère et lui?

— C'est bizarre parce que ça concorde pas avec ce que les deux hommes qui la connaissaient disent d'elle. Mais ça se tient, vous avez raison.

— Isabelle, quand vous avez une conviction intime qu'on n'y est pas, que ce n'est pas ça, vous vous y tenez. Vous la respectez. Même si les pièces ont l'air de s'encastrer parfaitement, si vous ne le sentez pas, vous n'y allez pas. C'est ça, un bon enquêteur.

— J'ai des croûtes à manger parce que je peux rien justifier de ma conviction.

— C'est pas grave. C'était un exercice. Vous l'avez fait consciencieusement, c'est tout ce que je vous demandais.

— Sauf que j'ai rien dit pour mes liens avec les témoins. »

Il la renvoie d'un geste aimable. Elle doit encore étudier, travailler et affermir ses opinions, mais pour l'honnêteté, c'est acquis, elle ne cachera plus rien, il en est convaincu.

## 95

Pour contrer l'avalanche de messages intempestifs de sa nouvelle amie, Éloi a instauré un rite et ils se rencontrent tous les mercredis au café, après l'école d'Anaïs. Ça ne limite pas vraiment les messages, mais ça renforce leur entente.

Ce mercredi, même le chocolat laisse Anaïs indifférente. Elle boude son chaï et se tortille sur sa chaise, l'air distrait. Éloi ne pose aucune question. Il indique le chaï : « Ça y est ? Y ont plus le tour ? On porte plainte ? »

Ça doit être sérieux, elle ne sourit même pas !
« Me suis engueulée avec ma sœur. Grave.
— Vous vous parlez plus ?
— Est tellement *girly* ! »

Elle lève des yeux exaspérés comme s'il s'agissait du pire défaut. Maintenant que le premier grief est énoncé, elle poursuit, volubile : « Elle va toute *stooler* à notre mère ! Une vraie *bitch* ! Toutes les niaiseries pis les secrets. Me semble que ça se fait pas. Un secret, on se ferme la gueule, non ? Ben pas elle ! Pis elle est tellement tarte avec ses petits *kiks*, ses peines d'amour qui durent trois jours, ses mèches roses pis ses jeans avec des trous. Même pus à mode !

— Qu'est-ce qu'elle a dit à ta mère ?

— Ben ! Que j'tais comme chus ! — Ce qui lui semble limpide ne l'est pas du tout pour Éloi qui fait une drôle de tête — Que j'aurai pas de chum. De gars ! Qu'elle s'attende à rien avec moi. Tu sais ben !

— Oh ! O. K. Pis ? La réaction ?

— Ma mère se peut pus. Gros rush. Elle en revient pas de sa malchance avec ses enfants. Elle pleure pis mon père boit en cachette.

— Comment tu sais ça ?

— Y sent ! Y sent assez pour faire reculer les murs. Pis ma mère voit rien, pis sent rien. Mais elle braille en masse. Pis là, elle veut toute surveiller évidemment : où je veux aller, ce qu'y a sur mon téléphone, les sites que je regarde, les vidéos, la musique… pas moyen d'avoir la paix. Ça fait que j'ai laissé traîner nos *chat*…

— Je te sers d'alibi hétéro ?

— Ouais… si ça te dérange pas. Mais juste pour les textos.

— Sauf qu'y ont pas de connotation sexuelle, nos textos : on s'envoie des niaiseries pis de la musique !

— Justement ! C'est de mon âge pour eux autres ! C'est quoi, une connotation ?

— Un ton. Une saveur un peu…

— *Juicy* ? Cochonne ?

— Si tu veux.

— Ouais… on l'a pas, han ? Tu pourrais pas te forcer ? Genre hot…

— T'aurais pas envie de leur dire que ça les regarde juste pas ? »

L'éclair de reconnaissance qui traverse les yeux foncés de cette trop jeune fille confrontée à des problèmes graves le touche tellement : « Ben quoi ? T'as le droit de prendre ton temps, non ? Avant de le dire…

— L'affaire, c'est que ça serait mieux de jamais le dire avec eux autres. Comme Carolane.

— Ben, dis-leur rien !

— Tu comprends pas : y sont sur mon dos, asteure. Faut que je prouve que j'suis pas de même. Que je trouve un gars qui va les rassurer.

— Qu'est-ce que Carolane aurait fait, tu penses ?

— Elle aurait fait comme mon autre sœur : vous voulez ça ? Je vous le donne. Pis en cachette, elle faisait ce qu'elle voulait. Tu le sais ben, t'as lu ses textos, fais pas semblant.

— Non.

— Tu me niaises ? Sur mon cell, ben mon ancien. T'as ben vu !

— T'as tout lu ?

— Qu'est-ce que ça peut faire ? Est morte ! De toute façon, ça m'aide pas, je peux pas dire ça à ma mère. Si t'étais pas si vieux, tu pourrais m'aider. Mais ça va être pire si je dis qu'y a un homme pis que c'est toi. Je veux dire un chum. Allô le rush… ça capoterait : un vieux !

— T'as le tour de jamais fréquenter les bonnes personnes, y a pas à dire.

— Un chauve avec une barbe qui est le frère du gars qui a tué ma sœur. Tellement *fucking* trop!

— J'aimerais ça que tu skippes le dernier bout si ça te fait rien.

— Ben quoi?

— La sœur de la fille homo qui gardait ça pour elle pis qui s'est faite tuer... aimerais-tu ça?»

Elle avale son chaï d'un coup, pose sa tasse bruyamment: «Non.

— *Good!* On se comprend. Pour tes parents, ça pourrait pas exister sans drame une orientation sexuelle différente?»

Elle le regarde comme s'il avait perdu d'un coup cinq cents points à son quotient intellectuel: «Aye! La fois que j'ai dit que Carolane avait des doutes, y ont viré sus le top! Devine si y m'ont avertie d'arrêter de vouloir salir la mémoire de ma sœur en répandant des fausses rumeurs?

— T'as dit ça pour tester le terrain? T'as quelqu'un?

— J'ai plusieurs quelqu'un... je commence, faut ben essayer! J'ai dit ça pour leur voir la face.

— Pis c'était pas la bonne face?

— "Salir sa mémoire!" On l'a-tu vue la vidéo qu'elle a faite pour Juliette, nous autres? C'tait ça, non? Tu la connaissais, toi...

— Pour être honnête, je pense que c'était moins clair pour elle que pour toi.

— Pourquoi ça arrive deux fois dans la même famille?

— Ben là! C'est pas une maladie! Ça arrive, c'est tout. Tu vas pas me faire le coup du "pas-normal" comme eux autres? You-hou... Anaïs!

— De toute façon, elle m'aurait pas défendue.

— Carolane ?

— Ouais. Elle se défendait pas, pourquoi elle m'aurait défendue ?

— Parce que quand on est deux pareilles, c'est plus dur de dire que c'est pas normal… Tu serais moins seule, c'est tout.

— Des fois, je me fais accroire qu'on serait des amies. C'est même pas sûr. Elle avait quand même dix ans de plus. Mes parents, y faisaient un *kid* à chaque cinq ans. Y sont peut-être hétéros, mais y font une maudite vie plate. Anyway, les vieux font toute une vie plate.

— J'espère que tu me classes pas là-dedans.

— T'as du fun, toi ?

— Je m'arrange…

— S'arranger ? T'appelles ça avoir du fun ?

— Laisse-moi respirer, veux-tu ?

— En té cas, t'es pas gai. Pas comme ton frère. Oups ! On n'a pas le droit d'en parler, excuse.

— Y est pas gai.

— Y est en prison ! Devine si y va être gai ? Pis viens pas me dire qu'y aime les femmes : y les tue !

— J'ai jamais pensé qu'y était gai.

— Y est peut-être comme les parents : à rien ! Pis ça l'enrageait de se crosser. Ma mère, a m'écœure avec son air de fille qui en veut pis qu'y en a pas. Faudrait qu'a comprenne.

— Quoi ?

— Que son tour est passé : *too fucking late.*

— Elle a quel âge ?

— Passé cinquante. »

Elle aurait dit « passé cent ans », elle n'aurait pas eu l'air plus dégoûtée. Elle s'empare du chocolat laissé par Éloi et l'engouffre. La conversation lui a fait beaucoup de bien, de toute évidence.

Éloi estime que les mères sont plus que discutables dans leur comportement. Il ne dit rien à Anaïs, mais sa mère avec ses préjugés et ses envies de sexe n'est pas la pire qu'il connaît.

## 96

Jules Langlois tient à célébrer en grand le dépôt du travail d'enquête d'Isabelle. Et ce n'est pas par envie de la féliciter mais parce qu'il est soulagé. Enfin, ils vont pouvoir passer à autre chose et vivre en écartant les fantômes désagréables du passé. À ses yeux, l'insistance d'Isabelle avait un petit côté obsédant qu'il n'aimait pas.

Elle avoue que le travail d'enquêteur lui paraît maintenant plus difficile à « laisser au bureau », mais qu'il est passionnant.

Ce qui ne rassure pas du tout Jules : fréquenter des asociaux, des pervers, des fous qui se prennent pour des dieux, ce n'est pas vraiment sa définition d'un travail passionnant.

Elle se moque de lui : « T'en as fréquenté un avant moi !

— C'est dans le temps où il cachait ses pires tendances, ça compte pas. Et je l'ai pas fréquenté. »

Elle lui soumet la question de Grenier concernant Juliette : homo, hétéro ou sado-maso ?

« Tu me niaises ? Hétéro à cent pour cent ! Ses côtés *kinky*… aucune idée, mais tu peux demander à Éloi. Tu le reverras jamais si tu fais ça, par exemple. T'es ben *weird*, Isa !

— C'est Grenier, le *weird*. Mais ça se pose, non ? Éloi a quand même tout archivé. Pourquoi Juliette a gardé les échanges sado-maso ? Pourquoi la vidéo de Carolane ?

— C'était son amie… Et même trop explicite, c'est touchant aussi, non ? Juliette était pas obligée d'être homo pour aimer son amie ! J'aime ben Éloi et j'ai aucune tendance.

— Bon, O. K. pour la vidéo. Mais les courriels ?… Viens pas me dire que c'est par amitié ! Si tu veux empêcher un échange d'être connu, tu le gardes pas. Tu le jettes, non ?

— Pour avoir des preuves c't'histoire ! Juliette avait effacé partout et très bien. Elle a juste conservé les copies papier. C'est sur son téléphone à lui qu'on a trouvé tout l'échange… une fois que le père de Juliette a montré un extrait à Éloi. Me semble qu'elle a dû garder les courriels pour le faire taire s'il revenait la tanner, la poursuivre, j'sais pas. Une preuve… Pas une minute elle a confondu d'où ça venait. Elle savait qu'Éloi avait rien à voir là-dedans.

— Mais le faire taire comme tu dis… pourquoi, comment ça qu'elle a rien fait avant ? Pourquoi l'envoyer au diable après toutes ces cochonneries ? Pourquoi embarquer dans son jeu ?

— Tu l'as dit toi-même, il avait de quoi la faire marcher… ça devait concerner Éloi. Empêcher Rock de faire du mal à Éloi, c'était tellement dans les cordes de Juliette, ça !

— Et t'as jamais eu une idée de ce que ça pouvait être ? Faut que ce soit grave, Jules, pour endurer un échange pareil. Si elle était pas maso, c'est… yark !

— Veux-tu arrêter avec ça ? Elle avait rien de maso. Elle aimait Éloi. Pis elle aimait son amie Carolane. Comme on aime une amie. Fin de la discussion. »

Ils mangent en silence, chacun réfléchissant malgré tout à ce qui a été dit. Isabelle se rend la première : « Bon, j'admets : peu importe ce qu'elle protégeait, peu importe son plan ou ses secrets, elle a fini assassinée par celui qu'elle croyait piéger.

— J'allais dire une drôle d'affaire…

— Dis-la.

— Si, et c'est un gros si, si elle voulait protéger Éloi de son frère, elle a réussi. Elle l'a payé cher, mais Éloi est à l'abri de son capoté de frère pour vingt-cinq ans minimum.

— Ben là ! Si elle l'aimait tant que ça, elle aurait pu éviter de le quitter. Ça y a pas fait de bien à Éloi, la séparation.

— Non. Fallait que ça soit vrai pour que Rock ait pas de doute. Pour que ça marche, fallait qu'il ait l'impression de gagner sur toute la ligne. Elle quitte Éloi et se soumet à ses fantaisies débiles.

— Jusqu'à la fusillade. À ce moment-là, y a arrêté de la croire en s'il vous plaît. Y s'est fâché.

— Ça veut dire qu'il a compris qu'elle l'avait eu sur toute la ligne. Qu'elle bluffait.

— Comment ?

— C'est le bout mystérieux de l'affaire. Mais le résultat est là : Éloi est en vie.

— C'était lui ou elle, tu penses ?

— Sais pas. Des fois, on s'invente des raisons pour endurer ce qui est pas endurable. Juliette qui meurt pour permettre à Éloi de vivre, ça fait la job. Mais y a rien de moins sûr. Et c'est le genre d'affaires que je garde pour moi, si tu vois…

— Y en aura enduré, ton ami… Je le revois sortir du poste le soir du meurtre. Tellement défait ! Une chance que t'étais là. Quand je pense à sa mère, à ce qu'elle a dit, pas plus tard que la semaine dernière…

— C'est là qu'on trouve que nos parents ont de l'allure, han ?

— Tu sais que je suis allée directement chez maman après ce qu'Éloi a raconté ? Elle a failli s'étouffer quand elle m'a entendue lui dire que je l'aimais.

— On est pareils en maudit : j'ai appelé la mienne avant de me coucher ce soir-là.

— Pis ? Elle a dit quoi ?

— Que j'étais soûl. Pis c'était vrai. »

## 97

*Ginette à l'hôpital. T'expliquerai.*

Jean-Daniel se contente de donner les faits sans trop de contexte. Éloi saura imaginer le reste, il en est certain. Rien d'autre que Rock ne peut causer de détresse chez cette femme. Même lui, son mari, n'a plus ce pouvoir depuis longtemps. S'il l'a déjà eu.

Que Ginette, obsédée par son fils assassin, prenne ses antidépresseurs comme on prend des analgésiques de temps en temps quand un mal de tête se pointe, qu'elle ne vive que pour le moment où elle s'assoira dans une prison en face de son fils de plus en plus fielleux, de plus en plus tatoué, tout cela ne peut que la mener à l'hôpital.

Le dernier mercredi, quand ils se sont présentés à la prison et que Rock les a agonis de reproches parce que sa dernière chance d'être réhabilité venait de s'évanouir, quand il a craché ses injures à mi-voix, les rendant responsables de tout et surtout de l'absence d'Éloi, de son éloignement, de sa trahison alors qu'il avait prouvé que son ex était une salope dangereuse, cette escalade de violence avait culminé dans son : « Si vous venez pas avec lui, venez pas pantoute. Laissez faire ! Si je le vois pas, je veux plus vous voir. Jamais ! »

Jean-Daniel avait sorti Ginette, titubante, effondrée à la pensée de ne plus jamais voir Rock... et si convaincue des torts d'Éloi qu'il commençait à se demander si elle ne deviendrait pas menaçante. Une sorte de catatonie avait suivi. Puis, elle s'était acharnée sur le blogueur qui lui avait raccroché au nez après un deuxième refus d'aider qui que ce soit. Les messages frénétiques laissés par une Ginette désespérée restaient sans réponse.

Devant l'abîme que représentait le mercredi sans Rock, elle avait préféré s'endormir, aidée par les médicaments. Mais le jeudi, en se réveillant, c'est à Éloi qu'elle pensait. N'ayant aucun moyen de l'atteindre, elle s'était acharnée sur son mari pour qu'il le fasse, qu'il le supplie de donner à son frère ce qu'il demandait.

Jean-Daniel avait menti avec conviction : les messages qu'il avait laissés n'obtenaient aucune réponse, lui aussi était exclu de la vie d'Éloi. Fallait se résigner.

Au bout de deux semaines de ce régime, Rock avait appelé sa mère. Il n'en pouvait plus, il fallait qu'elle l'aide. Ses instructions étaient très claires et elle les avait suivies avec application mais sans les résultats escomptés, exactement comme la première fois qu'elle avait essayé. Le téléphone cellulaire ne contenait plus ce que Rock y avait caché. Elle suivait chaque étape et ça donnait du vide. Dossier vide.

La colère de Rock avait fait le reste. Jean-Daniel avait trouvé Ginette délirante, affolée, en train de refaire le parcours noté sur un papier pour trouver le fameux dossier à transmettre de toute urgence à Levasseur. Dès qu'elle arrivait sur le vide, elle recommençait en murmurant que c'était impossible, qu'elle n'avait jamais rien effacé.

Quand il avait voulu reprendre le cellulaire, elle s'était jetée sur lui en hurlant qu'il voulait la séparer de son fils. Ils s'étaient battus. Jean-Daniel avait renoncé avant de lui faire du mal. Il avait claqué la porte sur son accusation de trahison et de vandalisme.

Il s'était réfugié dans un casse-croûte, le temps que la tempête passe.

À son retour, Ginette était partie.

L'attente avait été exténuante. À minuit, il avait texté à Éloi qu'il cherchait Ginette, l'avait-il vue ou eue au téléphone? La réponse négative était tout de même accompagnée d'un «t'en fais pas» compatissant.

Au petit matin, une infirmière l'avait appelé pour lui annoncer que Ginette avait été prise en charge par des policiers et conduite à l'hôpital. Elle était calmée et placée en observation à l'unité psychiatrique.

Jean-Daniel ne s'était pas précipité. Envahi d'un intense soulagement, il s'était couché et avait dormi profondément dans une paix qu'il n'avait pas ressentie depuis longtemps.

## 98

Teresa n'a pas besoin d'aller s'asseoir devant Alba pour décoder ce qu'elle a fait en racontant son passé à Guillaume.

Poussée par un désir aussi puissant que terrorisant, elle avait joué la carte qui aurait dû le faire reculer, lui, au lieu de l'obliger, elle, à renoncer. La peur prenait autant de place que le désir. Et cela ne lui était jamais arrivé.

Elle ne savait que faire de cet appétit qui la poussait vers lui, elle ne l'avait jamais éprouvé. Ni dans son bref mariage ni après. Le seul moment où le désir l'avait propulsée, c'était quand Guillaume avait voulu l'embrasser, qu'elle en mourait d'envie et qu'elle l'avait éloigné avec douceur. Elle s'était acharnée ensuite à avoir peur alors qu'une force inconnue contredisait ses craintes et la poussait à les écarter.

Le combat intérieur s'était résolu dans le silence et l'absence. Mais Teresa savait qu'autre chose que l'inquiétude et l'angoisse l'habitait. Qu'elle était en mesure non seulement de voir le désir de l'autre, mais d'y consentir, elle aussi. De le partager. D'en être. Très vite, l'obsession de Guillaume était devenue physique. Électrisée, elle fondait en y pensant et en imaginant ce qu'une étreinte ferait exploser.

Toutes ces années de silence charnel lui paraissaient pourtant si normales. Si rassurantes et bienfaisantes. Son corps engourdi dormait. Assommé par la honte et la violence, il se taisait, bâillonné. Le long hiver du désir s'était terminé sans qu'elle le soupçonne et le mouvement du visage de Guillaume penché vers le sien avait secoué tous ses capteurs érotiques. En posant une main douce sur sa poitrine, elle le refusait et, en même temps, une lame de fond la soulevait et la poussait vers lui, affamée d'un appétit jusque-là inconnu. Depuis, elle avait eu mille fois le désir de reposer sa main sur ces muscles chauds qui protégeaient le cœur de Guillaume. Elle avait rêvé de s'ouvrir pour lui, de s'offrir, de goûter à l'ivresse du corps qui consent. Depuis, ces sensations jusque-là inconnues pour elle la tenaient éveillée la nuit et distraite le jour.

En revenant au souvenir du viol, avec Alba et ensuite avec Guillaume, Teresa pressentait une sorte de terreur entretenue, une trahison, imposée cette fois par elle-même. La peur était réelle, palpable, mais elle se voyait ramener le passé pour s'en servir d'une certaine façon comme d'un mors pour faire dévier le désir, pour obtenir une sorte d'échappatoire. Mais là, le désir criait tellement fort, il la tenaillait au point qu'elle se voyait forcée d'affronter ses propres feintes, sa fuite et ce qu'elle jugeait comme une lâcheté. Un mélange intérieur des plus explosifs qui lui révélait qu'elle aussi, elle s'était fait violence, que tout ce temps, elle avait contraint son corps. Même si c'était à l'oubli, à l'effacement, au néant, cela constituait un abus comme ce que les violeurs et le rejet de son mari avaient causé.

Sans aller jusqu'à se flageller, elle avait laissé la peur régner et le passé prendre le présent en otage.

Elle a quarante-trois ans, elle se regarde dans le miroir et, pour la première fois de sa vie, elle y voit une femme de chair émouvante et désirable. Elle voudrait se précipiter dans les bras de Guillaume, non pour y trouver de la protection, mais pour saisir le désir et voir jusqu'où il la propulserait. Jusqu'à quelle intensité, quelle ivresse. Et elle a peur, elle ne sait pas si elle en est capable. Si elle peut atteindre un tel degré d'abandon.

Quand il s'agissait des plaisirs de Sophia, de ses aventures, Teresa y voyait une victoire : elle n'avait pas contaminé sa fille, elle lui avait ouvert toutes les portes de la vie sans restrictions, sans exceptions.

Maintenant qu'il s'agit d'elle, elle voudrait supplier sa fille de lui donner le courage du corps.

## 99

Les questions qu'Éloi pose à son père demeurent sans réponse précise, ou sans réponse tout court. Jean-Daniel se contente souvent de résumer la situation avec un « ne t'inquiète pas » des plus alarmants aux yeux de son fils.

Il insiste pour obtenir une rencontre… que son père remet d'une fois à l'autre. Un jour, excédé de ne pas le joindre, il téléphone au bureau et apprend que son père a pris congé depuis trois semaines !

Très inquiet, il se décide à aller à la maison voir ce qui leur arrive. Sur le minuscule carré de gazon devant le minable bungalow défraîchi, l'affiche « à vendre » le déroute.

Il trouve son père occupé à vider le sous-sol. Il est si maigre qu'Éloi se dit qu'il va casser en deux.

La conversation est malaisée, son père fuit son regard en ayant l'air dépassé par ce qui reste à trier, vider, jeter.

« T'avais l'intention de me le dire quand, papa ? Veux-tu t'asseoir, s'il vous plaît ?

— Y a beaucoup de choses à faire. Ta mère est pas près de sortir de l'hôpital.

— O. K. Mais toi ? Tu vas où ? Tu fais quoi, maintenant ?

— Sais pas. »

Ses mains s'agitent, tirent une boîte remplie de dessins, de feuilles de papier.

« Arrête avec ça, veux-tu ? C'est quoi, d'ailleurs ? Mes travaux ? Mes dessins… t'as gardé ça ?

— Pas moi.

— Pas ma mère, certain !

— Rock. C'est à Rock, tout ce qu'y a ici. Tout le sous-sol est à Rock.

— Bon, on arrête. On va aller en haut, veux-tu ? As-tu mangé aujourd'hui ? »

Le regard de son père est presque abruti. Éloi se dit qu'il n'est pas loin de la sénilité… ou de la sous-alimentation.

Tout ce qu'il trouve dans les armoires de cuisine, c'est de la soupe en sachet et des biscuits salés humides.

Une fois attablé, il doit dire « mange » à son père pour qu'il s'exécute. À croire qu'il a perdu ses réflexes vitaux.

« Tu voudrais pas aller voir ta mère à l'hôpital ? Ça lui ferait du bien…

— Je pense pas, papa. C'est Rock qu'elle voudrait voir, tu le sais.

— Faut vider la maison… »

Il est déjà debout. Éloi le rassoit, lui indique le bol de soupe. Obéissant, son père reprend la cuillère.

« T'as un endroit où aller ? C'est une bonne idée de vendre la maison.

— L'hypothèque… si on pouvait avoir le montant de l'hypothèque, rembourser l'emprunt.

— Ça va aller, tu vas voir. T'as trouvé un appart ?

— J'attends de vendre.

— O. K.

— Ta mère… sa tête. C'est fini, Éloi. Est pus là. Y peuvent pas la faire revenir. C'est aussi bien.

— On va s'occuper de ça plus tard. Rien de grave va lui arriver. T'as pas à t'inquiéter tant qu'elle est à l'hôpital.

— Je peux plus.

— Quoi ?

— M'en occuper. Être avec elle. J'aimerais mieux mourir. »

Ses longues mains décharnées cachent son visage. Voir son père sangloter, les épaules tressautantes, le corps flottant dans ses vêtements sales et usés jusqu'à la corde achève Éloi. Il se lève et pose une main compatissante sur le dos de son père qui essaie de reprendre contenance.

« Je voudrais que tu partes. »

Éloi se méprend et regarde son père avec stupéfaction.

Il précise : « Au loin. Ailleurs. Te faire une vie, Éloi. Nous oublier. Sauve-toi. Si tu savais comme ça me ferait du bien. Reviens jamais. Ni pour nos funérailles ni pour… lui, le jour où il va sortir de prison encore plus dur et plus violent qu'il l'est. Pire, si ça se peut. »

Il se lève, se mouche dans un mouchoir douteux et conclut : « Ça serait la seule réussite de ma vie, te voir partir. Le reste… »

Il redescend au sous-sol, obsédé par l'idée de vider, de nettoyer.

Éloi sort acheter des aliments faciles à manger, déjà prêts.

Ensuite, il retourne au sous-sol et aide son père en silence. Après deux heures, la place est divisée en trois sections : à recycler ou jeter, à vendre et à garder. Éloi prend des photos pour Kijiji que son père ne connaît pas. Il promet de se charger de la vente si son père accepte de se reposer, de manger et d'arrêter de s'en faire.

« J'aime pas être ici…
— Dans le sous-sol ? »
Jean-Daniel a un drôle de sourire triste, il a ce geste tendre de poser sa main sur la joue barbue de son fils. Il est tout à fait lucide quand il dit : « Non. Dans ma vie. Essaye de jamais avoir à dire ça, veux-tu ? »

Éloi met encore une heure à sortir ce qui doit être recyclé. Il est si soucieux de l'état de santé de Jean-Daniel qu'il note le nom de l'hôpital où sa mère est soignée. S'il ne trouve pas son père à la maison, il saura au moins où le chercher.

Le soir tombe quand il rentre enfin chez lui. Il s'est mis en retard pour un contrat et y travaille une partie de la nuit. Au petit matin, il s'effondre sur son lit, épuisé.

Quand il trouve le texto de son père : « *Merci. Tout va mieux* », il se rend compte qu'il lui est impossible de le croire. Rien n'ira jamais bien pour son père ou pour sa mère. Là-dessus, Rock a réussi à rendre ses parents aussi malheureux qu'il estime l'être.
Son deuxième saccage.
Parce qu'Éloi en est persuadé, la culpabilité peut tuer.

## 100

« Y a une fille à l'école… Elle s'est tuée. »

Anaïs fait comme si c'était une information accessoire qu'elle jette comme ça, sans vouloir produire le moindre effet.

Éloi pose sa main sur le cellulaire qu'elle ne lâche jamais et sur lequel elle pitonne en lui parlant. C'est pourtant entendu que, quand ils se voient, le cellulaire est fermé. À croire qu'il s'agit d'un poumon auxiliaire qui lui permet de respirer, Anaïs est branchée en tout temps.

« Lâche ça un peu. Comment ? Pourquoi ?

— Pourquoi ? »

Elle agite son téléphone : « Devine ? Elle a fait chier son chum, y avait des images en réserve, y a mis sa *porn* en ligne. Paf !

— Paf quoi ?

— Elle avait juste pas envie de revenir à l'école voir les autres rire d'elle, qu'est-ce tu penses ? Pis je la comprends.

— Combien de fois je t'ai dit que ces petites bibittes là, c'est des vraies bombes ? Que si tu te laisses aller à faire des niaiseries pis à les mettre en ligne, tu vas devoir endurer les conséquences ? C'est de la dynamite, le Net.

— Recommence pas.

— Non, je continue : le *deep fake*, ça peut tuer aussi ! Ça c'est quand le gars ou la fille truque ce qu'il a enregistré. Même quand c'est anodin, tu peux le rendre débile, choquant, ridicule, ce que tu veux. Tu peux mettre ce que tu veux dans les mains ou la bouche de quelqu'un que t'as envie d'écœurer pis la face que tu veux sur un corps étranger. J'ai tellement pas le goût que ça t'arrive !

— Ben non : tu m'as montré comment effacer pour de vrai. T'es ben stressé !

— Ça te fait quoi, pour la fille ? Tu la connaissais bien ?

— M'en crisse. C'pas ma vie.

— Pis y a juste ta vie qui t'intéresse ?

— Ben là ! J'suis pas pour tout arrêter parce que Lily-Rose Tremblay s'est tuée !

— Pourquoi tu m'en parles si ça te fait rien ?

— Moi, ma sœur s'est faite tuer. C'est pire.

— Si tu veux qu'on parle de Carolane, pas besoin de me sortir toutes les autres morts, Anaïs. »

Elle joue l'indifférente en tournant la cuillère dans sa tasse vide. Éloi n'en revient pas du mélange de vulnérabilité et d'agressivité contenu dans cette si jeune fille.

« Penses-tu que ma sœur avait couché avec Juliette, toi ?

— Sais pas. Mais je pense pas.

— Embrassé ? Jusse embrassé ?

— Aucune idée…

— Ça t'aurait choqué ? Écœuré ? T'as demandé ?

— Non. Ça aurait été la décision de Juliette. Y aurait fallu que je m'y fasse si ça s'était passé. Et j'ai rien demandé, j'avais une confiance absolue.

— La fille que j'ai le plus embrassée, elle veut aller avec un gars ! Stéphane Auclair !

— Tu trouves ça dur ?

— Ben là ! Y est même pas un minimum *smart* ! *Full* épais ! En plus, j'ai rien faite de mal.

— Tu peux pas la forcer, Anaïs. Peut-être qu'elle voulait jusse essayer pour voir…

— Essayer quoi ? Stéphane ou moi ?

— Ah, ben oui… la question est bonne. D'après toi ?

— Est aux filles pis a veut rien savoir. T'es sûr que t'aurais rien dit que Juliette couche avec ma sœur ?

— J'aurais parlé avec elle pour savoir ce qu'elle voulait vraiment.

— Tu peux ben dire ça aujourd'hui, mais t'aurais peut-être pas eu le *guts*. T'aurais peut-être été en crisse, *that's it*.

— Tu peux être en crisse pis comprendre en même temps que ça vient de foirer, que t'aimes quelqu'un qui t'aime pas. Ou qui t'aime plus.

— Pis là, tu fais quoi ?

— T'endures.

— Han ?

— T'as de la peine pis t'endures. Pis ça passe…

— C'est ben malade… Tu me niaises ?

— Bon, prenons ça autrement : donne-moi la qualité que tu préfères chez cette fille-là. Ce qui te plaît le plus.

— Sa bouche ! Sa manière d'embrasser.

— Ben là, c'est toi qui me niaises. Ça, c'est du désir, pas de l'amour.

— Tu veux dire une qualité comme "est fine" ? J'en ai pas. On s'est jusse embrassées, on n'a pas parlé. Pis après, elle était gênée pis elle avait encore envie... j'pense. C'est souvent de même, finalement.

— Et pourquoi ça te plairait que Juliette ait couché avec ta sœur ?

— Ben... je pense qu'elle l'aimait pour de vrai. Pas pour sa bouche, disons... Ou pas jusse pour ça. Ça doit être le fun, aimer pour vrai. Ça rend fort, on dirait.

— Fort ?

— Ben... ça donne du *guts*. Sinon, pourquoi elle l'aurait fait ?

— Fait quoi ?

— Ben... lui dire d'arrêter. Dire à Juliette d'arrêter. Parce qu'a voyait ben que ça y coûtait trop. Qu'elle avait trop de peine.

— Arrêter quoi ? Je te suis pas, Anaïs.

— Ben, de la protéger ! Tu sais ben !

— Non, je sais pas. La protéger des autres ?

— T'aurais dû les lire les textos, tu vois ben ! Si ma sœur était capable de se tenir debout devant tout le monde, c'est pour que Juliette arrête.

— Quoi ? Arrêter quoi ?

— Ben, je sais pas trop exactement... Assumer, c'est quoi ?

— C'est être responsable de quelque chose et pas se défiler devant les réactions que ça provoque. C'est quoi, le rapport ?

— J'sais pas trop... »

Elle a l'air déçue, comme si elle pensait que ce serait plus clair à ses yeux.

« T'as lu les textos de Carolane et Juliette et c'est là que t'as trouvé ça ?

— Genre… Sérieux ? Tu les as pas lus ? T'es pas curieux ou tu voulais pas savoir ?

— Non, non, j'suis curieux, mais je cherchais autre chose. Pour moi, les secrets des filles les regardaient. Je pensais pas que Carolane… elle disait à Juliette d'arrêter de la protéger ?

— "Capable d'assumer", c'est ça qu'elle a écrit. *Je suis capable d'assumer…*

— Et Juliette a répondu quoi ?

— Me semble que c'était queque chose comme "t'es sûre ?"…

— Et c'était quand ?

— Ben là ! T'en demandes pas mal. Va les lire, toi ! Qu'est-ce que ça peut faire ?

— Niaise pas, Anaïs, c'est important. T'as lu que Juliette allait arrêter quelque chose parce que ta sœur lui disait qu'elle assumait, qu'elle avait plus besoin d'être protégée ?

— Pis qu'elle l'aimait assez pour genre se tenir debout. Je voulais pas te déprimer, c'pour ça que je l'ai pas dit.

— Ça me déprime pas : ta sœur était vraiment la plus proche et la plus aimée de Juliette.

— À part toi… si un gars m'aimait comme t'aimais Juliette, penses-tu que ça me ferait changer ?

— Non. Pas plus que Juliette pouvait devenir homo-sexuelle parce que ta sœur l'aimait.

— C'est mal faite, han ?

— Ça dépend… quand on tombe sur quelqu'un qui partage nos envies, c'est plutôt bien fait. Ça va arriver, t'es pressée pas mal.

— Ben là ! On sait pas à quel âge j'vas crever ! Si c'est avant vingt-cinq comme ma sœur, faut que je me grouille !

— Pis si c'est à quatre-vingts ? »

Elle le fixe, les yeux ronds, incrédule. Cette perspective est trop lointaine pour être envisageable. Elle est carrément inimaginable.

« La belle bouche… elle a un nom ?

— Pourquoi tu veux savoir ça ? »

Il agite le téléphone qui est resté entre ses mains sur la table : « Parce que t'as sûrement joué avec Stéphane Auclair et la belle bouche quelque part. Pour niaiser…

— Pis ? Ben le droit !

— Pis quand t'aimes plus que la bouche, tu fais pas ça. T'essayes d'entendre pis de croire ce que la belle bouche te dit. C'est de même, aimer.

— T'as fait ça, toi ?

— Oui, mamzelle Chaï. J'ai fait ça.

— *Fucked up !*

— Peut-être… mais je sais c'est quoi, aimer. Pis je te souhaite de le savoir aussi.

— Avant Juliette… c'était comment ?

— Avant Juliette, j'étais comme toi : j'ai trippé sur les belles bouches. Jamais rien d'autre.

— Pis là ? »

Éloi écarte les mains, il n'a pas envie d'en dire plus.

Là, c'est le néant. Le vide abyssal de la vie sans Juliette.

Anaïs a ce geste touchant : elle pose sa main dans la sienne, petite et encore potelée, cette main.

« Pis là, tu m'as. Pis je t'ai. Et je peux te dire ta qualité, même si t'as une belle bouche : tu sais piéger du monde sur leur cell, tu niaises pas quand on te parle pis t'es plus drôle que t'en as l'air. »

Éloi estime qu'il vient de toucher le jackpot.

## 101

C'est Isabelle qui a eu l'idée : ils vont faire un blitz de ménage chez le père d'Éloi pendant la fin de semaine. Ils n'arrêteront pas avant que tout soit rangé et prêt pour un éventuel déménagement. Pas question de laisser leur ami se taper l'énorme travail tout seul.

Éloi est à la fois touché par la solidarité et gêné de laisser Isabelle constater la pauvreté et le vide dans lesquels ses parents vivaient. Jules balaie l'inquiétude d'un nonchalant : « Si tu savais tout ce qu'elle a vu dans la police. Qu'est-ce qui te prend ? T'es rendu snob ? Tu veux cacher tes origines modestes ? »

Mais il comprend en voyant Jean-Daniel se lever péniblement de son fauteuil râpé : tout a changé dans cette maison, la misère morale suinte de partout, tellement visible tout à coup, tellement incarnée dans la fragilité soudaine du père d'Éloi. La gorge serrée, il tend la main, faussement gai : « On va vous aider à organiser ça, cette maison-là ! »

Le pauvre vieux serre sa main en tremblant et en balbutiant des « mercis » répétés. Isabelle semble beaucoup plus en mesure de faire face, à croire qu'elle a un passé de travailleuse sociale aguerrie. Elle branche la bouilloire, prépare du thé et déclare que son secteur sera la cuisine pendant que Jules officiera au salon et Éloi dans la chambre des parents.

« Vous voulez bien rester avec moi pour m'aider à décider de ce qu'on fait des casseroles, monsieur Marcoux ? Vous vous assoyez ici, avec votre thé bien chaud et vous me dites si je fais des erreurs. Vous pouvez y aller, les gars, on se débrouille nous deux ! »

En entrant dans la chambre, une âcre odeur de dodo et de sueur agresse Éloi. Quel enfant a envie d'ouvrir les tiroirs de ses parents et de découvrir leurs secrets ? Pas lui. Il aère et s'attaque à la commode où tout est sens dessus dessous. Les chaussettes sont pratiquement toutes trouées. Les draps du lit sont à jeter tellement ils sont sales. En ouvrant le garde-robe, il découvre deux univers : à gauche, celui de son père, presque vide et inutilisable pour ce qui reste, et à droite, un fouillis compact. En attaquant la section paternelle, à vue d'œil tout est trop grand, délabré. Aucun veston ou pantalon ne lui irait plus. Quelques chandails et des joggings peuvent à la rigueur encore servir. Il se rend à la cuisine chercher son téléphone pour noter les achats à faire pour garnir au moins une valise — Isabelle placote, à l'aise, joyeuse et efficace s'il en juge par les boîtes déjà remplies par terre. Son père a l'air plus dégourdi, presque vivifié au contact de la jeune femme.

Il termine tout ce qui concerne son père avant de s'attaquer au côté droit du garde-robe. Après les vêtements, ce sont les boîtes de chaussures remplies de papiers, de cartes mortuaires du temps où ça se faisait encore, de bricoles sans intérêt. Et au fond, bien rangées, il trouve deux énormes boîtes remplies de photos. Elles sont minutieusement classées par année. Il y a les rituelles, les anniversaires, Noël, les vacances, et les autres prises au hasard des évènements : la première communion, le premier jour d'école, une visite à La Ronde…

Sur chaque photo, les jumeaux sont côte à côte, habillés pareil, peignés pareil, le même sourire contraint étampé dans la figure. Et sur chaque photo, sa mère a écrit en tirant un trait en marge du visage de Rock, le prénom bien-aimé du fils adoré. Éloi n'est jamais identifié. Aucune nécessité puisque reconnaître l'un donne l'identité de l'autre par défaut. Par soustraction, presque.

Sur le lit défait, les petits rectangles aux couleurs éteintes s'accumulent. Jamais de photo individuelle et jamais le prénom d'Éloi. Tout est lamentablement limpide.

« Oh boy ! T'as trouvé les archives familiales ! » Jules dépose la bonbonnière où des jujubes agglutinés par le temps et les écarts de température forment un bloc solide, et il fouille parmi les clichés.

« Mais !… c'est pas possible ! Il n'y en a pas une maudite de toi tout seul ! Elle aurait été obligée d'écrire ton nom, c'est ça ?

— Probablement… Remarque que lui non plus a pas sa photo tout seul. »

Il remet les photos dans la boîte et n'en garde qu'une seule qu'il avait mise de côté.

« Pis tu vas en garder une ?

— Celle-là est spéciale, regarde comme il faut.»

Jules s'applique comme au jeu des sept erreurs.

«Pas facile. Je cherche où ? Le décor, vos cornets de crème glacée ?

— Ma mère prétendait qu'elle nous avait jamais confondus. Jamais. Sauf qu'elle nous plaçait toujours du même côté, lui à droite, moi à gauche. Regarde encore.

— Crisse ! C'est marqué Rock, mais…

— J'ai failli échapper ma boule de crème glacée tellement je me suis dépêché ! Pendant qu'elle avait le dos tourné, j'ai changé de place. Elle a rien vu.

— Elle a inscrit Rock, pis dans sa tête, c'était lui… capoté ! On s'en fait-tu des accroires pis des théories, han ? — il lui montre la bonbonnière — C'est sûrement une belle antiquité qui vaut cinquante piasses sur Kijiji, mais pour sortir les nanannes, on va la casser. Je jette ou on vend avec les bonbons dedans ?

— Mets de l'eau chaude dedans. On verra dans deux heures.

— Ça va ? Pas trop shaké ?

— Ben voyons ! Je viens d'apprendre que ma mère avait un préféré ! On fera pas un drame avec un lieu commun.

— Des fois, je me demande comment t'as pu virer aussi bien pis l'autre aussi mal. Le contraire du bon sens !»

Éloi contemple la photo un long moment : «Si tu savais à quel point j'ai voulu me démarquer, tu serais pas surpris de me voir virer du bord contraire à Rock. Rien à voir avec l'amour des parents.

— Aye ! Ma mère m'a fait du macaroni au fromage pis du pâté chinois chaque fois que j'en ai voulu pis regarde : t'as devant toi un homme normal, man !

— C'est ça, on en reparlera le jour où tu m'auras battu à *Fortnite* ! »

~~~~

Le dimanche soir, ils ont réussi à nettoyer l'essentiel et l'agent d'immeubles pourra faire visiter une maison « au potentiel intéressant » plutôt qu'un dépotoir. C'est pas du *home staging* au sens d'Isabelle, mais c'est nettement mieux qu'avant.

Ils font au moins quatre voyages au dépotoir municipal. Quand Jean-Daniel revient de sa visite à l'hôpital, il trouve un souper chaud qui l'attend et une maison qu'il reconnaît à peine.

« Mission accomplie », soupire Éloi en s'assoyant dans la voiture. Il inviterait bien ses amis au restaurant pour les remercier, mais il est crevé.

« On va prendre un *rain check*, man. De toute façon, on n'est pas présentables. »

Éloi est surpris d'entendre Isabelle dire que demain serait parfait parce qu'elle veut finir le travail et discuter de l'endroit où les parents d'Éloi devraient aller.

« Laisser le monde respirer, Isa, ça te tente pas ? Pourquoi demain ? Y a rien qui presse !

— Vous avez pas idée du temps que ça prend pour avoir une place dans une résidence, ça paraît ! C'est très demandé ! Demain ? »

Éloi hoche la tête : « Dac. »

Il est certain d'une chose : Isabelle ne se contentera pas d'exposer le problème, elle aura une solution. C'est son style et, après l'avoir vue à l'œuvre avec son père, ça l'arrange.

## 102

Depuis sa sortie chez Guillaume, Teresa doit faire face aux questions joyeuses de Brigitte. Les « et si… » pleuvent. La jeune femme se montre si intéressée par une éventuelle liaison qu'elle en devient taquine et d'une curiosité enthousiaste. Quelquefois, emportée par la perspective, elle évoque Sophia et leurs sorties, leurs *kiks* en toute liberté. À croire que réveiller la sensualité de Teresa sert aussi à débloquer les souvenirs heureux. Jamais Brigitte n'a été aussi gaie en parlant de son amie, comme si sa mort tragique avait jusque-là effacé les souvenirs heureux et réduit sa vie aux circonstances de sa mort.

Ne serait-ce que pour cet effet positif, le passage de Guillaume aura servi à quelque chose, voilà la pensée qui traverse Teresa en rentrant chez elle d'une soirée passée à l'appartement d'en face où Brigitte a raconté ses quatre cents coups avec Sophia. Sans tristesse. Sans l'éclair de terreur que provoque toujours la fusillade qui a tranché sa vie en deux. À voir l'éclat dans ses yeux, l'espoir est tout à fait permis. Un jour, Brigitte aura un amoureux et des amis de son âge, ce qui ravit sa « vieille » alliée de quarante-trois ans.

Quand son téléphone sonne, elle est déjà au lit. Souvent, Guillaume l'appelle pour jaser en fin de soirée. C'est fait légèrement, sans insister pour aborder quoi que ce soit de sérieux ou grave, pour l'unique plaisir de parler de choses essentielles… comme de leur humeur ou de ce qu'ils ont fait de leur journée.

Il a la légèreté la plus enveloppante qui soit, c'est un charme de lui parler, et Teresa attend cet appel avec impatience.

Quand elle raccroche, elle se répète que c'est ridicule, qu'elle n'a pas quinze ans et que si elle n'a pas l'intention d'aller plus loin, elle devrait être honnête et le dire au lieu de laisser planer une sorte de « séduction séduite ». Ne pas jouer l'enjôleuse capable d'assumer la promesse qui est au cœur du rire. Mais le rire est si enivrant, si agréable… si tentant.

Elle s'endort en se disant qu'elle va aborder la question au prochain appel. Elle va jusqu'à s'avouer candidement que le bien-être de Brigitte ne passe pas par tant de dévouement de sa part. Guillaume n'est pas un remède à la mélancolie de sa protégée, mais une tentation exaltante pour elle-même. Cette conscience précise, elle peut l'assumer. Le reste… elle s'endort sans régler ce point crucial. La journée a été bonne, lumineuse, ça lui suffit.

# 103

« Il est tard, je te réveille ? J'ai essayé de te joindre avant, mais c'était ton répondeur qui prenait tout de suite le relais. Tu es allé au cinéma ? »

Guillaume déteste cette façon qu'a Hélène d'être indiscrète, de questionner sans en avoir l'air, d'espionner ses activités en feignant de s'y intéresser. Ça lui donne envie de mentir. Quand il entend ce faux ton amical qui cache une possessivité désagréable, il se félicite d'avoir écarté de sa vie ses autres compagnes. S'il fallait qu'elles posent toutes autant de questions, il serait réduit à se justifier pour le reste de ses jours !

« Je pensais qu'en déménageant à Montréal on se verrait plus souvent. En toute amitié. Pour aller au cinéma, par exemple. J'aime pas y aller toute seule. Toi ? »

Elle sait déjà qu'il préfère y aller seul. « Excuse-moi, Hélène, mais il est tard et j'ai une grosse journée demain… »

Le mensonge ne lui coûte rien, ni honte ni malaise. Il vient de raccrocher avec Teresa et il n'a pas envie d'altérer son plaisir avec les manipulations à peine déguisées de son ex.

Enfin, elle cesse de tourner autour du pot et lui annonce qu'elle veut l'inviter sous peu pour son anniversaire.

« C'est dans dix jours, Hélène ! Mais non, je préfère pas.

— Pourquoi ? Y a quelqu'un ? Tu peux me le dire, on est amis… »

Oh non ! Il a déjà joué dans ce film et il connaît la suite. Sa réponse est ferme et sans ambiguïté : il n'y a personne et célébrer ne l'intéresse pas. Il passera la journée au bureau et mangera chez lui, même si c'est son anniversaire et avec un certain plaisir en plus. Ce n'est pas le genre d'Hélène, mais c'est le sien. Elle peut comprendre ça ?

Froissée, Hélène déclare que ça partait d'un sentiment amical et qu'il n'est pas nécessaire de la traiter avec brusquerie.

Guillaume retient l'agressivité du « tu te crois ? » qui lui vient et essaie d'adoucir son « bonne nuit » pour calmer les bons sentiments d'Hélène.

Il se couche agacé, déçu d'avoir perdu les bienfaits de sa conversation avec Teresa.

Pour compenser le désagrément, il se promet de l'inviter pour célébrer son anniversaire. Il s'endort le sourire aux lèvres : c'est Hélène qui serait frustrée de lui avoir soufflé une telle idée pour la deuxième fois en autant de mois !

## 104

Éloi a refusé d'aller à la pizzéria ou au thaï qu'ils affectionnent.

« Si on veut parler, c'est mieux les sushis. »

Il a écarté les arguments financiers parce que sa compagnie va de mieux en mieux et les contrats sont trop nombreux pour les heures qu'il y a dans une journée.

« D'ailleurs, Jules, si tu veux un petit supplément de revenus, j'ai au moins cinq contrats qui t'attendent. »

L'ambiance est joyeuse et ils n'entament le sujet lourd qu'une fois leur appétit comblé et le thé posé devant eux.

Isabelle n'aborde pas vraiment le sujet du futur de Jean-Daniel, mais plutôt ce qu'il lui a confié : « Ton père a peur, Éloi. Un moment donné, quand il a répété trois fois que j'étais dans la police et que j'avais une arme, j'ai demandé si ça l'inquiétait. Tu sais pas quoi ? Il veut que je te montre à t'en servir ! Que tu en achètes une.

— Ben là ! Non !

— Je sais bien, c'est pas ça l'essentiel. C'est, il pense que… il croit que Rock veut te menacer.

— Dans vingt-cinq ans ? On verra à ce moment-là.

— Non. Maintenant. »

Les deux hommes la regardent, éberlués. Elle comprend leur réaction, elle a eu la même. Pour le père d'Éloi, tant que Rock est en vie, il ne se déchoquera pas. Ça va empirer.

« Il a même dit que si sa femme était devenue folle, c'était à cause de la pression de Rock pour qu'elle te nuise. Il a dit que Rock te pardonnerait jamais d'avoir repris.

— Avoir repris quoi ?

— Avec Juliette. »

Le silence est de plomb. Isabelle obtient la réponse qu'elle attendait : ni Éloi ni Jules ne comprend un mot de ce nouveau délire.

« Je voulais pas brusquer ton père, il se parlait à lui autant qu'à moi. Mais j'ai demandé, tu penses bien, j'ai demandé pourquoi il pensait une chose pareille. Il a seulement dit que Rock vous a vus. Qu'il a été tellement enragé qu'il a cassé plein de choses dans le sous-sol, qu'il a hurlé que jamais ça se passerait de même, qu'il avait de quoi pour faire finir tout ça. Bref, il a pété sa coche d'aplomb. Ton père dit qu'il a pas dormi de la nuit, qu'il voulait rien entendre de se calmer ou de te laisser tranquille et qu'après, il est sorti… ton père l'a pas vu faire, sinon il l'aurait empêché de partir avec une arme.

— Attends, attends : tu veux dire que ça, ça se serait passé pas longtemps avant la tuerie ?

— Ça faisait comme si entre sa crise et la tuerie, Rock avait pas dormi du tout. Ni lui ni tes parents.

— Ça se peut pas. Ça se peut pas ! »

Stupéfait, Éloi répète sa phrase en cherchant éperdument un sens à ce qu'il apprend. Jules réagit avec son côté raisonnable habituel : « Wo ! On se calme ! Si ta mère a capoté, ça se peut que Rock ait fait pareil. Il s'est imaginé ça pour se donner une raison de se défouler pis ça finit là ! Crisse, Éloi, tu le saurais si t'avais revu Juliette ! »

Isabelle observe Éloi qui semble s'effondrer : « Éloi !… y a raison, non ?

— Non.

— Han ? T'as repris sans me le dire ? Tout ce temps-là ? J'te crois pas, man ! »

Ils attendent qu'Éloi lève les yeux et explique. Quand il parle enfin, c'est tellement chuchoté qu'ils doivent se pencher vers lui pour entendre.

« Tu te souviens pas, Jules ? J'ai pas repris, mais je l'ai revue. Le 20, le soir de mon anniversaire, la veille de… sa mort. Je devais aller chez les parents pour une fête. J'ai pas pu. J'avais trop… j'avais pas envie. Je suis allé rue Laurier me planter sur le trottoir en face de la boutique. Je l'ai regardée plier des chandails, parler avec Carolane qui aidait une cliente. Un moment donné, elle s'est étirée pour attraper une jupe en hauteur, j'ai vu un bout de son dos. Des affaires de même… Jusqu'à la fermeture. Pour me faire une sorte de cadeau. Quand elle a éteint dans la boutique, je suis parti pour pas qu'elle me voie. C'est ça que j'ai fait le soir de mes vingt-deux ans. C'est comme ça que Rock a pensé que j'avais repris avec Juliette et que je l'attendais à la sortie de son travail. Il a sûrement décidé de ne pas rester à la maison avec les parents étant donné que je me suis décommandé… et…

— C'est ça que ton père répétait et que je comprenais pas : on n'a jamais mangé le gâteau. »

Plus personne ne parle. Chacun refait l'absurde chemin de la méprise du tueur. Chacun estimant la légèreté de la cause d'une telle catastrophe. Trois vies immolées sur un malentendu. Trois… fort probablement bien davantage s'ils comptent les désastres provoqués par ces pertes.

La rage inutile et sans rapport avec le réel d'un homme envieux, contrôlant à l'extrême, haineux.

Isabelle devine l'abîme dans lequel glisse Éloi. Elle tend les deux mains et saisit les siennes : « Écoute-moi. C'est une mauvaise question que tu te poses. Si c'était pas ce soir-là, ça aurait été un autre soir, pour une autre confusion, une autre erreur. Penses-tu vraiment que tu pouvais arrêter ça ? Tu ne l'as pas provoqué, Éloi, il s'est servi de sa rage pour foncer et faire ce qu'il aurait fait un jour ou l'autre, de toute façon. T'achètes pas un AK-47 pour aller à la chasse à la perdrix. Ni pour te défendre. Il voulait en venir là. Il voulait que ça pète, que ça fasse mal. Il s'est servi de ce qu'il a vu, de ta présence comme d'un détonateur. Mais c'était une fausse raison. Une question d'heure, de moment, de frustration… va savoir ! »

Éloi dégage ses mains doucement, vaincu.

« Mon père t'a dit la vérité, Isabelle. Rock voulait me tuer.

— Non, il voulait s'approprier de ta vie, de tes pensées, de tes amours. Il voulait être toi peut-être. Mais surtout, ne pas être séparé de toi. Comme si vous étiez une seule entité. En tout cas, c'est malade, mais c'est pas de ta faute.

— Et trois filles ont payé pour moi. À ma place, Isabelle. Et pas n'importe quelles filles…

— Évidemment qu'y a fessé là où ça fait mal! Pas fou au point d'aller descendre des inconnues. Fallait t'atteindre. Oublie pas que Juliette l'envoyait chier dans son texto pas longtemps avant.

— Après avoir marché dans son jeu, quand même. Et c'est possible que ce soit pour me protéger qu'elle a marché, finalement… Crisse! Pourquoi y m'a pas tué?

— Parce que sa vie tourne autour de toi. Et qu'y veut encore une vie. Parce que c'est plus facile de l'accuser elle de trahison, de trouver que c'est elle qui te faisait t'éloigner. Que c'était pas ta décision. Je peux te sortir tout le chapelet des bonnes raisons qu'il se donne… »

Éloi est trop assommé pour discuter davantage. Il se lève et va payer.

Isabelle secoue Jules: « Dis quelque chose. Laisse-le pas partir comme ça!

— Qu'est-ce qu'on peut dire, maintenant? Même toi, tu te doutais jamais…

— Je pensais que son père délirait un peu… pas qu'y voulait vraiment qu'Éloi se défende. Comment je pouvais imaginer qu'il était allé se planter devant la boutique?

— J'sais ben. »

Éloi revient, s'excuse de la fin abrupte de son souper de remerciement.

Tout le monde a l'air piteux, déconfit.

Quand Éloi annonce qu'il va rentrer à pied, Jules tend ses clés à Isa et refuse d'entendre les arguments de son ami.

« Regarde Éloi : t'imagines une minute que c'est à moi que ça vient d'arriver. Tu me laisserais rentrer tout seul ? Ben, c'est ça ! »

Éloi a ce sourire triste des jours suivant la mort de Juliette.

Jules embrasse Isabelle avec une grande douceur. Elle entend un « merci » à peine murmuré.

## 105

Ils sont affalés dans les coussins du sofa et ne disent plus rien, épuisés de tourner en rond et de répéter les mêmes conclusions.

Éloi sort le gin et les glaçons : « Pas de shaker ici. »

Jules est tout à fait capable de boire *straight* et en silence.

Silencieux, Éloi se lève et arpente le minuscule salon. Jules attend patiemment que le résultat de cette intense cogitation lui soit communiqué.

Quand il voit Éloi sortir un disque dur externe et ouvrir son ordinateur, il proteste.

Éloi lève un doigt et lui demande d'attendre.

Finalement, il interrompt sa lecture et se tourne vers son ami : « Anaïs m'a dit quelque chose à propos de la protection. De Carolane qui textait à Juliette d'arrêter de la protéger. Qu'elle assumait. La petite avait lu les échanges de textos entre sa sœur et Juliette. Moi, j'ai jamais osé, je me sentais indiscret. Viens voir. »

Jules lit les quelques textos.

« O. K., ça dit pas pourquoi Juliette serait allée avec Rock pour protéger son amie.

— Ça dit "j'assume"… on était dans le champ ben raide, Jules ! C'est Carolane qui était la protégée, c'est elle qui avait gros à perdre. Ou qui avait peur de tout perdre. Rock avait la vidéo cochonne de Carolane sur son cellulaire, je me suis jamais demandé comment ni pourquoi, mais c'est clair qu'il pouvait menacer Carolane de rendre l'affaire publique. Anaïs est pas mal plus solide que sa sœur, pas mal plus certaine de son orientation, mais tu te souviens comment Carolane était ? Toujours en train de se demander ce qu'elle voulait vraiment, pas décidée, mais amoureuse folle de Juliette ? Ce que voulait Rock, c'est que je sois traité comme lui par les femmes. Par la mienne, en tout cas. Me prouver que j'étais un imbécile de croire cette fille-là. Il a visé Carolane pour décider Juliette à me laisser et à embarquer dans un échange qui l'exposait encore plus que la vidéo exposait Carolane. Elle a protégé son amie et s'est mis dans le pétrin avec Rock en pensant qu'elle finirait probablement par l'avoir. Par le doubler. Je sais pas trop comment, mais elle avait un plan. Jusqu'au message de Carolane. Après ça, elle a juste envoyé chier Rock. Elle devait être tellement écœurée de jouer son jeu.

— Mais y avait les courriels, y pouvait la salir pas mal. C'était dégueu. S'il sortait ça…

— Pour Juliette, c'était pas la fin du monde, elle avait jamais peur de rien. Elle avait pas mal plus confiance en elle que Carolane. Elle pouvait se crisser de Rock ou de son chantage. Elle s'en faisait pas, sauf pour ceux qu'elle aimait. Et là-dessus, Carolane était hyper fragile. On aurait dû y penser.

— Ou lire les textos ! Non, ferme pas : c'est quoi la date ?

— Le 19 pour la décision de Carolane d'assumer. Juliette a envoyé chier Rock le lendemain. Le jour où je suis allé devant la boutique. Le jour de notre anniversaire.

— Et lui a pensé qu'elle lâchait son amie pour te retrouver. Que t'avais gagné. Si tu y étais pas allé, il aurait cru la même chose de toute façon. Que tu gagnais.

— Non, Jules. Il aurait fait un beau paquet des échanges sados et me les aurait offerts au souper d'anniversaire. Quand y a vu que je venais pas célébrer, il s'est mis à croire que non seulement Juliette l'envoyait vraiment chier, mais qu'elle revenait avec moi. Ça l'a rendu fou. Y s'est pointé rue Laurier pour la menacer encore sans doute, y m'a vu et y a pensé que ça y était, que j'aurais encore tout ce que je voulais et que lui n'aurait rien. Alors, y a décidé de fesser pour faire un maître. »

Il éteint l'ordinateur et va ranger le disque dur.

Il remplit le verre de Jules et le sien. Après un bon moment passé à siroter en silence, Jules soupire : « Jamais vu quelqu'un d'aussi compliqué que ton frère, man. Il réussit à focusser rien que sur toi en t'haïssant ou en t'aimant. Regarde ce qu'il a fait à ta mère pour t'atteindre encore, même s'il est en prison : il l'a rendue folle avec son crisse de cellulaire qu'on avait vidé. Y était prêt à sortir les courriels avec le blogueur. Peut-être même la vidéo de Carolane. Pis là, elles sont même pas là pour souffrir ou avoir honte. C'est jusse toi, te faire souffrir toi qui l'intéresse. Malade en crisse… »

— Tu dis ça, mais Guillaume ou Anaïs et ceux que je connais pas, ils en auraient mangé toute une.

— Ta mère! Quand je pense qu'elle faisait tous ses caprices pis là : tasse-toi, tu me sers pus à rien! T'es trop conne. Tu parles d'un monstre! Ton père a raison, c'est un danger pour toi.

— Reviens-en, Jules! Y est en prison. Pour vingt-cinq ans. On l'a ben vu, c'est pas me tuer qui l'intéresse, c'est bousiller ceux qui s'intéressent à moi. Ceux qui sont dans ma vie. Tu ferais mieux de te méfier. Pis Isabelle aussi. Rock veut jusse une chose, faire le vide autour de moi. Ça a marché avec nos parents. C'est la première chose que mon père a faite, arrêter de me voir, arrêter de me donner de l'importance pour pas que Rock s'en prenne à moi.

— Boy! On peut dire que tes parents ont marché à fond dans ses combines. Pis regarde où y sont rendus : ta mère est à l'hôpital, ton père veut que t'achètes une arme. Super!

— Pis Rock, ça y donne l'impression d'être puissant. Aucun sens.

— Moi, je dis qu'y fera pas vingt-cinq ans. Y va se clencher avant.

— Non, tu te trompes. Rock se tuera jamais, y est beaucoup trop important à ses yeux pour faire ça. Y va tuer le monde entier avant de se tuer. T'as pas compris ça, t'as pas compris Rock. Tout ce que j'ai lui enlève quelque chose. Je pense même que le concours a commencé avant qu'on naisse.

— D'après toi, y a gagné?

— Je te dirai pas que ça me fait rien d'apprendre que j'ai servi de raison à la mort des filles qu'il a tuées. Ça fesse. Ça me dérange, c'est vrai. Mais le jour où j'aurai aucun ami, aucun amour, aucun recours, le jour où je deviendrai comme lui à haïr le monde entier pis à parler à un cercle anonyme de losers violents qui accusent le monde de mal penser et de s'acharner sur eux, là on pourra dire qu'y a gagné. Pas avant.

— *Good!* Parce qu'y est pas arrivé, ce jour-là. »

## 106

Guillaume avait peaufiné son discours. Il avait l'intention d'être honnête et d'exposer dans toute sa vérité l'impasse qu'il voyait se dessiner, quitte à se priver de Teresa. Il était prêt à être patient, délicat, à l'écoute de ses envies à elle et de son rythme. Mais il ne voulait pas tricher et prétendre qu'il avait le corps en dormance et le cœur à l'amitié. Depuis qu'elle avait parlé de ce baiser raté dont il ne se souvenait même pas clairement, c'est comme si l'instinct du chasseur s'était emparé de lui. L'histoire du passé de Teresa suscitait sa compassion, mais pas son affliction. Il comprenait ses réticences, mais il ne les sentait pas. Comme si la théorie ne s'appliquait pas à leur réel. Ou alors, que le réel repoussait la théorie au rang d'une vue de l'esprit incompatible avec ce qui vibrait entre eux quand ils étaient ensemble.

Cette femme lui semblait un mélange subtil et dangereux d'acceptation et de résistance, de force et de vulnérabilité. L'essence du féminin à ses yeux. Sa bonté, sa douceur ne faisaient aucun doute dans l'esprit de Guillaume. Mais depuis quelque temps, une vitalité pas si douce, pas si sage, pétillait dans ses yeux. Il n'aurait pas su dire si elle était plus libre ou plus confiante, mais ce n'était plus pareil du tout. Leur relation toute chaste avait un indéniable goût sexuel, un piquant de séduction qui le déroutait et le faisait rêver comme il n'avait plus rêvé depuis longtemps. Et ce n'est pas son goût prononcé pour l'interdit qui le stimulait, au contraire, c'était une sorte d'invitation confiante qui enveloppait leurs rapports. Plutôt déstabilisant pour lui.

Le soir de son anniversaire, préparé à se commettre et à jouer son quitte ou double, il ouvre la porte à une Teresa rieuse, les bras chargés de fleurs.

C'est la première fois qu'on lui offre des fleurs... alors qu'il a célébré ainsi tant de jolies femmes.

C'est la première fois qu'il se fait court-circuiter le discours par un baiser électrisant, torride, offert, donné et même exigeant.

Ce qu'il se préparait à dire, il l'a seulement fait parce que rien n'est plus permissif et indiscipliné que l'ardeur amoureuse qui les submerge.

## 107

Éloi ne veut pas cacher à Guillaume les nouveaux éléments qu'il a découverts. Ce n'est pas pour obtenir son absolution ou son pardon d'avoir involontairement provoqué la colère de Rock qu'il se décide à les lui communiquer, mais pour arriver à vivre avec.

Guillaume l'écoute attentivement, sans l'interrompre. Éloi est plus inquiet qu'il ne le croyait, plus triste à l'idée de perdre l'amitié de cet homme qu'il estime.

Il termine son récit en répétant que s'il n'était pas allé voler quelques instants à Juliette ce soir-là, elle serait peut-être encore en vie.

Sur le coup, Guillaume ne dit rien. Il prend une gorgée de café et fait une drôle de tête.

Finalement, il demande à Éloi s'il se rappelle qu'il y avait deux autres femmes qui ont été atteintes par Rock.

« Deux ? Non, une autre aussi… la dernière n'est pas morte.

— C'est vrai, mais elle commence à s'en remettre. Elle a failli en crever. Ça s'appelle un choc post-traumatique. Maintenant, penses-tu que le tueur avait quelque chose contre ces femmes ? Des reproches ? Des griefs ? Non. Ces deux femmes-là ne te connaissaient pas et elles n'étaient pas là la veille, quand tu t'es rendu à la boutique. Celle qui est morte s'appelle Sophia. L'autre, Brigitte. Écoute-moi bien, Éloi : si tu as envie de continuer à te flageller et à te mettre sur le dos les horreurs que ton jumeau peut commettre ou même penser, c'est ton affaire. Ça veut dire que t'es un siamois, pas un jumeau. Et tu peux raser ta barbe et te faire pousser les cheveux, tu peux redevenir semblable à lui si c'est le cas. Pour moi, ce que tu racontes veut dire que deux inconnues qui n'ont rien à voir avec ma fille ou Carolane ou toi sont mortes pour rien ou pour te convaincre que t'es encore plus responsable que tu pensais. Si tu m'as dit ça pour voir si ça te condamne à mes yeux, c'est que t'as rien compris à ce que je cherche dans la vie et à ce que cette épouvantable histoire m'a appris. Je ne cherche pas un coupable, c'est fini. Il y en a un, il est en prison et son frère est celui qui a aimé ma fille et que j'aime beaucoup. On peut en bâtir des théories, Éloi, on peut se faire du mal pendant longtemps. Ça, c'est le jeu préféré de Rock Marcoux. T'es pogné dedans, tu te débats, je peux comprendre. Mais j'embarquerai pas dedans. Et si tu veux t'en sortir, t'arrêtes de chercher jusqu'où c'est ta faute et tu avances. Parce que le prochain sur la liste de Rock, c'est toi. Y a une seule personne qui peut arrêter ça, et c'est toi. Pas lui, pas moi, toi.

— Je veux juste comprendre...

— Quoi ?

— Pourquoi...

— Honnêtement ? Je pense pas. Tu le sais parfaitement ce qui est arrivé. Tu l'as toujours redouté. C'est ce qui est toujours arrivé avec lui sauf que, cette fois, c'est à la puissance dix. Il avait pas besoin de toi pour devenir l'homme qu'il est devenu. Et tu devrais être fier d'avoir réussi à devenir quelqu'un, même en le fréquentant autant et aussi long-temps. T'es devenu qui tu es en le fréquentant. Ça veut dire qu'il aurait pu devenir un autre en te fréquentant aussi. Ça marche des deux bords, Éloi. Ta responsabilité, c'est pas lui, c'est pas ce qu'il fait ou pas, c'est toi. Ton instinct de changer de tête, c'est le bon. De t'éloigner, encore le bon. Reviens pas sur le chemin pour renifler ses traces, fais pas ça. Ça sert à rien. Rappelle-toi que deux filles ont pas payé pour toi ou par ta faute. Elles dépendaient de lui et rien que de lui. Il voulait tuer, point. Le reste, ce sont des prétextes. Pour Carolane ou Juliette, je ne sais pas. Mais pour Sophia et Brigitte, j'en suis sûr. Et, pour vider la question, si tu me demandais si je préférerais que jamais Juliette t'ait connu, j'entends sa réponse d'ici et je te la répète pour être certain que tu l'entends aussi : c'est non. C'était sa vie, ses envies et sa force. Téméraire avec ses courriels ? Sûrement. Courageuse avec ses amis et amoureuse de toi, c'était ma fille et je l'aime comme ça, même si ça me coûte de la perdre. Juliette a eu du bonheur dans sa vie et je sais, parce que je l'ai vu sur son visage, qu'elle est devenue une femme avec toi. Une femme heureuse, Éloi. Et maintenant que je te connais, je sais que c'était vrai, c'était pas de l'exaltation ou de l'imagination. Ma fille a eu ce cadeau-là de t'aimer et d'être aimée. C'est très important à mes yeux. J'aurais préféré que ton frère n'existe pas, c'est vrai, mais ton frère, c'est pas toi.

— Appelle-le pas mon frère, O. K. ?

— Tu viens de me tutoyer ! Ça prenait ça, faut croire. On va l'appeler le tueur.

— Non, on n'en parlera plus. C'est toi qui as raison. On revient pas en arrière. »

## 108

«Tchèque ça!»

C'est un TikTok réalisé par Anaïs, la survoltée. On y voit une fille brune, très grande, monter dans un autobus scolaire, se retourner et envoyer un clin d'œil très complice à la personne qui filme.

Anaïs est éperdue, elle ne se tient plus de joie : elles vont sortir ensemble, elles vont s'embrasser et aller plus loin. Elle s'appelle Julianne, elle a quinze ans et c'est enfin la vraie vie.

Éloi sourit, heureux pour elle.
«Tu le diras pas?»
Il est étonné : «Dire quoi? À qui?
— De faire attention. De pas partir en peur. De pas la filmer si c'est privé, de pas spreader ça dans le monde entier avant que ça existe... qu'en amour, le cell, c'est un allié, pis une bombe...
— Pas besoin. T'as l'air d'avoir bien compris.
— Tu me crois pas?
— Évidemment que je te crois... quoi? Tu veux que je radote pour que tu me traites de vieux?

— Non, mais… j'aime ça quand tu t'en fais pour moi.

— Je suis content pour toi, Anaïs. Je sais pas si ça va durer cent ou mille ans, l'histoire avec Julianne, mais je te fais confiance, tu vas essayer et tu ménageras pas ta peine. Si ça foire, ça sera ce que ça a été, une belle aventure parce que c'est la première. Pis si c'est pas aussi malade que tu penses, y a une autre aventure qui va t'attendre quelque part.

— Ouais… c'est pas la fin du monde, han ?… »

Elle ne le pense pas une seconde ! Éloi voit bien que c'est une fille hautement inflammable qu'il a devant lui. Et magnifiquement fragile, même si elle se prétend invulnérable.

« Sais-tu quoi, Anaïs ? C'est un peu la fin du monde. C'est comme se jeter à l'eau la première fois : on n'est pas sûr qu'on sait si bien nager que ça. Ça prend du *guts*. T'en as. Si jamais tu prends un bouillon, je sais nager. Je te laisserai pas te noyer.

— T'es le seul qui est au courant. Je l'ai dit à personne.

— C'est parfait parce que c'est privé.

— Ben non ! C'est parce qu'y a juste toi qui comprends ! Penses-tu que je vas dire ça à ma sœur ou aux parents ?

— Fais ta vie, Anaïs, pis laisse faire la leur. Y vont faire comme y peuvent.

— Des fois, j'suis presque contente que Carolane soit morte, c'est comme si, sans ça, j't'aurais jamais connu.

— Mais c'est pas obligé de toujours coûter aussi cher. On peut connaître du monde le fun sans drame. La preuve : Julianne ! »

Les yeux brillants d'excitation d'Anaïs sont trop beaux.

## 109

« Tessa… tu restes dormir ou tu repars ? »

La main douce caresse son épaule et va se réfugier sous les cheveux en tenant sa nuque. Seul le pouce de Guillaume bouge encore pour éprouver le velouté de la peau.

Teresa ferme les yeux de bien-être. Ce prénom qui a surgi après leur premier baiser, ce prénom que seul Guillaume prononce avec sa voix amoureuse, elle a l'impression que c'est le sien depuis la nuit des temps. Comme s'il s'était caché si loin au fond d'elle qu'elle ne l'avait jamais soupçonné. Elle se dit qu'elle aurait pu ne jamais entendre Tessa. Ne jamais être Tessa.

Toute la souffrance du « r » de Teresa s'est enfuie sous la douceur enivrante de Tessa. Quelquefois, elle a des sursauts de panique, elle s'affole en imaginant perdre son bonheur — comme si tout devait se payer en douleur et en renoncement. Elle se répète que c'est faux, que tout ne se paye pas et que le plus grand malheur, c'est de se priver des pauses bénies que parfois la vie offre, par peur de les voir se terminer.

« Tu dors déjà, Tessa… »

Non, elle ne dort pas. Elle goûte, elle respire la vie avec délicatesse et certitude.
Comme jamais auparavant.

FIN

# Remerciements

L'écriture d'un roman fait avant tout appel à l'imaginaire…
mais il arrive toujours un moment où, pour demeurer plausible, il faut que le réalisme prévale.

Dans ce temps-là, je consulte.

J'ai le bonheur d'avoir dans mon entourage des puits de
science qui répondent à mes questions. Ces personnes, je
veux les remercier de leur patience et de leur apport à la
cohérence de l'univers que j'ai décrit.

Merci à Fred Jérôme qui m'a aidée à dépatouiller certains
secrets de l'informatique.

À Charlotte et Alice Duval, pour le glossaire particulier
de mon personnage d'Anaïs, et à leur mère, Catherine
Laberge, pour tant de détails sur tant de sujets que je ne
peux en faire la liste ici.

Merci à Robert Claing, mon éclaireur dans les méandres
de l'orthographe et des accords compliqués.

Merci à Christian Lebel, capable de m'orienter dans l'univers policier.

Merci à mes amis Jean Bernier et Pedro Mejia qui ont partagé avec moi leur connaissance approfondie du Honduras et de sa culture.

Certaines personnes, pour des raisons qui leur sont propres, préfèrent demeurer anonymes. Je veux quand même remercier ces experts du temps qu'ils m'ont consacré et de l'aide qu'ils m'ont apportée.

Enfin, mais non les moindres, mes trois premières lectrices, Denise Gagnon et mes sœurs Louise et Francine ont, cette fois encore, réussi à témoigner de façon remarquable de leur lecture et elles m'ont permis de persister et de garder confiance aux moments où le doute ravageur m'assaillait. Merci de votre profonde honnêteté et de votre générosité.

ML